第3版

よくわかる

公民館のしごと

全国公民館連合会
編著

第一法規

はしがき

当連合会では，「公民館の職員としてどんなことを知っていなければいけないのか」「公民館はどういうところなのか」といった疑問に簡単に答えられる便利な本を求める要望に応え，当連合会で発行している『月刊公民館』に掲載された記事のなかから，わかりやすいもの，基本的なものを盛り込んだ『よくわかる公民館』を2008年４月に発刊しました。

作成にあたっては，主に以下の点に心がけました。

・はじめて公民館に勤める人に必要な知識を単元として取り入れる

・ひとつの単元のページ数が多くならないように読みやすくする

・なるべく絵や図を多くして，視覚的にもわかりやすくする

また，公民館で日常的に出てくることばを多数取り上げるとともに，日々の業務のなかでわからないことがあったような場合に手軽に確認できるマニュアルとしてもご活用いただけるように工夫いたしました。おかげで，本書は多くの公民館職員に広く読まれてきました。

その後，2017年に基本的内容を踏襲しつつ，一部内容を刷新して第一法規株式会社から刊行しました。

そして今回，公民館をめぐる状況の変化やコロナ禍への対応など，新たな課題が生まれていることを受けて，新たに編集し直し刊行することといたしました。

この本を手がかりとして，公民館の活動・運営が充実することを心より願っております。

2022年３月

公益社団法人　全国公民館連合会

会　長　　中西　　彰

よくわかる公民館のしごと／目次

第1章

公民館入門

01 よくわかる公民館の初歩

はじめに

公民館が，もっとも身近な社会教育施設として，全国の各地域に設置されてから，すでに70年以上が経ちました。公民館が生まれたのは，戦後すぐの間もない1946年です。その後，日本は戦後の荒廃から立ち上がり，経済的に大きく発展を遂げることができました。

しかし一方で，私たちの生活や社会環境は大きく変化し，私たちが今まで経験したことのない人口減少の時代を迎えています。人口減少が進むと，税収が減少し，今までのような行政サービスを維持することが難しくなることでしょう。したがって，地域の人たちが助け合い，協力するという，「住民自治」を進めていく必要が出てきます。行政依存から脱却して，地域の課題は地域住民自ら解決していくことが必要なのです。

公民館は生活に密着した施設です。公民館はこのような状況に対して，何を

すべきなのでしょうか。現在，国では「地方創生」を国家戦略の１つに打ち出しています。地域にかかわって，地域の住民自治を育む施設として，これは大きなチャンスだといえるのではないでしょうか。

最近の公民館には，その道何十年のベテラン職員が少なくなったり，職員研修の機会も減ったり，職員の異動が短くなったりしているため，公民館の基本的なことを理解する機会が少なくなってしまっています。また，公民館で使われている用語がわかりづらいし，公民館業務が複雑だし，住民との距離がうまくつかめないなど「公民館ブルー」のような状況に陥って，公民館の仕事にとまどいを感じている人もいるかもしれません。

そこで，公民館のことがてっとりばやくわかる入門書として，本書をつくりました。

1　「公民館」のことを，知ろう

公民館に勤務するにあたって，公民館がどのような施設で，どのような性格を持つ施設なのかを把握しておく必要があります。住民にとって，ベテランも新人も同じ職員。いつまでも「新人」として特別扱いしてくれるわけではありません。

自分の勤務する公民館では，どのようなことを目標にして，どのようなことをおこなおうとしているのか，きちんと把握しましょう。公民館のなかばかりでなく，自分の所属する市町村の目標や施策（施政方針や市民［町民，村民］憲章など），また所属する課（社会教育課，生涯学習課など）の目標，またひいては国や世界全体の目標や傾向（文部科学省の教育振興基本計画，さまざまな答申，地方創生など）もふまえて，自分たちの位置をとらえることも大切です。

公民館は，地域住民のため，各種の事業を実施しています。これらは「年間事業計画」や「生涯学習・社会教育計画」として，まとめられていることでしょう。これらの事業は，対象によって「青少年教育」「家庭教育」「高齢者教育」などのように分類されていることがあります。

勤務する公民館の施設そのものの特色を知ることも大切です。どのような部屋があり，定員は何人なのか，使用上のルールなど。それから備品や設備はどのようなものがどこにあるのか。その公民館の歴史や公民館をよく利用する利用者，サークルなども覚えておきましょう。

公民館を取り巻く地域も，公民館の運営を大きく左右します。市町村要覧，各種統計データや住民調査やアンケートなどで，人口や高齢者率，年少率，生活保護率などを把握したり，また自分の足でも実際に歩いて，住民の生の声を聞いてみましょう。

さらに，各市町村では「公民館使用規則」などで利用申し込みのルールが独自に決まっていますので，事務処理の方法などについても理解しておくことが大切です。

これらを理解しておけば，公民館を利用する住民に，アドバイスや情報提供することができますし，ニーズも把握でき，より適切な講座をつくることができます。

2　そもそも，公民館って何？

「公民館」というと，皆さんはどのようなイメージを思い浮かべますか？

小さいころに子供会などで利用したことがあったり，町内会の会合で使ったことがあったり，災害で急に避難したことがあったりするはずです。「公民館」という名前は知らなくても，過去には意外と使っていたことがあるものです。

さらに，「公民館」は，どこの市町村でも形態が同じというわけではなく，施設規模や運営形態，職員配置など，全国さまざま。運営を町内会・自治会が担っている公民館，市町村職員が担っている公民館，民間に委託している公民館。また部屋貸ししかしていない公民館，事業を積極的に展開している公民館，ふだんは鍵がかかっていて誰もいない公民館。これらはすべて，同じ「公民館」なのです。

「公民館」のことを話題にして話しているのに，どうも相手と話がかみ合わないと思ったら，まったく違う「公民館」をイメージしていた，というのはよくある話。同じ公立の公民館であっても，運営形態や施設規模，職員の配置，事業内容などが異なるので，その違いをきちんと把握してからお話しなければ，わかり合えないことも多いのです。

よくありがちなのは，「公立公民館」と「自治公民館」を混同していることです。「自治公民館」は基本的に，「自治会」や「町内会」が管理・運営している施設であり，社会教育法に基づいた施設ではないので，「公立公民館」とは性格が大きく異なります。「自治公民館」には常駐している職員がいることはほとんどありませんし，「営利」「政治」「宗教」などの利用が法律で禁止されているわけではありません。また，施設規模も小さいものが多く，老若男女さまざまな人が集って活動しているというイメージは「公立公民館」ほどあるわけではありません。

3　どうして「公民館」って，いうの？

あなたの公民館にも，小学生たちが「総合的な学習の時間」で，公民館に来ることがあると思います。そんなとき，「どうして公民館って，いうの？」と聞かれたら，どのように答えますか？

どうして「公民館」というのでしょうか。

「公民館」の生みの親である，寺中作雄氏が著した『公民館の建設―新しい町村の文化施設―』という本のなかに，そのヒントが隠されています。

そこには，こんなふうに書かれています。

公民館は公民の家である。

公民たる者が公民の資格において集まり，ここで公民として適わしい修養や社交をする施設という意味である。

此処に公民と言う言葉は市制町村制に於て市町村の公務に参与する為の資格即ち選挙資格を持つ者として定められた条件に該当する市町村の住民の意味ではない。即ち法律上の公民資格ある人の意味ではなく，実質上の公民資格ある人又は公民資格を得んと努める人の意味である。言い換えれば，自己と社会との関係についての正しい自覚を持ち，自己の人間としての価値を重んずると共に，一身の利害を超越して，相互の助け合いによって公共社会の完成の為に尽す様な人格を持った人又は其の様な人格たらんことを求めて努める人の意味である。

寺中作雄

「公民館」という名前の「公民」とは，戦後新しい日本をつくり，国民の政治的教養の形成が重要であるとの認識から，政治的主体の意味合いで「公民」という概念を提示しているのです。この「公民」概念は英語の「citizen」であり，国や行政に依存するのではなく，自分たちの国や地域は自分たちでより良くしていく主体として考えているのです。平和な日本を創り上げるためには，豊かな文化的な教養を身につけ，社会的な

人格，公共を重んずる性格を持ち，社会のことを自分のこととして，社会公共をわれわれのものとして充実発展させるような，すなわち「公民的人格」こそ必要なのだといいます。

そのような「公民的性格」をお互いに陶冶修養する場所として，「公民館」は考えられていたのです。

4　公民館って，どんな職場？

公民館の仕事というと，何を思い浮かべますか？

「ヒマそうにしている職員が事務室にただぼーっと座っている」，なんていうあまり良くないイメージを持っている人もいるかもしれません。いえいえ，違うんです！　公民館には，実はさまざまな仕事があるのです！

ちなみに，社会教育法第20条の「公民館の目的」には，「公民館は，市町村その他一定区域内の住民のために，実際生活に即する教育，学術及び文化に関する各種の事業を行い，もつて住民の教養の向上，健康の増進，情操の純化を図り，生活文化の振興，社会福祉の増進に寄与することを目的とする。」と書かれています。

そして，社会教育法第22条には，しなければならない「公民館の事業」として，次の６つを掲げています。

第22条　公民館は，第20条の目的達成のために，おおむね，左の事業を行う。但し，この法律及び他の法令によつて禁じられたものは，この限りでない。

一　定期講座を開設すること。

二　討論会，講習会，講演会，実習会，展示会等を開催すること。
三　図書，記録，模型，資料等を備え，その利用を図ること。
四　体育，レクリエーション等に関する集会を開催すること。
五　各種の団体，機関等の連絡を図ること。
六　その施設を住民の集会その他の公共的利用に供すること。

これらをふまえたうえで，以下に公民館で日々おこなっている代表的な仕事について取り上げ，以下にまとめてみました。

(1)　講座をつくり，運営する！

公民館の大切な仕事の１つは，「講座」を立案・企画し，プログラムを組み，運営することです。「主催事業」とか単に「事業」などともいわれることがありますが，ここでは「講座」とします。講座づくりは公民館の仕事のなかでは，とても大切な仕事の１つとなっています。

「講座をつくって，実施する」意味は，その地域の課題を克服するために講座をつくり，実施し，その成果を地域の課題解決につないでいくことです。ただ単に場当たり的に，好きな講座を開くというだけでは，民間のカルチャースクールと変わらなくなってしまいます。税金を使って講座を開くのですから，その講座を開催することによって「地域を良くする」「住民の横のつながりをつくる」「地域固有の文化を高める」などのような意義があると，より公的に開催する意義が出てきます。

(2)　部屋を貸す！

「部屋を貸す」という仕事もあります。地域の人たちがさまざまなグループ活動をおこなうためには，身近に，気軽に安く利用できる活動場所が必要です。そのための場所を提供することも公民館の大きな役割です。ただし，地域にはさまざまなグループがあります。なかには自分勝手な使い方をするグループもあるかもしれません。公民館は社会教育法に基づいて設置されている施設ですから，部屋を利用するにあたってもその目的に合った利用をしてもらわなければなりません。

公民館で商売をしたり，個人的な着付け教室を会費を取るなど私塾的な会を開いたり，特定宗教の宗教的儀式をおこなってしまうのはよくありません。

また，公民館にはさまざまな設備や備品があります。障害者用トイレや工芸用の窯，またマイクや机，パネル，なかにはテント，発電機のようなものも備えている公民館もあります。そういう設備や備品をきちんと管理し，メンテナンスをおこない，貸し出すこともします。

(3)　いろいろ，つなぐ！

人と人，人と団体，団体と団体をつないでいく，ということも大切な仕事です。

人と人とが出会うためには，きっかけが必要です。学校や職場で出会う以外では，なかなか人が知り合えるきっかけというものはつくりにくいものです。映画や小説では，人と人とが出会うという瞬間から物語がはじまるように，公民館という場は人と人とが出会える，その人にとっての物語がはじまる，とても大切なきっかけを提供しているのです。

同じ趣味，同じ興味，同じ関心などを持った人は地域にはたくさんいます。しかし，その人たちを横につなぐことは何かきっかけがない限り，なかなか出会うことはありません。

公民館のある講座に参加したことをきっかけに，同じ関心を持った人に出会い，そこからサークル活動や地域の社会活動に発展したというケースはたくさんあります。

さらにいえば，そういうつながりをつくることを職員がわざと意識して，計画的に「仕組む」「仕込む」ということも大切です。「わざと」というと否定的に聞こえてしまうかもしれませんが，そうして「配慮」することが公民館の大切な役割だといえます。

最近，「コミュニティデザイン」という言葉をよく耳にします。『月刊公民館』で，かの有名な山崎亮さんにインタビューしたことがありました。山崎さんはコミュニティデザインの仕事とは，こんなふうに説明しています。「この肩書きは偶然生まれたもので，私自身もうまく説明できないんです（笑）。私のしていたことは，もともとランドスケープデザインでした。ひとことで言うと，風景をデザインする人なのですが，町並みをそろえることだけが風景なのだろうかと思うようになったのです。むしろ，そこに住む人々の生活の営みが表れてくるものが風景なんじゃないかと。それは長い時間をかけて，育てていくものなので，人と人との『つながり』が必要となる。そこで，私は人と人とをつなぐことが仕事となってきたのです」（『月刊公民館』2013年８月号より）。公民館の仕事もまさしく，人がつながるしくみをつくることにあります。

(4)　つどう！

公民館の基本的な機能や役割を集約して，「つどう」「まなぶ」「むすぶ」の大きく３つがあると，よくいわれます。この３つのソフトウェアを標準装備している公民館。これらは大きな財産であるといえましょう。

公民館では，人が集まる機会や場所を提供します。公民館では，個人で学習したり，活動するのではなく，集団で学んだり，活動することに特徴があります。

社会教育法の第２条「社会教育の定義」には次のように書かれています。「この法律において『社会教育』とは，学校教育（昭和22年法律26号）法又は就学前の子どもに関する教育，保育等の総合的な提供の推進に関する法律（平成18年法律第77号）に基づき，学校の教育課程として行われる教育活動を除き，主として青少年及び成人に対して行われる組織的な教育活動（体育及びレクリエーションの活動を含む。）をいう（下線部著者）。」

公民館が通信教育のような個人学習と異なるのは，このように「つどう」「まなぶ」「むすぶ」の３つの要素がからんで成り立っていることに特徴があります。

(5) 積極的にPRする！

以上は「公民館に来てくれる」人が中心の取り組みとなっています。しかし，すべての住民が公民館に関心があるわけではありませんし，知りたくてもその人のアンテナに引っかからないということもあるでしょう。公民館に足を運んで来てくれる人は，全体のほんの一部分です。ある調査によれば，地域の全人口の１％くらいの人しか，公民館に来ていないという統計もあるようです。

一度も食べたことがない食べ物を「おいしい」と想像することはできません。公民館も一度も行ったことがない，公民館を体験したことがない人にとって，公民館なんてまったく想像できませんし，想像としてあまり良いものを思い浮かべないのではないでしょうか。実は筆者もその一人で，公民館に来る前は「どうせヒマそうな職員が事務所に座っているだけだろう」くらいにしか思っていませんでした。しかし，私が大学生のときに行った公民館はまったく違っていて，住民が気軽に事務所に入ってきて職員と親しそうに話してたり，子供たちも公民館にたくさん来てにぎやかにしていたり，住民たちを集めて住民自らが講座をつくっていたりして，その活発な様子に本当に驚き，「公民館って，こんなに住民と近くて，生き生きとした施設だったんだ」と目から鱗が落ちる思いでした。

実際に一度でも公民館を体験してもらうためにも，公民館は誰でも使えるということや，公民館はこういうところという説明，さらに公民館の良さなど，もっともっと積極的にわかりやすくPRする必要があります。「市町村の広報に掲載しているから大丈夫」という人もいますが，役所の広報に目を通す人はほんの一部です。特に若者はほとんど見ないでしょう。

公民館報（公民館だより）の編集・発行をおこなっている公民館は多いと思いますが，それ以外にホームページ，Facebook，Twitterなどを活用したPR活動など，さまざまなツールを使うことも考えてみましょう。

5　公民館の目的って，何？

公民館は，どういうことを目的にしている施設なのでしょうか。

公民館といえば，「単なる集会所」としか考えていない人もなかにはいます。そのくらいにしか考えられていないということは，職員にとっても，住民にとっても不幸であるといえます。

公民館の法律である「社会教育法」第20条には次のように書かれています。「公民館は，市町村その他一定区域内の住民のために，実際生活に即する教育，学術及び文化に関する各種の事業を行い，もつて住民の教養の向上，健康の増進，情操の純化を図り，生活文化の振興，社会福祉の増進に寄与することを目的とする。」

公民館ほど，やりようによってはさまざまなことができる施設はありません。活気のある公民館には大勢の住民がやってきて，たいへんにぎやかです。電話がたくさんかかってきたり，住民がぶらりと立ち寄ってきたり，窓口に人がやってきて，事務所にも落ち着いて座っていられないほどです。

こういう公民館には必ず，精力的に活動する職員がいます。そのような職員は公民館がどういう目的で，どういう機能を持っているかなどよく熟知していることが多いものです。

公民館の基本的な機能として，「つどう」「まなぶ」「むすぶ」の３つがよく挙げられ，「集会所」として「つどう」ことも大切な機能の１つですが，公民館の役割はそれだけではありません。住民がただ公民館に集っただけでは，学びの場とはなりづらいのです。もっと意識的に学習につないでいく「仕掛け」をするのが公民館であり，職員の役割なのです。

さらに公民館とは，「人々が，自らの力で，くらしを切り拓く知恵と力を身につける場」ですが，職員には「人々のそのような営みを援助する」配慮が必要です。

公民館はよく，「つどう」「まなぶ」「むすぶ」という役割で表現されますが，これをとおして公民館の基本的な目的について改めて考えてみましょう。

⑴　公民館は，地域住民の生活のための学習や文化活動の場

公民館は，住民のさまざまな「まなぶ」活動が誰にでも気楽にできるような環境整備に努めなければなりません。さまざまな「まなび」，その他文化的活動の機会や材料を住民に提供するとともに，個人でも，集団でも，公民館に「つどう」ことを通して自由にその施設・設備を利用し，事業に参加できるよう住民に開放されている施設であることが求められます。

⑵　公民館は，人々の生活の課題解決を助ける場

公民館は日常生活のなかから生ずる課題に対して，関係資料を提供したり，その解決にお手伝いしたり，助言を与えたりするほか，集団でこれらの問題の

解決をはかる場合に便宜をはかり，協力する働きをすることが望まれます。したがって，公民館ほ，あらゆる問題を処理できるような条件や体制，つまり，現実および将来を見通した施設設備をはじめ，職員や講師，助言者や資料などを整備することが必要になります。

⑶　公民館は，他の専門的な施設や機関と住民とを「むすぶ」場

公民館が，住民の日常生活のなかから生ずる課題を解決するためには，実際には公民館単独ではできません。しかし，公民館の役割の１つ「むすぶ」機能を十分に発揮することによって，むしろ効率的にすることができます。

すなわち，公民館は図書館や博物館のような社会教育施設，保健所・研究所などの専門的機関，および学校その他の教育機関や行政機関と密接な連携を保ち，それらの機能を活用すれば，多くの要望に応えることができるのです。

ただ，課題に応じてこれを適切に処理しうる能力と技術を有する職員，他の施設機関との相互提携により，公民館活動を円滑に実施することができるように工夫することが必要です。そうすれば公民館は，本来の目的と性格に基づく，それ自身の充実改善とともに，他の協力を加えた機能で，地域における社会教育の総合的な中核拠点として，住民の日常生活をよりいっそう高め，地域社会の発展に重要な役割を果し，名実ともに意義のある有力な施設となるのです。いいかえれば，公民館自体の機能のほかに，図書館や博物館，あるいは，情報センターとしての機能まで事実上発揮することもできるのです。

公民館のなかには，中途半端な機能しか持たない図書室や展示資料しかないことも往々にしてあるようですが，これだけを活かすというのではなく，さまざまな機関をむすびつけることによって，公民館は地区における総合的な教育・文化のセンターとして，他の社会教育施設と異った独自の性格，および他のものでは充たされない働きを打ち出すことができます。

要するに公民館は，その市町村内またはその周辺に，充実した他の専門的な施設ができるほど活動内容が充実するといえましょう。

⑷　公民館は，仲間づくりの場

人々が公民館に出入りして，「つどう」ことが多くなると，集団的な学習活動を通して，あるいは，個別の施設や設備の利用を通して，住民同士のつながりが増えていきます。そのなかで，同じ傾向の生活課題に取り組んでいる，また趣味を同じくするなどで，人と人との「むすび」つきが広くかつ緊密になっていきます。

こうして，人と人とを「むすぶ」ことによって，いろいろな集団が地域に生まれ，地域組織が整うというだけでなく，それらの集団や組織と公民館とが「むすび」つき，それらの相互の協力連携を保つという発展過程を通して，地域の教育・文化の振興に寄与するのです。

6　公民館の活動には，どのような特徴があるの？

公民館活動の特徴として，「地域」「学び合い」「住民主体」などがキーワードとなっています。一方，同じ学習施設や機関である通信教育やカルチャーセンターでは，個々人の知識の習得，技術の向上が主たる目的となっています。

どのような違いがあるのでしょうか。

公民館においては，知識の習得や技術の向上も大きな目的の１つですが，それればかりではありません。なかには知識獲得や技術向上が目的ではない人もいます。

公民館の大きな目的である「公民」的な人格の形成をふまえると，次の３つが大きな特徴としてあげられます。

第一に，公民館の学習は，ラジオやテレビで学習する個人学習ではなく，集団で多くの人たちがかかわって学習することに特徴があります。公民館ではサークル・グループ学習など，集団でコミュニケーションをとりながら学習することが多いため，公民館でおこなわれている講座はいわば「学び合う共同体」ともいえます。参加者一人ひとりのやり方，考え方，個性などが講座に反映され，参加者が講座，学習をつくっていくというのが公民館の昔からの学習方法なのです。上が決めたことを学習するというトップ・ダウンの学習ではなく，住民みんなで話し合って学習をつくっていく，いわばボトム・アップの学習なのです。

第二に，学習が地域に還元されることも，大きな特徴です。学習したことを個人に還元するばかりではなく，その学習を通して得たものを地域や地域の人たちに還元します。ひいてはそれが，地域の文化や社会を創り，まちづくりに役立っていくのです。

第三は，公民館の講座は，最終的には自分で主体的に学べることを目的としています。自ら考え，自らの地域をつくっていく主体を育むのが重要な目的なのです。

7　公民館は，どのように役立っているの？

⑴　学習拠点として

公民館は「教育基本法」のなかで法的に位置づけられている，教育機関です。「社会教育法」という法律によって，その目的など規定されています。小学校や中学校が適齢期の子供が対象なのに対して，公民館は年齢を問わず，また所得や性別，国籍などを問わず，原則としてその地域に住んでいたり，勤務していたりすれば，利用ができます。

⑵　避難所として

災害が起こったとき，誰でも避難が可能な身近な公共施設として役立っています。多くの自治体では，公民館は第一次避難所や第二次避難所に指定されています。テレビなどのメディアでも災害が起こると，公民館が避難所となっている風景がよく報道されます。東日本大震災においては，ほとんどの公民館が避難所となりました。

(3)　集会所として

公民館は，人がつどえる場所として利用されています。サークルやグループの活動場所ばかりでなく，町内会・自治会の集まりや，そのほかNPOなどの活動をおこなう場所として，地域に住む人たちに開かれています。

(4)　出会いの場所として

公民館は多くの人が集う場所です。そこでさまざまな人とフェイスツーフェイスで出会ったり，職員や仲間を通してつながりやネットワークができます。つながりができることで，今まで自分の知らなかった世界，地域，人，ものなどに出会うことができます。

(5)　地域づくりの場として

公民館はもともと，地域振興という目的がありました。戦後間もないころは，それぞれの地域おこしをおこなう場所として，公民館は期待されていました。現在でも，教育機関という枠を越えて，地域をよりよくしたいと考える人たちの活動場所となっています。

(6)　生きがいづくりの場として

公民館に来て，さまざまな人と知り合って，自分のしたい趣味や活動ができて，生き生きと暮らしている人はたくさんいます。生きがいを持って，人とのつながりのなかで生活している人は，健康寿命が長いといわれています。地域に住む人が生き生きとしていれば，地域も輝いていきます。

それ以外にも，公民館はさまざまな面で役立っています。皆さんの公民館ではどんなことに役立っていますか？

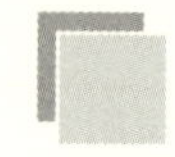

8　情報発信（PR 活動）を大切に

⑴　多様化する広報

現代はネット社会となり，IT 技術の向上などによりメディアが発達し，さまざまな情報発信・収集が手軽に，そして身近にできるようになりました。

そういうなかで，公民館がおこなっている広報の多くは，いまだ「公民館だより（公民館報）」や「市町村の広報」が頼りというところも少なくありません。

文部科学省が実施した最新の社会教育調査（2018年度）によれば，公民館における情報提供方法でいちばん多いのが，「機関誌，ポスター」の60.1%，次に「公共広報誌」の50.6%となっており，ホームページは38.2%，ソーシャルメディアはさらに少なく，4.2%に過ぎないという状況になっています。

確かに「公民館だより」を定期的に，そして精力的に発行している公民館も多く，読むのを楽しみにしている住民たちも多いようです。しかし一方で，一般の人たちが使っている情報収集方法としては，現在ではホームページやソーシャルメディアから得ることがいちばん多いのではないでしょうか。

公民館広報が，超然と時代にあらがって存在していいはずはありません。住民の実態やニーズをよく把握して，どういう広報が求められているのかを考えなくてはなりません。

⑵　予算のないなかで

公民館はどこへ行っても，予算があまりありません。これはどこの公民館を訪れても，同じような悩みとなっています。特に，事業費ではなく，広報宣伝費に潤沢な予算を持っている公民館はほとんどないのではないでしょうか。

予算がないからといって，広報しないということはよくありません。公民館は事業実施にはとても一生懸命ですが，自分たちのしていることを PR する，宣伝することについてはあまり得意でないように思います。自分のしていることをひけらかすのは自慢しているようで恥ずかしいという気持ちもどこかにあるのかもしれません。

しかし，住民に公民館の正しい情報をきちんと伝え，公民館をさらに活用していただくように努めることも，公民館にとって大切なことではないでしょうか。

また，広報は，地域住民に公民館がどういうところかをきちんと理解してもらったり，さまざまな学習機会を情報提供したり，地域により親しみを持ってもらったり，さまざまな人との交流を促していく，という大きな役割もになっています。

公民館は予算がありませんが，他にはない強みもあります。それは「信頼」です。公民館は公共施設であり，また地域に長年にわたって貢献してきた公民館であればあるほど，公民館はどういうところなのか，その地域の人たちにはわかっているものです。その信頼をうまく活用すれば，もっとPRがうまくできるはずです。

そのような強みを活かしながら，公民館のPR方法を検討してみましょう。

(3)　さまざまなPR方法

公民館で考えられるPR方法にはさまざまなものがあります。従来からおこなっている方法だけでは同じような人たちにしか伝わらないでしょう。

公民館だよりばかりでなく，ホームページ，SNS（Twitter，Facebook，インスタグラムなど），メールマガジンなどさまざまな方法を模索し，検討してみましょう。今までにない反響があるかもしれません。

①ホームページ

最近では情報発信の大きな柱となっており，一般企業ばかりでなく，ほとんどの自治体も自分たちのホームページを運用しています。

ホームページは，公民館が自前でつくるとなると，はじめに構築する労力と，その後の維持に労力はかかります。しかし，専用のホームページがあれば，いつでも情報をアップできたり，住民にとっても，公民館の情報をいつでもどこからでも入手できるというメリットがあります。

また最近の情報ばかりでなく，過去にこんなことをした，こんな講座を開いた，そして公民館を取り巻いている地域にはこんな歴史があったなど，そういった「情報の蓄積」にもなります。そのような「歴史」があると，この公民館ではどういった活動がおこなわれてきたのかがわかって，人々の信頼や安心につながってきます。

② SNS

最近多くなったのが Twitter，Facebook，インスタグラムなどを使った SNS による情報発信です。これらのツールは，若者がよく使っているため，若者への PR に向いています。

口コミに近い機能があり，公民館が情報を発信したことばかりでなく，公民館の行事に参加した人が書き込んだ感想やつぶやきなどを通して，その公民館の内容を知ることもできます。

これらはホームページと違って，レイアウトをしたり，専用のソフトを使ったりするなどの手間がいらないのが大きなメリットです。

ただ，ホームページと違って，情報が古いものから流れていってしまうため，情報をストックするには不向きです。

1） Twitter

Twitter を活用する公民館も少しずつ増えてきています。

Twitter をよく使う年齢層はとても若く10代～20代くらいが中心です。

また使える文字数が限られるため，じっくりと報告するには不向きで，急な出来事，緊急性のある情報を発信するのが得意なツールです。したがって，台風や地震など防災に関する情報や，現在公民館にかかわって急な変更が生じたなどの情報発信ではその強みを発揮します。

2）　Facebook

Facebookを活用している公民館は，少しずつ増えてきています。

Facebookの利用者層は，30代～40代と比較的高いのが特徴です。また，実名制のため，シェアされたときに信用が得られやすいようです。

Facebookの強みは，さまざまな事業の報告，そして日々の業務で生まれてきたエピソードなど，「流れる」情報（今を伝える情報）が伝えられることです。ホームページは情報を蓄積していき，何年後でもその情報がたどれるということが強みなのに対して，Facebookは「今」を伝えることにその本領を発揮します。

日々の講座でおこなわれたこと，事業の様子を伝えるばかりでなく，公民館で起こったちょっとした出来事，エピソードなどを掲載しても楽しいでしょう。公民館の部屋に，きれいな蝶が舞い込んできたとか，公民館の庭にとてもきれいな花が咲いた，職員の間ではやっていること，今日はこんな失敗をしてしまいました，みんなで大掃除しました，などです。掲載する記事は，文章だけでは魅力が伝わりません。写真も撮って，文章と一緒に掲載しましょう。このように「公民館のなかの人たちの息づかいが伝わってくる投稿」は，見ている人たちも楽しいものですし，公民館の好感度や職員の親近感にもつながってきます。

そういった書き込みに対して反応して，利用者や住民たちの書き込みが増えてくると，投稿しがいが出てきて，楽しくなってくるでしょう。

3）　インスタグラム

「インスタグラム」は「インスタ映え」という言葉に代表されるように，写真の掲載が中心となっています。

公民館でのインスタグラムの活用は，現状では難しく，アルバム的な機能として，活動している写真，文化祭や体育祭などのイベント写真などを掲載するなどの活用が考えられます。

公民館の写真サークル，または写真好きな利用者に協力してもらうなども検討しましょう。

③チラシ（フライヤー）

チラシを作成して，情報を発信することもよくある手段の1つです。

公民館のロビーなどにチラシ置きコーナーに設置し，来た人に手に取ってもらいます。

チラシのメリットは，興味ある人にピンポイントで中味を伝達できることです。

デメリットとしては，チラシを置いてある場所に行った人しか，見ることができないこと，置いてあったとしても，チラシを手に取ってくれるかどうかはわからないことです。チラシのつくり方次第で，手に取ってくれる確率は大幅にアップします。

またチラシの配布も，いつも同じ場所ばかりでは，取っていく人が固定化してしまいます。公共施設ばかりでなく，たとえば駅，病院，商店街，コンビニ，学校（小中学校，高校，大学など），美容院など，お店の人と親しくなって置いてもらうなどの工夫をすることにもチャレンジしてみましょう。

また，地域にある新聞の販売店の人と仲良くなって，新聞の折り込みにチラシや公民館報を無料で入れてもらっている公民館もあります。

④自治体広報

自治体の広報は，地域で生活するさまざまな情報が書かれているので，チェックする人は多いようです。その広報の一部分に，公民館にかかわる情報を掲載することもよくあります。

ただし，自治体の広報を見る人は，全体から見ればやはり限られています。それで安心してしまってはいけません。

⑤公民館報（公民館だより）

公民館報は，公民館のなかではもっともポピュラーな広報活動です。たいへん力を入れている公民館も多く，年間で100万円近い館報の予算を持っている公民館もあります。配布先が限られていることから，周知が限定的になりやすくなりがちです。

⑥ポスター

公共施設に貼るなどするので，チラシと同じように，そこの場を利用する人しか見ることがないというデメリットがあります。しかし，チラシよりは，目に入る確率は高くなります。

ポスターは公共施設にはほかにもたくさん貼ってあり，目立たないと風景と化したりしますので，貼っただけで満足しないで，目を惹くポスターをつくることが大切です。

⑦口コミ

あなどっていけないのが口コミです。公民館の場合，口コミで参加する人もけっこう多くいます。口コミは，情報にさまざまな付加価値（講師の評価，講座の評価などの生の声）が付くのが特徴的です。特にその伝える側が信頼できる人であればあるほど，効果があります。

そこで，地域でたいへん影響力のある人や有力者にイベントをさりげなく伝えて，情報の発信源になっていただく方法もあります。

9　公民館の歴史を知ろう！

公民館は，第二次世界大戦後に生まれました。

地域の人たちの集会所的な機能を持つ施設は，欧米をはじめ世界各国にも存在しています。しかし，各国それぞれの設置目的や運営方法，学習内容などが異なっていて，公民館の施設は，日本固有のものです。また最近では，アジア各国を中心に，「公民館」システムへの注目が高まってきています（『月刊公民館』2020年３月号など参照）。

公民館は戦前からあったとか，GHQ（占領軍）によってつくられたと思っている人がいますが，公民館は戦後に生まれ，日本人が考えたものです。公民館は第二次世界大戦後の混乱したなかから，日本の国土を再建する原動力として構想されたのが起こりです。

当時文部省で働いていた公民教育課長の寺中作雄が，日本を復興する原動力として考えたのが，「公民館」です。寺中作雄は公民館の創設・社会教育法の制定の中心的役割を果たした人で，この公民館の原点ともいうべき考え方を，この人の名から「寺中構想」といっています。

公民館の考え方は，当時の全国各地域で受け入れられ，混迷する時代のなかで，新しい生き方を創造することに熱望していた人々に大きな共感を呼びました。1946年７月に「公民館をつくろう」と全国に向けて設置を提唱した約１年後の1947年８月末現在で，文部省（当時）が初めてまとめた公民館名簿には，公民館を設置している市町村は1,971市町村，そしてまだ設置していないがその1947年末までに設置予定の市町村は1,563市町村となっており，急速に普及していることがわかります（文部省社会教育局社会教育課『全国公民館一覧表』［1947年８月31日現在］より。なお，この名簿では公民館の名前や数ではなく，公民館を設置している市町村のみが記載されています)。

その後，公民館は全国の市町村の90％以上に設置され，学校とともに代表的な教育機関として日本の地域社会に広まっていきました。

さて，公民館の実際上の機能は日本社会の変化に対応して変わってきていますが，1947年当時に掲げられた次の７つのコンセプトは，公民館が誕生したときから変わっていない基本的な方針です。

〔社会教育の機関〕
公民館は，地域住民がつどって，教え合ったり学び合ったりして，お互いの教養文化を高めるための民主的な成人教育機関です。
〔住民交流の場〕
公民館は，住民の相互の親睦を深め，助け合いの精神を培い，住民自治向上の基礎となるべき社交機関です。
〔産業振興の機関〕
公民館は，住民の教養文化を基礎として，地域の産業振興を推進する原動力となる機関です。

〔民主主義を訓練する場〕
公民館は，いわば住民の民主主義の訓練の実習場です。その運営にあたっては，性別や老若貧富などで区別することなく，平等原則の徹底や基本的人権の尊重が求められます。
〔中央文化と地方文化の交流の場〕
公民館は，「中央の文化」と「地方の文化」が交流する場です。積極的に中央から講師を招き意見を聴くとともに，地方の状況を中央に伝えるようにつとめて，日本中の人が理解し合って，日本の再建に協力する原動力となるよう運営すべきです。
〔青年の積極的な参加を求める場〕
公民館は全住民のものですが，特に青年こそが地域づくり，日本再建の推進役となるべきなので，公民館の設置運営には青年層の積極的な参加を促すべきです。
〔郷土振興のための機関〕
公民館は，郷土振興の基礎をつくる機関であり，地域の実情に即した運営が求められます。決して画一的・形式的・非民主的な運営に陥いらぬように注意しなければなりません。

(1946年につくられた「公民館設置運営要綱」から抜粋し，わかりやすくまとめなおしたもの)

これらの役割は，公民館のコンセプトの根幹をなすもので，時代や地域によって置かれる重点は異なるものの，基本的に今日まで維持されてきているといってよいでしょう。

《公民館初期年表》

1945年　○第二次世界大戦が終わる
　　　　○文部省（当時）内で，公民館構想の検討が始まる
1946年　○文部次官通牒で「公民館の設置」を奨励
　　　　　※「公民館」の理念が全国に初めて示された。
　　　　○公民館設置促進中央連盟結成
　　　　　※政府と民間との協力による公民館設置促進のための団体結成
　　　　○寺中作雄著『公民館の建設－新しい町村の文化施設－』発刊
　　　　　※公民館の創案者である文部省社会教育課長寺中氏が，公民館のコンセプトを著す。
　　　　○「日本国憲法」公布
1947年　○「教育基本法」公布・施行
　　　　○第1回優良公民館表彰がおこなわれる（以降毎年開催）
　　　　○「公民館の歌」の歌詞が，全国から寄せられた1,017編の応募のなかから選定される
1949年　○「社会教育法」公布・施行

※公民館の法的な根拠が定まり，活動が法律に基づいておこなわれるようになる。

○全国の公民館数，１万館を突破

1950年　○政府による初の全国規模の公民館職員研修「全国公民館職員講習会」開催

1951年　○政府による公民館施設補助金の交付開始

○全国公民館連絡協議会（全国公民館連合会の前身）結成

※全国規模の公民館のネットワークが初めて組織される。

1952年　○第一回全国公民館大会を福島県で開催（以後毎年開催）

※全国規模の公民館大会が初めて開催される。

第一回全国公民館大会のようす

(1)　日本の戦前の社会教育の歴史

「教育」というと，「学校」をイメージする人が多いと思います。「学校」というのは，義務教育制度を基礎とした学校です。すなわち，すべての子供を対象とし，学習指導要領に基づき，平等な教育をする教育機関です。日本では，1892年の学制から始まり，1886年に小学校の義務制が敷かれました。義務教育ははじめの４年から，６年，９年と延長されてきました。このような学校を，江戸時代より前の時代にあった学校である藩校や寺子屋と区別して，「近代学校」ともいいます。

日本では長く「近代学校」のような教育機関を持たず，寺子屋のような学校や，社会や家庭を通じてあれこれの知識を獲得していくことが一般的でした。

一方で社会教育は，学校教育制度が19世紀の明治以降に確立していくのに並行して，次第に制度化されていきます。戦前，日本の社会教育学者の春山作樹は「社会教育とは家庭学校以外に行われる活動で，組織化の道程に入り来たりつつあるものを指す」と述べ，組織性が社会教育の発達の指標であると言及していますが，これは現在の社会教育法のなかにも「組織的な教育活動」とあるように現在でもそれは引き継がれているといえます。

戦後の日本の社会教育行政をめぐる議論では，社会教育における国からの自由，教育の政治からの独立が１つの焦点となっています。それは明治以降の日本の社会教育制度は，国が大きく関与し，組織化されてきたからです。

明治以降，日本の近代社会を形成していく過程で，国家は義務教育制度を組織化していきますが，公教育制度の一環としてさらに社会教育を積極的に位置づけるようになります。

文部省（当時）に初めて社会教育課（普通学務局内）が設けられたのは1921年です。担当したのは，図書館，博物館，青少年団体・処女会，成人教育，特殊教育，民衆娯楽の改善，通俗図書認定，その他社会教育に関する事務でした。その前年には各道府県に社会教育主事が置かれました。1929年には社会教育課は社会教育局に昇格します。そして，社会教育局は，青年教育課，成人教育課，庶務課からなりました。

社会教育について当時の社会教育課長の乗杉嘉壽は次のように述べています。「社会教育とは個人をして社会の成員たるに適応する資質能力を得せしむる教化作業」（乗杉嘉壽著『社会教育の研究』（同文社，1923年）より）。

その後，社会教育局は1942年には，宗教局と統合し「教化局」となりました。当時日本の植民地であったアジアの国々では，日本の教育制度が導入され，総督府により社会教育振興の指示が出されたりした地域もありました。

このように，明治，大正，昭和初期にかけて組織化されてきた社会教育行政は，国民の思想善導や教化活動的な考えが強くありました。それは一部の支配者の考えに大きく影響される危険性を大きくはらんでいたのです。

戦後の反省のもとに創案された公民館では，その設置・普及を図った「文部次官通牒」の「公民館設置の目的」には，次のように書かれています。

公民館設置運営の要綱

1　公民館の趣旨及目的

これからの日本に最も大切なことは，すべての国民が豊かな文化的教養を身につけ，他人に頼らず自主的に物を考え平和的協力的に行動する習性を養うことである。そして之を基礎として盛んに平和的産業を興し，新しい民主日本に生まれ変ることである。その為には教育の普及を何よりも必要とする。わが国の教育は国民学校や青年学校を通じ一応どんな田舎にも普及した形ではあるが，今後の国民教育は青少年を対象とするのみでなく，大人も子供も，男も女も，産業人も教育者もみんながお互いに睦み合い導き合ってお互いの教養を高めてゆく様な方法が取られねばならない。公民館は全国の各町村に設置せられ，此処に常時に町村民が打ち集まって談論し読書し，生活上産業上の指導を受けお互の交友を深める場所である。それは謂はゞ郷土に於ける公民学校，図書館，博物館，公会堂，町村集会所，産業指導所などの機能を兼ねた文化教養の機関である。それは亦青年団婦人会などの町村に於ける文化団体の本部ともなり，各団体が相連携して町村振興の底力を生み出す場所でもある。この施設は上からの命令で設置されるのではなく，真に町村民の自主的な要望と努力によって設置せられ，又町村自身の創意と財力とによって維持せられてゆくことが理想である。

⑵　公民館設置推進の立案者　寺中作雄－その人と業績

寺中作雄が公民館を提案し，戦後の社会教育の政策の中心に位置づけようしました。それゆえ，私たち公民館にかかわるものにとって，寺中は，「公民館の生みの親」ともいうべき人物です。

寺中は，1909年11月６日兵庫県神戸市に生まれました。寺中から関西弁が抜

寺中作雄

けることは最後までありませんでした。明治末期から大正・昭和の時代に育ち，戦前・戦後の激動の時代を駆け抜け，1994年10月21日，84歳の生涯を閉じました。

内務官僚から文部省へ

寺中は，神戸一中を出た後，岡山にあった旧制第六高等学校に学び，東京帝国大学法学部へ進みます。そして卒業後の1934年には内務省に入省。内務省では，富山県，島根県の地方課に赴任します。

戦後の1945年10月には文部省社会教育局が再発足し，翌11月に公民教育課が設置されます。その課長に寺中が着任することになりました。もともと寺中は文部官僚ではありませんでしたが，新しく創設された公民教育課の課長として迎えられます。

寺中は着任後間もない12月の社会教育局の会議の席で「社会教育の中心施設として公民館というものを考えてはどうかと思う」と発案しています。36歳になったばかりのころでした。

「公民館」の着想―「大日本教育」1946年1月号『公民教育の振興と公民館の構想』

寺中が初めに「公民館」のことに触れたのは，この「大日本教育」という雑誌においてでした。1946年1月号ですから，戦争が終わって間もないころには「公民館」のことを着想していたことになります。

ここには，公民教育は「実践教育」「相互教育」「総合教育」といった性格を掲げ，そうした教育を推進するための「総合的公民学校たる公民館」の設置を提唱しています。公民館は国民学校とならぶ教育の二大柱で，全国各町村に設置されるべきで，これによって戦後日本を民主主義的に再建する原動力になると説いています。

寺中が公民館を生み出した精神―寺中作雄『公民館の建設―新しい町村の文化施設―』の発行（1946年９月）

寺中が著した『公民館の建設―新しい町村の文化施設―』の冒頭に「この有様を荒涼と言うのであろうか。この心持を索漠と言うのであろうか」と国民に訴え，こうした日本国民の混迷を打破すべく，公民館を建設しようと提起するのです。

「まさに民主主義の基盤の上に，平和国家・文化国家として立つこと，それを除いては日本の起き上がるべき方途はない。だがわれわれは連合国から迫られてやむを得ず文化国家として立つのだと考えてはならない。戦いに敗れた結果，仕方なく民主主義になるのだと思ってはならない。」「誰に勧められなくとも，何国に強制されなくとも，われわれは当然にみずから進んで平和と文化の道をとるべきであったのである。」と述べたうえで，公民館の建設をすすめたのです。

10　公民館事業とは

公民館事業は，社会教育法第22条に１号から６号まで規定されています。この条項は，1999年に「青年学級を実施すること。」が削除されましたが，その他の条文は法の制定当時と変わりはありません。

1　定期講座を開設すること。

2　討論会，講習会，講演会，実習会，展示会等を開催すること。

3　図書，記録，模型，資料等を備え，その利用を図ること。

4　体育，レクリエーション等に関する集会を開催すること。

5　各種の団体，機関等の連絡を図ること。

6　その施設を住民の集会その他の公共的利用に供すること。

公民館の事業は大きく分けて３つに分けることができます。

１つめは，公民館が主体となって講座を実施する場合です。具体的には，さまざまな講座や，講演会，体育などの諸集会などです。上の番号でいうと，第１，２，４号となります。第１号の定期講座は，内容を意味するのではなくて，単に公民館で定期的に開催するということで，さまざまな学級・講座のことを指しています。

２つめは，各種団体と連携を図ることです。番号でいうと第５号の「各種の団体，機関等の連絡を図ること。」で，地域で活動している諸団体・機関との連携をはかることとなっています。寺中作雄『社会教育法解説』（社会教育図書，1949年）には「真に住民の実際生活に即する教育・学術・文化の仕事を円滑に行うためには市町村内の各種の機能即ち教育・学術・文化・産業・労働・社会事業等の各団体・機関相互間の緊密な協議連絡が絶対に必要」と書かれています。

また，2008年には社会教育法の第５条（市町村の教育委員会の事務）の中味が改正されて，第13号に，「主として学齢児童及び学齢生徒（それぞれ学校教育法第18条に規定する学齢児童及び学齢生徒をいう。）に対し，学校の授業の終了後又は休業日において学校，社会教育施設その他適切な施設を利用して行う学習その他の活動の機会を提供する事業の実施並びにその奨励に関すること。」，第14号「青少年に対しボランティア活動など社会奉仕体験活動，自然体験活動その他の体験活動の機会を提供する事業の実施及びその奨励に関すること。」，第15号「社会教育における学習の機会を利用して行つた学習の成果を活用して学校，社会教育施設その他地域において行う教育活動その他の活動の機会を提供する事業の実施及びその奨励に関すること。」などが追加され，学校と社会教育との連携の必要性が以前より高まっています。

また，最後の３つめに，公民館の施設を住民の公共的利用に供することで，施設を広く一般に開放して，住民の活動に自由に利用されることです。番号でいえば，第６号となっています。

2018年度の「全国公民館実態調査」（全国公民館連合会調査）では，公民館使用料について，有料と明記している公民館は71.1%，無料2.0%，明記していないが8.3%，その他が5.5%，無回答が13.1%となっています。

有料・無料については第６号の「住民の諸集会」や「公共的利用」と深い関係があります。多くの市町村は，地方自治法（昭和22年法律第67号）第180条の２の規定に基づき，市長の権限に属する事務の一部を教育委員会に委任し，さらに教育委員会は，地方教育行政の組織及び運営に関する法律（昭和31年法律第162号）第26条第３項の規定に基づき，館長に公民館の使用許可や減免を委任しています。したがって，減免制度をとっている公民館ではその判断をしなければなりません。現実には減免については，教育委員会事務局や，複数館の公民館では中央公民館などでおこなっています。

さて，「住民の諸集会」の多くの団体が減免の対象になっていることが多いようです。町会等の自治団体，老人クラブ等の福祉団体，子供会や青年団・婦人会等の地域団体などです。

「公共的利用」に供する団体としては，首長部局の関連団体，教育機関，福祉団体等などがあげられます。これらの団体は社会教育法第10条に規定されている「社会教育関係団体」でもあります。多くの市町村は，グループ・サークルも「社会教育関係団体」として社会教育法第11条第２項によって支援，援助をしています。以上，これらの団体は「住民の諸集会」や「公共的利用」として，公民館活動の大切な一翼を担っています。これらの団体は，規程や基準などで，社会教育委員会や公民館運営審議会の意見を聞いて教育委員会が減免としている例が多いようです。

具体的な事業

公民館が地域との連携がよく図られ，地域から頼りにされていればいるほど，その事業数は多くなってきます。しかし，現在の公民館が置かれている状況や体制などを考えた場合，それらをすべて実施することは難しくなります。ときには，事業を減らすことも必要となってくるでしょう。

たとえば地域団体の事務や事業を多く抱え込み，それが公民館事業であるかのように錯覚している場合が見受けられます。これらは本来，その地域団体がおこなうべき仕事です。「今までの職員がやってくれたから」ということで，引き続き同じことをやってくれといわれるかもしれませんが，もう一度周りの職員と相談の上，再検討することも必要でしょう。職員は，住民の自主・自立化を促し，指導・助言を繰り返しながら，育成に努めなければなりません。

公民館職員の基本的任務は，さまざまな地域の課題や，市町村の施策方針などに基づいて，公民館事業を計画し，運営，実施することです。公民館が実施する事業は，**地域の実情に応じ，実際生活に即した内容**となっています。

具体的には，次のような事業です。

⑴　地域の生活に根ざした事業

地域の実状，課題に即した事業を展開します。生活を脅かす犯罪，自然災害，地域の活性化，新規産業の育成，少子・高齢社会への対応などがあります。これらの地域が抱える課題に対しては，地域状況を十分に把握して，地域や各団体，各専門機関等の協力を得ながら，講座を企画・実施していきます。

⑵　子供のための事業

子供を対象にしたさまざまな講座を開きます。乳幼児から小学生，中学生，高校生など，それぞれのニーズに合った講座を実施します。特に，中学生，高校生から利用しなくなる傾向がありますので，そうならないような配慮も必要です。

⑶　住民の教養を高める事業

住民に，趣味や教養に関するさまざまな講

座を開きます。また，住民の希望に応じた学習活動の援助をおこないます。

⑷　**地域の輪をつくる事業**

地域にある各機関や団体の連絡調整をはかります。また，学校などと共同で事業を実施します。

⑸　**その他の事業**

地域の指導者・専門家の発掘や人材活用をはかったり，郷土の伝統芸能を開催・協力や，さまざまな生活相談や学習相談に応じます。また，「公民館だより」などを発行し，地域の人たちに情報を提供します。

これらの取り組みは，良い事業であればあるほど，よく練られ，さまざまな団体と連携しつつ実施しているので，多くの要素を含んだ取り組みとなっています。

これ以外にも，多くの優れた事例が『月刊公民館』には掲載されていますので，ぜひお目通しください！

11　公民館運営審議会とは？

社会教育法第29条には，「公民館に公民館運営審議会を置くことができる。」「2　公民館運営審議会は，館長の諮問に応じ，公民館における各種の事業の企画実施につき調査審議するものとする。」とあります。

公民館運営審議会は，公民館運営の頭脳的役割を果たすといわれ，公民館運営審議会は館長の諮問に応じ，公民館における各種事業の企画実施について調査審議します。「館長の諮問に応じ」ですので，館長が諮問することがなければ，調査審議もなければ，答申もありません。

諮問を受けた公民館運営審議会は，その諮問事項について調査審議し答申することとなります。諮問した館長は，出された答申の精神を尊重し，公民館運営に活かすことにより公民館運営審議会の存在意義が明確になり，民意を反映した住民主体の審議機関となります。

公民館における審議課題はたくさんあることと思いますが，現実をふまえて計画的，継続的に審議することが望まれます。

公民館運営審議会委員の仕事は，そればかりではありません。公民館長の諮問に応えて答申を出しさえすればよいという受け身の態度であってもよくありません。

公民館が真にその役割を発揮するためには，公民館側の働きかけばかりでなく，住民側からの働きかけも大切です。そのためには，公民館運営審議会委員が果たす役割も大きいのです。

公民館が，一部の人たちだけのサークル活動の場であったり，貸館的な公民館運営だけではその役割を果たしたとはいえません。公民館が地域づくりの核といわれるためには，町内会，自治会，青少年団体，女性団体，高齢者団体などの組織が，計画的・継続的に公民館を活用していくことが大切となります。そのような組織づくりや公民館活動の振興をふまえた地域の掘り起こしこそが，委員の務めといえます。

公民館運営審議会委員は地域住民の代表です。公民館活動の振興や，それを支える地域住民意識の醸成や組織化，また公民館と住民との橋渡しの任務があることを理解する必要があるでしょう。

公民館運営審議会（公運審）の基礎知識 Q&A

Q1.　公民館運営審議会の法的な裏付けは？

A.　社会教育法第29条・第30条にあります。そこには，次のように記述されています。

第29条（公民館運営審議会）

公民館に公民館運営審議会を置くことができる。

2　公民館運営審議会は，館長の諮問に応じ，公民館における各種の事業の企画実施につき調査審議するものとする。

第30条　市町村の設置する公民館にあつては，公民館運営審議会の委員は，当該市町村の教育委員会（特定公民館に置く公民館運営委員会の委員にあつては，当該市町村の長）が委嘱する。

2　前項の公民館運営審議会の委員の基準，定数及び任期その他当該公民館運営審議会に関し必要な事項は，当該市町村の条例で定める。この場合において，委員の委嘱の基準については，文部科学省令で定める基準を参酌するものとする。

Q2．公民館運営審議会の諮問とは？

A．公民館運営審議会は，公民館運営の頭脳的役割を果たすといわれています。

社会教育法第29条の２項にあるように，公民館運営審議会は館長の諮問に応じ，公民館における各種事業の企画実施について調査審議します。「館長の諮問に応じ」ですので，館長が諮問することがなければ，調査審議もなければ，答申もないということになります。

諮問を受けた審議会は，その諮問事項について調査審議し答申することとなります。諮問した館長は，出された答申の精神を尊重し，公民館運営に活かすことにより審議会の存在意義が明確になり，民意を反映した住民主体の審議機関となりうるのです。

審議するテーマは，地域や活動の状況，公民館規模，市町村規模等によって異なりますが，参考例をあげます。

・生涯学習時代の公民館のあり方

・公民館貸与基準の見直し

・これからの公民館

・青少年団体の振興方策
・公民館，図書館，博物館の連携
・地域の公民館類似施設との関係

公民館における審議課題はたくさんあることと思いますが，現実をふまえて計画的，継続的に審議することが望まれます。

審議の方向としては，事業の展開がどのような意義を持ち，またどのような教育的作用が期待できるのか。どのような組織体制で事業を実施しようとしているのか。参加者自体の要望がどの方向にあり，公民館はそれにどう対処すべきなのか。事業推進上の課題，それを善処していく今後の見通しはどうか。事業実施を通して，どのような効果が期待されるのか……等々について調査したデータなどをもとに審議し，ときにはその状況を実地に見聞する機会を持つなどして，ただしく諮問事項について審議ができるよう配慮することが肝要です。

Q3.　公民館運営審議会は諮問に応じるだけでいいの？

A.　委員の任務の具体的な事項について，寺中作雄氏が『社会教育法解説』のなかで次のように述べています。

⑴　公民館の事業計画や，その具体的方法について協議決定すること。
⑵　市町村当局や公民館維持会（公民館の維持経営を援助するための特志者や支持者の団体）と折衝して，公民館経営に関する必要な経費の経理調達にあたること。
⑶　市町村内の産業団体，文化団体等の連絡調整にあたること。
⑷　公民館長や公民館職員の選任に関して，教育委員会の教育長（法人の場合はその代表者）に適当な候補者を推せんすること。
⑸　新しい施設・設備の計画をたてること。

（寺中作雄著『社会教育法解説』（社会教育図書，1949年））

これによると，館長の諮問に応えることが任務であるとはいえ，かなり執行機関に近い役割が考えられていたようです。

社会教育法制定時の1949年と現在とでは，公民館のおかれている状況は違いますが，あげられている項目のそれぞれについて相当の実行力を持たなければ，法にいう「公民館の各種事業の企画実施につき調査審議する」ことは不可能でしょう。

したがって，公民館運営審議会委員は，公民館長の諮問に応えて答申を出しさえすればよいという受け身の態度であってもよくないといえます。

公民館が真にその役割を発揮するためには，公民館側の働きかけばかりでなく，住民側からの働きかけも大切です。そのためには，公民館運営審議会委員が果たす役割も大きいのです。

公民館が，一部の人たちだけのサークル活動の場であったり，貸館的な公民館運営だけではその役割を果たしたとはいえません。公民館が地域づくりの核といわれるためには，町内会，自治会，青少年団体，女性団体，高齢者団体などの組織が，計画的・継続的に公民館を活用していくことが大切となります。そのような組織づくりや公民館活動の振興をふまえた地域の掘り起こしこそが，委員の務めといえます。

公民館運営審議会委員は地域住民の代表です。公民館活動の振興や，それを支える地域住民意識の醸成や組織化，また公民館と住民との橋渡しの任務があることを理解する必要があるでしょう。

Q4．1999年の改正では何が変わったの？

A.　公民館運営審議会を「必置」から「任意設置」にしたこと，それから公民館運営審議会の委員委嘱が簡略化されたことです。

この改正のねらいは，公民館運営審議会を画一的に設置することということから，その名称を自由化したり，地域の実情に応じて設置できるようにしたものです。

【参考】1999年の社会教育法改正新旧対照表（公運審部分のみ）

現	旧
（公民館運営審議会） 第29条　公民館に公民館運営審議会を置くことができる。 2　（略）	（公民館運営審議会） 第29条　公民館に公民館運営審議会を置く。但し，2以上の公民館を設置する市町村においては，条例の定めるところにより，当該2以上の公民館において1の公民館運営審議会を置くことができる。 2　（略）
第30条　市町村の設置する公民館にあつては，公民館運営審議会の委員は，学校教育及び社会教育の関係者，家庭教育の向上に資する活動を行う者並びに学識経験のある者の中から，市町村の教育委員会が委嘱する。 2　前項の公民館運営審議会の委員の定数，任期その他必要な事項は，市町村の条例で定める。	第30条　市町村の設置する公民館にあつては，公民館運営審議会の委員は，以下の各号に掲げる者のうちから，市町村の教育委員会が委嘱する。 1．当該市町村の区域内に設置された各学校の長 2．当該市町村の区域内に事務所を有する教育，学術，文化，産業，労働，社会事業等に関する団体又は機関で，第20条の目的達成に協力するものを代表とする者 3．学識経験者 2　前項第2号に掲げる委員の委嘱は，それぞれの団体又は機関において選挙その他の方法により推薦された者について行うものとする。 3　第1項第3号に掲げる委員には，市町村の長若しくはその補助機関たる職員又は市町村議会の議員を委嘱することができる。 4　第1項の公民館運営審議会の委員の定数，任期その他必要な事項は，市町村の条例で定める。

Q5.　社会教育委員との違いは？

A.　社会教育分野においては，公民館には公民館運営審議会を置くほか，図書館，博物館にも諮問機関を設けています。こうした例は，保健所に運営協議会があるほか，一般的にあまり例はありません。

しかも，社会教育の場合は，公民館運営審議会のほか，教育委員会の諮問・助言機関である，社会教育委員制度もあるのです。

そうすると，社会教育委員が置かれているのだから，そのうえ公民館運営審議会を置く必要はないのではと考えたり，両者を兼務にして，会議まで1つにして審議まで区別しなかったりして，公民館運営審議会のほうを軽んずる傾向が生まれたりします。

社会教育委員も公民館運営審議会委員も，両者ともに，社会教育法によって規定されている委員ですが，その役割は異なっています。

果たすべき役割が異なっているとすれば，会議はもちろん，付託される審議内容も別にすべきであるということを教育委員会はよく認識する必要があるでしょう。

ちなみに，社会教育委員は社会教育法第17条に職務の規定があり，「社会教育に関し教育委員会に助言するため」に設置されているものであり，公民館運営審議会は，「館長の諮問に応じ，調査審議する」という役割があります。

また，社会教育委員は委員個人として職務を遂行する「独任制」であるので，「会」はつきませんが，公民館運営審議会は「会」がつくようにあくまでも「合議制」となっています。

公民館運営審議会委員		社会教育委員
合議制	制度	独任制
公民館長の諮問機関	機関	教育委員会の諮問，助言機関
公民館の各種事業の企画実施に関する調査審議，意見具申	主な任務	社会教育計画の立案，意見具申，研究調査，青少年育成に関する特定事項について指導と助言

学校教育及び社会教育の関係者，家庭教育の向上に資する活動を行う者並びに学識経験のある者の中から教育委員会が委嘱	委嘱	学校教育及び社会教育の関係者，家庭教育の向上に資する活動を行う者並びに学識経験のある者の中から教育委員会が委嘱

Q6.　公運審があるのはどうして？

A.　社会教育法制定時に，国会に提案する法の説明で，当時の文部省柴沼社会教育局長は次のように説明しています。

「法人の設置する公民館につきましては，都道府県の教育委員会に届け出るものとしてあります。公民館は，従来の公会堂のような単なる建物と違いまして，自ら事業主体となるものでありますから，公民館の運営にあたる者が必要となります。そこで公民館に館長その他必要な職員を置き，また，別に学校長，各種団体の長，学識経験者よりなる公民館運営審議会を置いて，公民館の運営にあたらせるのであります。公民館に館長，その他必要な職員が置かれているにもかかわらず公民館運営審議会を置きますのは，公民館の運営に住民の意見なり，要望なりが十分に反映しうるようにするためであります。」

Q7.　公運審の人選については，どのようにすれば良い？

A.　以前は，1号委員，2号委員，3号委員のような区別がありましたが，法改正によりなくなりました。しかし，今でもそれを参考に委嘱している公民館が多いようです。

公民館運営審議会は住民各層の代表によって構成され，住民の意志を公民館運営に反映させていくのが主旨ですので，その

人選はとても大切です。

まず，公民館活動の振興を図るうえでは，社会教育に関する豊かな識見と熱意を持っている人が望ましいでしょう。さらに，広く地域住民の意志を代表する者として，公民館利用の公平化を図る見地から公正な意見を持つ者が望まれます。単に社会的地位や地域の有力者をもって選出するようなことがあっては，公民館運営審議会の委員としての適格者を得ることは困難でしょう。

ただ，こちらがお願いする各界の代表的地位にある人は，多忙な人が多いようです。忙しいという理由で欠席がちだったり，めんどうなことを嫌ったりして，審議会の正しい運営を妨げるようなことになって，審議会をないがしろにする印象を与えてしまうことがあります。しかしこの責は委員にのみ帰することはできません。委員委嘱の段階で，きちんと確認すべきことです。

また，委員には20代，30代の若い世代の層がたいへん少ないようです。結果的に若い住民層の意見が公民館に伝わりづらくなって，ますます公民館に若い層が来なくなってしまうジレンマに陥ってしまいます。かつて公民館設置の原動力には地元の青年団の力が大きく寄与しました。地域の未来を創造していく，若い世代の委員の参加も意図的に促してみましょう。

公民館運営審議会の活動を促進する大きなポイントは，委員の選考にあるといっても過言ではありません。

Q8.　会の運営はどのようにしたら良い？

A.　会議は毎月１回，隔月，あるいは年に数回など，回数や時期をあらかじめ定めて開く定例会と，必要に応じて開催される臨時会があります。

会議の招集は，委員長または公民館長，もしくは両者の連名でおこない，委員数の３分の２ないし過半数

の出席をもって成立とみなすのが一般的です。

会議の議事は，多数決の原則により出席委員の過半数の賛否によって可決し，可否同数の場合は，委員長が決定します。

教育長，公民館長及び教育委員会や公民館関係職員は，会議に出席して，提出された議事について説明または意見を述べることができます。

公民館運営審議会の会議は，館長や教育委員会の一方的なペースで，事業の報告や新しい行事計画が出され，それを受けて若干の意見や感想を述べるだけで，さしたる議論も経ずに平穏に承認され，会を閉じるケースが往々にしてあります。

このような公民館運営審議会の形骸化，マンネリ化を克服するためには，組織の見直しや委員の選出方法に配慮するとともに，会議の運営にもメスを入れる必要があります。

１つは，あらかじめ年間の審議事項とスケジュールを公民館側で整理し，委員に十分その主旨を徹底しておくことです。

審議事項については，必要な資料をできるだけ用意し，委員に予備知識をもって出席してもらうことが大切です。こうした準備のない会議はいくら回を重ねても十分な成果が期待できません。

２つは，各会の議事録は公民館側で記帳，整理し，次回の会議までに各委員の共通了解事項としておくことが必要です。

審議事項は，１回の会議のみでは結論が出ない場合もあります。特に公民館事業が多様化し，その実施方法等についても創意と工夫が必要となっている今日，ある特定の事項についてそれぞれの分野から調査研究するため，審議会に小委員会や専門委員会等を設け，これらの活動を中心にすえて会議することも必要なことです。

これらは最終的には，市町村の教育委員会，または公民館自体が，公民館運営審議会をどのように位置づけ，運営していくかという態度にかかっています。

Q9.　委員の在籍年数については，どのくらいがよろしいでしょうか？

A.　委員が本格的に活動していくためには，最低２期（４年）以上の在籍が望ましいものです。ただあまり長期的になると名誉職的になって，活動の中味が形式的になってしまうこともあるので，10年以上も在籍することはよくありません。それぞれの状況に応じて新しい人と入れ替えることも必要となってきます。

公民館運営審議会は住民と公民館をつなぐ重要なパイプなのですから，いつも地域にアンテナを張っていなければ務まりません。名誉職的な考えではいけないという状況をつくっていくことです。

Q10.　公運審の研修は，すべきですか？

A.　委員はさまざまな立場から選出されてきますが，住民全体の立場に立って物を見，考えていくことが求められます。そのためには委員自身が日常的に学習をして，それに応えうる資質を身につけるようにしなければなりません。

したがって，委員資質向上のために，研修が系統的に市町村レベルで制度的におこなわれることが大切です。さらに他市町村の公民館運営審議会委員との交流や視察，またさまざまな研修事業（全国公民館研究大会など）等にも積極的に参加できるようにすることも必要です。

Q11.　委員への謝金等の支払いは？

A.　公民館運営審議会の委員は，非常勤の地方公務員ですが，特別職ですので地方公務員法の適用は受けません。しかし，地方自治法第203条の規定により，条例の定めるところにより報酬及び費用弁償を支給しなければなりません。無報酬は，地方自治法第203条違反となります。

反対に，条例に定めているもの以外は，調査費，研究費等の名称のいかんにかかわらず，いかなる報酬，費用弁償をも支給することができません（地方自治法第204条）。ただし，公務員としての勤務の対価，あるいは委員としての職務執行に要する費用の弁償としてではなく，臨時に講演依頼，執筆依頼をした場合等における謝金の支払いについてはこの限りではありません。

Q12.　公民館運営審議会制度の由来って？

A.　公民館運営審議会の歴史は文部次官通牒「公民館の設置運営について」（1946年7月）における「公民館委員会」に始まります。公民館委員会の委員は町村民の選挙を原則とするもので，直接民主主義の性格を持つものでした。

その3年後，公民館委員会は公民館運営審議会として社会教育法に規定されることになります。その「公民館委員会」は結局実現はされませんでしたが，その考え方は現在の公民館運営審議会に大きく通じています。寺中氏の著書に以下のような説明がありますので，ご参考に掲載いたします。

> 公民館の運営は一に公民館委員会によってなされる。公民館委員会の構成は最も民主的であり，自主的でなければならない。天下りや，特殊な勢力に左右されるようなものであってはならない。従って公民館委員は全町村民から支持されたものでなければならない。それは原則として町村会議員の選挙に準じる方法で選ばれるものである。
>
> しかしながら必ずしも杓子定規に考えて法規に従い，例規に従って形式的に選挙を行うだけが能というわけではない。公民館の性質上，公民館委員選出の方法自体もまた町村民全体の意思によって決定されることが望ましい。莫大な手数と費用とをかけて総選挙を実施することが困難で，町村民の意思がもっと簡易な選挙の方法を望んでいる場合に必ずしも形式的な総選挙を行うことだけが民主的な方法とは限らない場合もあるであろう。各部落ごとに部落代表を挙げて，その人によって選挙する間接選挙の方法をとる方がかえって民主的な場合もあろう。また選挙の方法によって挙げられた町村会議員や，農業会役員や，その他各種の機関や団体を代表する人との間で公民館委員選出の方法を協議し，その決定に従う場合もあろう。要は最も適当に最も確実に全町村民の意思を代表し得る方法が立てばよいのである。公選以外の方法を取ることによって，たとい一人二人でも反対や攻撃の声が放たれ得るような余地のある場合には敢然として全町村民による公選の方法を取らね

ばならぬ。

公選によって選ばれた公民館委員は同時に町村内の各種の機関や団体を代表するものとなることが望まれるのである。公民館委員会がうまく運営されるか否かは公民館の死命を制するものであり，その町村振興の鍵を握るものでもある。何故ならこの委員会は公民館の委員会であるばかりでなく，町村の中心的な委員組織であるからである。その任務は

1．公民館運営に関する事業計画やその具体的方法を協議決定し
2．町村当局や公民館維持会（公民館維持のための特志者や支持者の団体）と折衝して公民館経営に関する必要な経費の経理調達に当たり
3．町村内の産業団体文化団体の連絡調整に当たり
4．公民館長や公民館職員を選出又は推薦する母体となり
5．その他町村内の各種の委員会に働きかけその世話役を勤めるなど

重要な役割を担当することとなるのである。

公民館委員会は公民館を運営し，町村の自治指導，産業指導，生活指導等の全般を担当するものであるから，最も権威ある，町村に重きをなすものとならなければならない。町村に町村会議員あり，農業会役員あり，民生委員あり，学務委員あり，司法保護委員あり，少年教護委員があっても，それらの委員組織を総合して，その斡旋役を勤めていくだけの実力のあるものでなければならない。公民館委員会の成立している町村では社会教育委員の必要はないであろう。

公民館各部の仕事を現実に進めていく場合に公民館委員会に部会的な小委員会を設けて，細部の計画や運営をその小委員会に委せることも一法であろう。たとえば教養部の運営を担当するための教養部運営委員会，図書部を運営し図書購入の選択や推薦にあたる図書部運営委員会，産業部運営の為の産業部運営委員会などの外，公民館の会計経理にあたる経理委員会，外部との連絡にあたる連絡委員会，部落指導にあたる部落指導委員会などを分かって活発に活動させることも必要である。各部の小委員会が活発に動くとき公民館の活動は自ら成果があがり，町村民の支持がますます強力となるであろ

う。

寺中作雄著『公民館の経営』（社会教育連合会，1947年）より抜粋

12　公民館にかかわる言葉を知っておこう

(1)　社会教育とは？

社会教育とは何でしょうか？

「社会教育」は「社会」と「教育」の関係で語られることもあります。具体的には「社会における教育」「社会のための教育」「社会による教育」などです。教育基本法第12条には，「個人の要望や社会の要請にこたえ，社会において行われる教育」と書かれています。

社会教育法第２条では，「学校教育法（昭和22年法律第26号）又は就学前の子どもに関する教育，保育等の総合的な提供の推進に関する法律（平成18年法律第77号）に基づき，学校の教育課程として行われる教育活動を除き，主として青少年及び成人に対して行われる組織的な教育活動（下線部筆者）」とあります。

一般的に，「教育」という言葉から連想されることとして，「学校」の教育活動を連想することが多いと思いますが，学校以外でもさまざまな教育は存在しています。

たとえば，公民館などでも，さまざまな教育の機会が提供され，さまざまなグループ・サークル活動が活動しています。また，地域にはさまざまな団体が存在しており，その活動のなかには学びが含まれています。また，カルチャーセンターではさまざまな講座が開設されておりますし，大学では一般の人たちを対象とした公開講座もあります。また，企業や仕事，職業訓練学校などでも，スキルアップの研修などがおこなわれています。このように，学校以外でもさまざまな教育の機会は存在しているのです。これらを大きく「社会教育」と呼んでいるのです。

これら社会教育の場合，学校教育と大きく異なっている点は，学校教育のようなはっきりとした全国共通の社会教育の学習指導要領やカリキュラムは存在

しません。

社会教育は，世界的にも存在しますが，各国でその内容や環境は大きく異なっています。アジアなどの発展途上国の地域では「識字率」が低いため，読み書きを中心とした「識字教育」が社会教育の大きな割合を占めます。また，イギリスなどでは社会教育はスキルアップのための職業教育的な意味合いが強くなります。用語も，日本の「社会教育（social education）」という言葉を使っている国はあまりなく，ユネスコなどでは「成人教育（adult education）」という言葉が一般的です。

このように，「社会教育」という言葉は各国共通ではなく，それぞれの国で独自の目的，方法，内容でおこなわれているのです。

(2)「生涯学習」とは？

現在いわれている「生涯学習」は，ユネスコから提起されたものがはじめとなっています。1965年に，パリで開催された第３回成人教育推進国際委員会で，ユネスコの成人教育長であり，フランスの教育思想家でもあるポール・ラングランが初めて提唱しました。教育といえば当時は世界的に学校教育を意味していましたが，ここで生涯を通じて学ぶことを提唱したのです。この考え方は今や日本をはじめ多くの国々で，教育を考える基本的な理念として受け入れられました。

日本でも2006年に新しくなった教育基本法の第３条で，「生涯学習の理念」のもとに生涯学習社会を実現することが，教育の使命とされるようになりました。

生涯学習の考え方は，決して新しいものではなく，古くからありました。しかし，人生100年時代という長寿社会や，コンピュータやインターネットなどのめまぐるしい技術革新の進展などにより義務教育後も学ぶ必要があることから，注目されたのです。

①生涯学習の定義

日本では，1981年の中央教育審議会答申「生涯学習について」で，次のように述べています。

「今日，変化の激しい社会にあって，人々は，自己の充実・啓発や生活の向上のため，適切かつ豊かな学習の機会を求めている。これらの学習は，各人が自発的意思に基づいて行うことを基本とするものであり，必要に応じ，自己に適した手段・方法は，これを自ら選んで，生涯を通じて行うものである。その意味では，これを生涯学習と呼ぶのがふさわしい。

この生涯学習のために，自ら学習する意欲と能力を養い，社会の様々な教育機能を相互の関連性を考慮しつつ総合的に整備・充実しようとするのが生涯教育の考え方である。言い換えれば，生涯教育とは，国民の一人一人が充実した人生を送ることを目指して生涯にわたって行う学習を助けるために，教育制度全体がその上に打ち立てられるべき基本的な理念である。」

ユネスコの説明では，「『生涯教育及び生涯学習』とは，現行の教育制度を再編成すること及び教育制度の範囲外の教育におけるすべての可能性を発展させることの双方を目的とする総合的な体系をいう」（ユネスコ「成人教育の発展に関する勧告」1976年）と書かれています。

生涯教育は，もともと職業訓練などの課題として提起されていました。1962年６月にILO「職業訓練に関する勧告」では，「訓練は，個人として及び社会の構成員としての必要に応じ，当該個人の職業生活を通じて継続する過程である」と，生涯学習的な考えを示していました。この勧告に応じて，ユネスコは同年12月に「技術・職業教育に関する勧告」を採択しました。

そして1964年に「成人のための継続教育に関する決議」を採択し，翌1965年の成人教育推進国際委員会で，ポール・ラングランによって生涯教育が提起されたのです。この考え方は，ポール・ラングラン著『生涯教育入門』（波多野完治訳，社会教育連合会）で読むことができます。

これ以来，生涯教育の構想の具体化の検討を重ね，1972年に出された教育開発国際委員会の報告書「未来の学習（Learning to be）」においては，生涯教育は１つの教育制度ではなく，教育制度全体の基本原理であると述べたうえで，生涯教育を将来の教育政策の基本理念とすべきとの勧告をおこなっています。もう一つは，先進諸国を中心に構成する経済協力開発機構（OECD）で

1970年代に提唱されたリカレント教育です。これは，教育と労働・余暇などの社会活動とを交互におこなう施策で，青年の社会参加を早め，あるいは労働経験が学習動機となって教育の成果があがることをねらいとし，変化の激しい高度社会に対応する教育システムを構築しようとするものでした。

②日本の動き

このような国際的な動きのなかで，日本にも生涯教育が一般的なものとなりつつありました。

日本で教育改革の課題として初めて前面的に登場したのは1984年に中曽根首相の諮問機関として設置された臨時教育審議会で，「生涯学習体系への移行」のときでした。

同審議会は，1986年４月の第２次答申及び1987年４月の第３次答申で生涯学習体系への移行を強く提唱し，同年８月の最終答申では，生涯学習体系への移行の考え方と生涯学習体制の整備の具体的方策を全体的に取りまとめました。

なお，臨時教育審議会は，「生涯学習」という表現を用いていますが，これについては，生涯にわたる学習は自由な意志に基づいておこなうことが本来の姿であり，自分に合った手段や方法によっておこなわれるというその性格から，学習者の視点に立った立場を明確にするため，「生涯教育」ではなく，「生涯学習」という用語を用いた，と述べています。また，学校や社会のなかで意図的・組織的におこなわれる学習活動のほか，スポーツ活動，文化活動，趣味・娯楽，ボランティア活動，レクリエーション活動などを含め，「学習」を広くとらえています。この答申以後，「生涯教育」に代わって，「生涯学習」という用語が一般に用いられることが多くなっていきました。

13　サークル活動を支援しよう

公民館サークルは，公民館活動の重要な部分を担っています。公民館職員は，サークルと一定の緊張関係を持ちつつ，話し合いながら，日常的な活動支援をしていくことが大切です。

(1) 部屋の貸し出しは公平に

サークル活動をする際には，会場が必要です。会場の貸し出しにあたっては，一部のサークルが多く利用したり，新たなサークル活動を阻害していないか確認し，全体に公平性が確保されている必要があります。

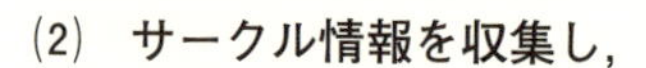

(2) サークル情報を収集し，宣伝しよう

住民からのサークル活動の問い合わせに適切に応えられるよう，個人情報に配慮しながら，サークル活動の情報を収集し，宣伝する必要があります。よくあるのが，公民館サークル登録システムです。利用者連絡会（利用者懇談会）がある公民館では，連絡会の協力のもとにサークル活動の宣伝をおこなうこともできます。

日常の活動の宣伝の場として，団体の活動紹介のポスター等を常時，掲示できる場所を設置することです。また，サークル活動作品の展示を約束事のもとにおこなえるような場所を設定したり，公民館館報で宣伝することもできます。さらにホームページなどで広域的にサークルの情報が開示できるようなシステムつくりも必要です。

(3) サークル活動のための備品を設置し，管理しよう

ピアノ，卓球台，陶芸釜，調理用器具，音響設備，映写用機器，茶道道具等，公民館によって違いはありますが，それらの設備の充実と管理は，サークル活動にとっては大きな影響を及ぼします。管理にあたっては，常時使用する団体とも話し合うなどして管理の一部に責任を持ってもらうことも必要です。点検票などで，日常管理をしていても年に1回以上は，団体も含めて点検をおこなうことは備品の確認になるばかりでなく，サークル活動に何が必要かを知

る機会にもなります。

⑷　サークル活動用具の貸出収納棚等を設置しよう

サークルによっては，日常的に使用している用具があります。名簿等事務的な書類も含め，サークルの個別スペースがあることは団体活動の活性化につながります。しかし，スペースに限りがありますので，収納をしてよいものや貸出期間等を取り決める必要もあります。また，年に1回の棚卸確認は職員も交えておこなうことで，サークルの実情がつかめます。

⑸　文化祭を実施しよう

文化祭は，サークル活動の発表の場です。活動の大きな目標となるばかりでなく，実力が良くわかる機会です。

できる限りサークル主体の実行委員会を組織し，職員もそれにかかわることが大切です。それはサークルの交流の場にもなります。職員が丁寧にかかわっていくことで，サークルの文化祭への関わり方も変わってきます。役割分担を明確にしながら，実行委員会の主体性を高めることで，文化祭の盛り上がりも違ってきます。

⑹　公民館を理解してもらうための学習会を開催しよう

日常的に個々のサークルに話をしていくだけではなく，専門の講師を依頼し学習会を開催し，公民館そのものの存在意義や公民館活動に関する理解を深めてもらうことも大切です。

⑺　主催事業から公民館サークルを巣立たせよう

公民館によっては，サークル活動に偏りがあったり，住民のニーズが高いのにサークルがないというときもあります。そういうときは講座を主催して，それをサークル化するということも必要です。1～2回で終わってしまう講座では，人を結びつけることはできません。たとえば，「絵はがき教室」を5回講座で開催します。でも，5回くらいでは「絵はがき」をマスターできるはずがありません。そこで，講座終了後に続けて学びたい人を募って，サークル化しようと尋ねると，多くの参加者が引き続き学びたいと応えてきます。なにしろ，やっと「絵はがき」の魅力がわかってきたころだからです。もちろん，あわないと思う人はそこで，辞めていきます。

サークル化するにあたっては，職員が支援，助言することが大切です。引き続き，学んでいきたい人たちと話し合いの場を持ちます。講師には事前に謝礼等の希望を聞いておき，その場には呼びません。講師は，サークルの学習内容の指導をお願いする人で，運営にはかかわりません。

公民館サークルは会費が安いため，講師謝礼も安くて良いと思われがちですが，会費は安くても，人数が多ければ講師にもある程度の謝礼を払えます。だから，「安い」からといってちょっとうまいアマチュアの人を講師に選んでしまうと，あまりうまくいかないことが多いようです。きちんとプロとして活動している人のなかから選ぶことが大切です。講師の質は，サークルの質と正比例していくものです。

14　社会教育法を読もう！

皆さんは，法律についてどのようなイメージを持っていますか？

「堅苦しい」「難しそう」「実際の業務には関係ない」などのように考えていませんか。もしかしたら，一度も目を通したことがないという人もいるかもしれません。

公民館の全体的な地図，道標の役割を果たすのが法律です。公民館の目指すべき目的地，進むべき道などを抜きにして公民館を運営するのは，行き先を見失ってしまうのではないでしょうか。

法体系は，まず日本国憲法が世界地図のようなものであり，その下に日本地図である各法律があり，その次に条例・規則が市町村内や地域の地図として位置づけられます。

公民館職員として，現在どこにいて，どこに向かうのか。また，公民館を利用する住民の方々にも目指すべき道を歩めるよう，関係法令にも目を通す必要があります。

といっても，公民館関係の法律は，学校教育の法律と比べれば，多くありません。学校教育が全国的に一定レベルの質を保たなければなりませんので，さまざまな法律が定められています。それは学校教育関係の法規集を見れば，一目瞭然です。一方で，公民館関係の法律は，それに比べれば，ほんの一部しかありません。それだけ，公民館は地域の実情によって，市町村に運営が委ねられているといえます。

学校教育がさまざまな法律によって質が保たれているのに対し，社会教育が寄って立つ法律は大きくは１つしかありません。社会教育法です。その社会教育法のなかにある，「公民館の運営方針」にはどのようなことが書かれているか，ご存じでしょうか。「公民館は次の～する」といった肯定文が並んでいるのではありません。「公民館は，次の行為を行ってはならない」という３つの禁止事項しか書かれていないのです。裏を返せば，それだけしたいことができるともいえるのです。

社会教育法（昭和24年６月10日制定法律第207号）

（公民館の運営方針）

第23条　公民館は，次の行為を行つてはならない。

一　もつぱら営利を目的として事業を行い，特定の営利事業に公民館の名称を利用させその他営利事業を援助すること。

二　特定の政党の利害に関する事業を行い，又は公私の選挙に関し，特定の候補者を支持すること。

2　市町村の設置する公民館は，特定の宗教を支持し，又は特定の教派，宗派若しくは教団を支援してはならない。

社会教育法制定にも大きな推進力を果たした寺中作雄が執筆した著書『社会教育法解説』には，社会教育法制定の理由として，次のように書かれています。「社会教育法は社会教育活動の全面にわたって，これを規制しようというのではない。常に国，地方公共団体というような権力的な組織との関係において，その責任と負担とを明らかにすることによって，社会教育の自由の分野を保障しようとするのが社会教育法制化のねらい」といっています（寺中作雄著『社会教育法解説』（社会教育図書，1949年）より）。

しかし，せっかくその「自由」が保障されたとしても，うまく機能することもあれば，かえって停滞を招くことにつながる恐れもあります。

公民館を利用するのは地域住民ですが，誰にでも貸すのかというとそうではありません。この23条は，公民館の禁止規定です。この条文を引き合いに出して，営利，宗教，政治の活動には公民館施設は提供できないとしている公民館もあるようです。

しかし，ここには正確にはそう書いてはおらず，公民館が営利事業をおこなったり，営利事業を援助するような運営をすること，あるいは公民館が特定の宗教や特定の政党，政治家に指示するような運営を禁じているのであって，一切禁じているわけではありません。特定の営利事業者，宗教，政党などに偏って貸し出さなければよく，どこも同じように扱えばよいということが，この第23条の趣旨です。

あるいは公民館は，地方自治法でいう「公の施設」であり，地方自治法第244条第２項では「正当な理由がない限り，住民が公の施設を利用することを拒んではならない。」とあります。公の施設の設置目的が，「住民に利用していただき，住民福祉の向上に寄与すること」になりますので，そのような団体を「住民」としてとらえれば，営利事業者，宗教，政党のような団体にも借りる自由があるといえます。また，実際にはその団体が宗教団体かどうか確認できない場合もあります。いずれの場合も，公民館はいかなる団体にも基本的には利用の保障はなされていますし，教育基本法第15条にも「宗教に関する寛容の態度，宗教に関する一般的な教養及び宗教の社会生活における地位は，教育上尊重されなければならない。」と宗教教育の必要性が明記されています。

公民館を利用して，地域の教育活動を展開している諸団体は，当然広い意味で，公民館事業の一翼を担っているといえます。公民館は「社会教育施設」という性格から，何をしてもよいというわけではなく，社会教育的な活動をする場であるといえます。公民館の利用にあたっては，公民館が主催しなくても，利用団体には，公共性・公益性が求められるのです。政治を扱うのであれば，特定の政治を支持した企画ではなく，一般的な政治の知識や理解などの政治教育である必要があります。その他も同様です。

このことから，借りる団体の活動内容，講演内容が，公民館活動の目的である「住民福祉の向上」に該当している必要があるといえるでしょう。

公民館は公共施設ですから，公民館に毎週日曜日にキリスト教の信徒が集まってミサをおこなったり，政治団体が公民館を拠点にチラシを配ったり，営利事業者が自らの利益のためだけに住民を集めて物品販売をおこなうような利用はできないのは当たり前のことです。この社会教育法第23条は，公共施設であればどこでも守らなければならない，基本的なルールであるともいえるのです。

15　公民館で仕事をするコツ

(1)　あいさつが基本！

職員が明るくあいさつするだけで，公民館は印象がとてもかわります！

4月から職員になったという方も，そうでない方も公民館であいさつをしていますか？　役所の仕事のなかでも，何かと住民と接することの多い職場が公民館です。向こうから住民がやって来ると，気づかないふりをしたり，目をそらしてしまったり……。悪気はないのに，どうしたらいいかわからなくて，そんな曖昧な態度をとっていると，愛想が悪いと思われるなど，誤解されてしまいます。

会話がうまくできなかったり，口べただったり，人と接する人が苦手な人は，まずはあいさつ上手になることを目指しましょう。気の利く会話ができなくても，気持ちの良いあいさつができるようになれば，相手の印象もぐんと変わります。

会話は心と心のキャッチボールです。その元になるのがあいさつ。あいさつを交わす相手は，自分の鏡といってもよいでしょう。あなたが気持ちよくあい

さつすれば，相手もそれに応えるように，気持ちよくあいさつを返してくれるはずです。そして，忘れてならないことは，笑顔であいさつすることです。「挨拶」という漢字は，「心を開いて相手に近づく」という意味だそうです。

公民館はさまざまな人を相手にする職場なので，あいさつがきちんとできることは公民館の仕事の第一歩といえます！

(2)　まずは，前任者や周りの人に聞いて，教わってみよう

職員になって１年目であれば，まだ最初に与えられる仕事は基本的なことだと思います。公民館職員が覚えなければならない仕事，知識は本当にたくさんあります。なので，まずは一つひとつの仕事を正確に覚えていきましょう。

周りの先輩や前任者もたくさんの仕事を抱えています。あなただけにかかわって指導できる時間や余裕はあまりありません。したがって，教わった仕事内容はできる限りはやく，教わったとおりにこなせるようにすることが大切です。

そして，はじめから「自分流」でやろうとするのではなく，まずは「型」を覚えるということも大切です。公民館職員の仕事は，公平・公正を期すため，どの職員が対応しても同じような扱いになることが強く求められます。

「型」のやり方のなかには，ちょっと時代遅れなところや，合理的ではない

と感じることもあるかもしれません。ですが，その「型」は，長年の業務のなかで培われてきたものです。その一連の手順で，ミスやクレームを防いだり，住民や行政，職員の共通認識のもとで相互連携して仕事をスムーズに進められるようになっていることが多いものです。

そうした流れをきちんと覚えて，個々の作業や仕事の意味をきちんと理解することが，まずは大切なのです。

どんな世界，分野にも基本となる「かた」があります。

「かた」の語源は，「離手」で，カ（離）がはっきりと分離して，１つの形にまとまっているもの，タ（手）は手本・模範の意味です。したがって，輪郭がはっきりしてゆるがない手本となるものを「型」といいます（『日本語語源辞典』現代出版より）。

「かた」を習得してから，そこに自分の個性や思考の「ち」を加えて，はじめて生気あふれる「かたち」ができるようになるのです。

(3)　住民に信頼される関係を目指そう

信頼とは日々の行動によって積み上げられる一方で，たった１つの不誠実なおこないであっという間に崩れてしまうものでもあります。

公民館もいわば，地域の人たちとの少しずつ積み上げてきた信頼関係で成り立っています。その信頼の貯蓄が多ければ，地域の人たちとの関係もうまくいって，公民館からのお願いを聞いたりもしてくれます。逆に信頼を裏切って，負債が大きければ，関係がうまくいかず，公民館側からのお願いはなかなか聞いてくれないということも。

スティーブン・R・コヴィーの書いた『７つの習慣』という本のなかに，「信頼残高」という言葉があります。この言葉は，信頼関係の程度を銀行口座の残高に例えたものです。著書にはこんなふうに表現されています。「信頼残高」とは，「ある関係において築かれた信頼のレベルを表す比喩表現」であり，「その人に接する安心感」とも表現しています。残高がたくさんあればその信頼関係を利用すること，つまり残高を引き出すことも可能です。

信頼は，礼儀正しい行動，親切，正直，約束を守るなどの行動を通して信頼の預金残高がつくられます。信頼を増やしていけば蓄えもできます。銀行口座に利子がつくように，信頼が信頼を呼ぶこともあります。

少しぐらいの失敗なら，それまでの高い信頼関係から簡単に許してくれるでしょうし，逆に励ましてくれたり，プラスに作用したりする場合もあるでしょう。しかし，それがあまりにも度重なると，信頼残高がどんどん減ってしまい，最終的にはマイナスになってしまいます。つまり信頼関係がない状態になってしまうのです。

公民館でもこれは当てはまるのではないでしょうか。皆さんの公民館に多くの人たちがやってきて，住民たちが信頼を多く寄せてくださっているとしたら，それは長年その公民館が培ってきた信頼なのです。ずっと続いてきた住民との関係のなかで，とても長い時間をかけて少しずつ少しずつ積み上げ，多くの先輩たちから引き継いできたものです。それを皆さんが引き継いだのです。現在自分が置かれた立場は個人の力量や性格にもよるところがあると思いますが，長年先輩たちが培ってきた努力の結果として，あなたを「公民館職員」として住民が見てくれていることを忘れないでください。

信頼があれば，多くの人たちの協力が得られ，大きな事業や難しい仕事も比較的スムーズに進めていくことができます。昨今は職員の数も少なくなってしまって，一人の職員が抱える仕事量も増えていますので，いかに多くの人たちや団体の協力が得られるかが重要なのではないでしょうか。

また，この『７つの習慣』のなかには，信頼残高を増やすための方法として，６つの方法を紹介しています。

「相手を理解すること」「小さなことを大切にすること」「約束を守ること」「期待を明確にすること」「誠実さを示すこと」「信頼残高を引き出してしまっ

たときは，誠意をもって謝ること」。

⑷　「ホウレンソウ（報告・連絡・相談）」を心がけよう

公民館では多くの人たちが来たりしているので，報告・連絡・相談は欠かせません。マメに連絡し合って，安心な関係をつくりましょう。逆に「その話，聞いてない」というところから人間関係の亀裂は生じがちです。

「こんなこと，言わなくても良いかな」と，ちょっとした連絡を怠ってしまうと，あとで文句をいわれてしまうかもしれません。「この連絡は明日でも大丈夫ですか？」「●●の会場は▲▲小学校でいい？」などなど，しかるべき人に連絡し，情報を共有することは，間違いをなくし，自分を守ることにもつながります。

「歓喜の歌」という落語をご存じでしょうか。立川志の輔さんがつくった創作落語で，なんと公民館が舞台です。内容は，２つのママさんコーラスグループが公民館の同じ部屋を同じ日，同じ時間に予約していたことが発覚。２つのグループの名前が似ていたこともあり，公民館職員がメモも取らないで受けたことから，気づかずそのまま予約登録してしまったのでした。そこからはじまるドタバタ劇を描いたストーリーです。

この落語は，人情味深く描かれた内容がたいへんな反響を呼び，志の輔新作落語の代表作として知られ，2008年２月には小林薫主演，松岡錠司監督で映画化，また同年９月には大泉洋主演でテレビドラマ化されたりもしました。

公民館の仕事は毎日，さまざまな仕事が出てきて，住民との対応などもあります。窓口対応，打ち合わせの内容，消耗品の補充，各部屋の保守，抜け漏れの多い人，仕事に追われてすぐに前に言っていたこと，聞いたことを忘れてしまいがちな人は，ぜひ手帳やメモを持って管理することからはじめてみましょう。

⑸　やりすぎないようにしよう

公民館がほかの部署と違うところは，「住民の自治を育てる」こと。

他の部署では「サービス」ということで，住民のいうことなどを丁寧に聞き，要望になるべく応えるということが求められると思いますが，公民館は一歩引いて，考える必要があります。

住民たちが何かを活動しようというとき，すべて公民館職員におんぶにだっこ状態で活動のサポートをしたら，どうでしょうか。その活動は，行政や誰からかサポートを受けなければ活動できず，自立して活動できないことになってしまいます。

公民館がサポートするということは，住民たちが自ら考え，自分たちの力で行動できるようにすることが目標です。

したがって，公民館職員がすべてしてしまわないようにしなければなりません。真面目で，行政や民間，ボランティアなどの仕事が長い人は丁寧すぎて，すべてしてしまうことをしてしまいがちです。

どこまではサポートするが，どこからは住民がすべきかを考えながら行動しましょう。

⑹　地域を実際にまわってみよう

現在の公務員のなかには，いわゆるエリートコースを歩んできて，公務員になったという人もいます。あまり地域に今までかかわりがなく育ってきた人もいるでしょう。

公民館のなかだけにいてしまっては，わからないことがたくさんあります。地域にどんな人がいるのか，どういうところが困っているのか，実際に見に行き，確かめましょう。そうするなかで，住民の人たちと思いが共有でき，だんだん心が通じ合ってくることでしょう。

また，公務員は常に社会的弱者，少数者の意見にも耳を傾ける必要があります。公民館に来てくれる人ばかりではなくて，公民館に来ない人，来たくても来られない人もいます。そういう人への配慮も必要となってきます。

「公共の福祉」のために働く公民館職員には，少数者の意見，社会的弱者の意見をしっかり理解できるだけの感性が必要となります。その感性は，どれだけ現場を知っているか，地域を歩いているかで磨かれていきます。積極的に地域を歩き，幅広い人々から謙虚に話を聞くことが大切です。

(7)　地域活動のススメ

皆さんは地域の活動に参加していますか？

実際に参加してみると，この地域にこんな人がいたのかと発見したり，行政がこんなふうに見えるのかと思ったり，さまざまな発見や気づきがあります。

私も以前，地域に住む外国人を支える市民ボランティア活動に参加したことがありますが，団体を維持するためにはどうしたらよいか，行政のサポート，さまざまな人との関係づくりなどたいへん勉強になりました。

またそこで培った人間関係や団体運営などなど，公民館の仕事にも大いに役立ちます。

さらに，役所以外の人とのお付き合いをすることも大切なことです。役所づとめの人ばかりとお付き合いをすると，ものの見方や情報に偏りが生まれてしまいます。公民館職員の仕事の多くは，住民の気持ちや実情をふまえておこなうことが必要だからです。公民館職員こそ，公務員ではない人々，さまざまな諸団体，民間企業の人など，今まであまり接してきたことのない人たちと交流を図り，さまざまな立場の見方を知ることが大切です。

16　公民館職員のメリット

公民館に勤務して，マイナスのイメージがあるかもしれませんが，むしろ公民館に勤務することで得られるメリットもたくさんあります！

⑴　住民と親しくなれる

公民館は役所のいわば最前線です。住民と身近にかかわって，親身になって相談に乗ったり，協力し合ったりします。

公民館に勤務すると，住民がたくさんやってきます。そういう人たちと仲良くなることは，公民館職員の大切な仕事だといえます。人と接することが好きな人，人のお世話が好きな人にとっては，天職のような仕事かもしれません。

⑵　公民館で培ったことが，他でも役立つ

公民館に勤務すると，さまざまな知識や経験が身につきます。たとえば講座をつくるノウハウ，よりセンスの良いチラシ，ポスター，周知方法，学習方法など，より良い内容にすることができます。さらに，公民館で培ったコミュニケーション能力はさまざまな場面で威力を発揮することでしょう。

また，公民館職員時代に培った人脈は，次の職場でも生きてきます。公民館で扱うことはさまざまな分野にわたりますので，次の職場にうつったときにその人脈が生きてくることでしょう。

(3)　やろうと思ったら，何でもできる

公民館職員は，さまざまな仕事のなかでは，自分がしたいと思ったことを実現できる，数少ない職場だといえます。

他の職場では，自分の仕事の分担と役割が明確に決められており，その分担のなかでしか動けない，それ以上のことはできないことが多いものです。

公民館は決まった事業内容が定められているわけではありません。したがって，自分で何か企画して，それを実施することができるのです。

(4)　自分の教養向上や生きがいにつながる

公民館では自分の興味のあること，関心のあることを講座にするということができます。もちろん，興味がなくても仕事として講座をつくることもあります。

自分に関心のあることを仕事として勉強したり，研鑽できたり，深めたりできるのは，とてもありがたいことではないでしょうか。関心を深めたことが，自分の趣味や生きがいにつながっている職員もいます。

(5)　一緒に笑えて，感動を共有できる

一人ではなく，多数で同じ目標を持ち，思いを共有し，目標を達成すると，たいへん感動できます。そういう瞬間を住民と共有できる仕事はなかなかないのではないでしょうか。

自分が努力したことが認められ，その反響が返ってきたときの喜びは「この仕事をしていて良かった！」と思える瞬間です。

(6) 住民から感謝される

役所の仕事はさまざまですが，住民から怒鳴られたり，恨まれたり，嫌がられたりする部署はたくさんあります。しかし，公民館の仕事は住民から感謝されることがたくさんある，たいへんやりがいのある職場だといえます。

公民館に通っていた中学生や高校生が「高校に受かったよ」「大学に合格した」と報告しにくることもあります。当初は大丈夫かなと思っていた子供たちが成長していく姿を見ることは，たいへんうれしいものです。

1-2 講座づくりのノウハウ

全国の各公民館では，毎年さまざまな講座が開催されています。文部科学省の最新統計によれば，年間で公民館１館あたり，平均して25講座が開催されているそうです。少ない職員，限りある予算のなかでもこんなにたくさんの講座が毎年開かれているのは，皆さん公民館職員の努力のたまものであるといってよいでしょう。

ただ，一方で数が多ければ良いわけではありません。その講座の中味も問う必要があります。講座を開催する意義がよくわからなかったり，参加者がとても少なかったり，毎年ほとんど代わり映えのしない内容で開いていたりすれば，望ましい姿とはいえないのではないでしょうか。

公民館は対象とする人たち，そして取り組むべき内容も幅広い一方で，予算もたいへん限られ，職員の異動や，最近ではコロナ対策など，さまざまな制限などもあり，どのようにつくっていけばいいのかわからないと途方に暮れてしまうかもしれません。

しかし，講座をつくる手順や方法論を学べば，今まで以上の講座が必ずつくれるようになります。

1　公民館で「講座をつくる」とは？

公民館ではじめて講座をつくるとき，皆さんはどうしていますか？　たとえば「初心者のためのウクレレ教室という講座をつくろう」と思ったとしましょう。

そのとき，まず「なぜウクレレ教室なのか」が問われなければなりません。税金でこの講座をつくるのですから，気分や思い付きではなく，何らかの理由が必要となります。

そこがクリアできたら，次にウクレレについて勉強する必要もあるでしょう。どのような器材が必要か，また弾けるようになるためにはどういう段階が必要か，そしてそれらを公民館がどこまでサポートするかなどを考える必要があります。楽器は参加者が用意することを参加要件に入れてもよいですし，地域の人たちに協力してもらって，使っていないウクレレを集めるという方法もあるでしょう。さらに，楽器店などの民間企業に協力を仰いでレンタルなどする，という方法も考えられます。

一方で，「講師」について考える必要もあります。講師は，その楽器をただうまく弾ければいいというわけではありません。初心者にもうまく，やさしく，わかりやすく教えられるかどうか，また「講師」ですので，ある程度の信頼が築けるような人物である必要があります。それは肩書きであったり，テクニックであったり，人柄であったり。周りの人材や，紹介してもらったりして，探してもよいでしょう。その場合，公民館の予算もありますので，謝金が予算内に収まらなければなりません。またその講座は修了後に，サークル化も視野に入れているとしたら，講師が修了後も何らかのかたちでかかわってくれそうな人であることも考慮する必要があります。

さらに，公民館でおこなわれるメリットも考えましょう。通信講座やまちの音楽教室では個人のスキルアップを目指すことが第一目標となりますが，公民館なので，さまざまな目的で参加する人がいます。「ウクレレを弾きたい」ばかりでなく，「何でもいいから音楽をしてみたい」「みんなで合奏アンサンブルをしたい」「仲間に出会いたい」などなど，さまざまな参加目的である可能性があります。それらのニーズがあることを想定し，講座内容の設定を組み立てます。

やはり，公民館で学ぶことの良さの１つは，一人ではなく，みんなで活動でき，みんなで励まし合ったり，切磋琢磨したりできることです。またみんなで弾けるようになれたら，公民館文化祭に参加したり，地域の福祉施設やチャリティーイベントにボランティアで参加したりするなど地域貢献をしたりすれば，地域の公共の福祉，そして地域文化の豊かさにもつながってきます。

このように，公民館で講座をつくるというとき，さまざまなことを考える必要があるのです。

2　情報収集しよう！

まずは講座をつくるにあたって，さまざまな情報を収集する必要があります。

(1)　課題を探る

まず，その地域の課題を探ります。

地域の課題を探るためには，

①統計的なデータを探る，②自分の足で探る，③一般的な課題を探るなどがあります。

①統計的なデータを探る

世の中には，さまざまな統計情報があります。国や市町村などの統計をチェックしてみましょう。特に市町村の当該地域の世帯構成，男女別年齢構成，高齢者率，外国人数，所得状況，産業別人口・人口の増減などなどは，市町村のホームページにはたいていありますので，チェックしてみましょう。意外なデータがあって，見ていて「へぇ」と思える内容もきっとあることでしょう。

またデータには賞味期限の切れた情報もあります。なるべく最新の，そして信頼できる情報を把握するようにしましょう。

そうすることで，「今」が少しずつ見えてきます。

②自分の足で探る

統計はあくまでも，アンケートをもとに統計的な処理をした全体的な傾向です。

それだけでは，対象としたい人たちの個別の姿が見えてきません。実際に当事者に会ってみて，生の声を聞いてみることも大切です。社会調査でいえば，「フィールドワーク」などと呼ばれる手法で，自分の目と耳で調べてみましょう。

若者を対象とした講座であれば，若者に話を聞いてみましょう。またそれらを専門としている勉強会などの機会があったら，積極的に参加してみましょう。そういう場で語られるのは，統計や本，メディアにも出てこない「生の声」が多いものです。またそういうつながりをつくっておくと，後々にさまざまな場面で役に立ってきます。

③一般的な課題を探る

課題は表面的に見えるものばかりではなく，意識下にある課題もあります。それらを探るために，「要求課題」や「必要課題」「現代的課題」「発達課題」と呼ばれるような課題を考えてみましょう。

「要求課題」とは，学習者が学びたいと思っている学習要求のことです。その要求には，その人がすでに意識している関心と，まだ自覚してはいませんが，潜在的に思っている関心とがあります。学習活動は，要求課題が出発点となります。

それに対し「必要課題」とは，学習者の要求ではなく，学習者にとって必要と思われる課題です。具体的には，①社会構造の変化への対応，②地域の課題，③社会的な課題，④人権などの諸課題です。

「必要課題」のうち，今の時代を生きるために必要な課題は，「現代的課題」と呼ばれたりします。たとえばスマートフォンの操作方法などは，20年くらい前であれば必要ありませんでしたが，今や誰しもが所持し，さまざまな生活上の情報なども取得できるものとなっており，生活するのに欠かせないツールとなりつつあります。一方で，その情報が正しいのか，また使い方についてなかなか教えてもらえる機会がありません。

一般に「現代的課題」としては，「生命，健康，人権，豊かな人間性，家庭・家族，消費者問題，地域の連帯，まちづくり，交通問題，高齢化社会，男女共同参画型社会，科学技術，情報の活用，知的所有権，国際理解，国際貢献・開発援助，人口・食糧，環境，資源・エネルギー等」（1994年生涯学習審議会答申より）などがあげられます。

「発達課題」とは，人間が生涯において学習すべき内容は，発達上の諸段階ごとに固有の，そして適時性を持った課題が存在するというものです。この課題群のことを，アメリカのハヴィガーストは発達課題と呼んでいます。

これらの課題を全体的に把握することが，講座内容に大きく役立ちます。

⑵　地域の資源を調べる

①地域の歴史を調べる

自分たちの住む地域を調べ，今の自分たちがどのような歴史をたどってきたのかを調べることは，地域固有の学習にもつながる，公民館で学習する人たちにとっても大きな動機付けにもなります。地域にある地名の由来を調べたり，偉人を調べたりすることもよいでしょう，またそれらの資料をきちんと保存し，後世に継承していくことも，地域の文化を担っている公民館の役割の１つではないでしょうか。

②地域資源を調べる

公民館の周りにどのような資源があるか，ということも講座を成立させる大きな要件になります。

歴史的な遺稿，施設，また住民のなかにはその道では第一人者といえるような人物が住んでいることもあります。

⑶　トレンドを調べる

私たちの周りにも，講座をつくるにあたって，多くのヒントがあります。

たとえば，メディア（新聞・雑誌・テレビ・インターネット・新刊本など）で何が取り上げられているかを調べれば，現在多くの人がどんなことに興味を持っているかがわかります。これらは，電車の宙づり広告，書店の雑誌，テレビの番組欄，住民との会話など，日常の何気ないところで意外なヒントが転がっていますので，いろいろなところにアンテナを張っておきましょう！

ただし，情報は無尽蔵にありますので，期限を区切って，ある程度そろったら次の段階へ進みましょう。すべてそろってからはじめるということでは，いつまで経ってもはじめられないということにもなりかねません。

3　目標を定めよう！

⑴　対象を決める

ターゲットを絞ることは，とても大切です。「誰でもいいから，来て欲しい」ということではなく，もっと具体的なイメージを持つことが大切です。

たとえば，民間のコマーシャルでも購買層を具体的にイメージしてつくりますし，女性誌もかなり細かくターゲットを絞っています。「誰でもいい」というのは逆に，「その人でなくてもいい」ということでもあるので，来て欲しい人に突き刺さらないのです。

講座の対象を絞らなければ，プログラムもどっちつかずの内容となってしまいます。子育て世代と，リタイアした人，青年層，さらに性別なども加味すると，それぞれ関心あることは大きく異なります。誰もが対象となった場合，広く浅いものとなってしまい，参加者の満足度も低下してしまうでしょう。連続講座の場合，1回目は来ても2回目以降は来なくなってしまうかもしれません。

⑵　目標を決める

講座をつくるとき，思いつきで企画するのは，あまりよくありません。「このまちを●●のようなまちにしたい」「自分たちで動けるリーダーを育てたい」「▲▲するような住民に育って欲しい」など，大きな目標を立て，その目標に沿って，講座を企画立案することが大切です。

講座をとおして，地域の教育力を向上する，地域の人々の絆を高める，地域に関心の薄い人たちにも興味を持ってもらう，若者にもっと地域にかかわってもらう，地域を活性化させるなど，公民館ならではの目標を定めなければなりません。

その際は，公民館，教育委員会や市町村ごとに作成している年間目標や，市町村長の施政方針，また市町村ごとに作成した市民憲章（町民憲章，村民憲章），国がつくっている「教育振興基本計画」などにも目を配りつつ，講座を開催する目標を考えてみましょう。

大きな目標はすぐには達成できませんが，年度ごとの目標を持って，少しずつ達成することも考えてみましょう。多くの民間企業でも「中期計画」「長期計画」という戦略を立てて，経営しています。

何も目標を持たずに，場当たり的な活動をしていては大きな目標を達成できないでしょう。「こん

な目標，達成できない」と思ったとしても，５年後，10年後といった中長期的な視点を持って，毎年少しずつ取り組んでいき，課題を少しずつ解決していけば，１年でできなくても，大きな目標も達成することも可能になるでしょう。

4　講座を手伝ってくれる仲間をつくろう！

⑴　仲間をつくる

あなたは一人で何でもしてしまう人でしょうか？

公民館では特に，一人で何でもしてしまうのではなくて，なるべく多くの人たちにかかわってもらうようにすることが大切です。

「そんな人いない」と思っているかもしれません。でも，地域に住む人たちのなかには，「地域に貢献したい」「人の役に立ちたい」「自分の特技を活かしたい」と思っている人が大勢いて，そういう意識は最近特に高まっているように思います。そして，そのような取り組みをした人の多くは，そうして感謝されることがすごくうれしく，楽しいと感じる人は少なくありません。

それは自分が必要とされている，ということが，人間のなかではとても幸せにつながっていることなのだと思います。

一方で，一人の人の力には限りがあります。１つのことに集中してしまえば，他のことができなくなります。たとえどんなに才能があって，バイタリティがあって，いろいろな経験をしている人であっても，何から何までできる人はそう多くはありません。

公民館では特に，自分一人だけの力で何かしようとするのではなく，周りの人の力も借りて，大勢の人が主体的にかかわるような体制を整えることが大切です。

そのほうがよりもっと大きな力になったり，細かいところにも目が届くようになります。

また，自分の得意分野ばかりではなく，大勢の人がかかわれば，その道の専門家や経験を持った人たちもいる可能性があり，より質の高い内容になることでしょう。

⑵　どんどん人を巻き込む

「巻き込む」というと，あまりよいイメージがないかもしれません。

しかし，公民館においては「巻き込む」ことは，大切なキーワードです。自分一人ではできないことを大勢の力を結集させて，目的を達成する。そのためには，周りに共感を得たり，説得したり，さまざまな関係者に声をかけたり，協力してもらったりすることが必要です。

その場合，一方的な関係では成り立ちません。一方的にお願いするだけではいつか関係が破綻してしまうからです。相手と良好な関係をつくり，納得してもらったうえで，相手に協力してもらうことが大切です。

〈「巻き込む」ために必要な要件〉

誰も知らない相手から，何か急にお願いされたら，皆さんどのように感じるでしょうか？ 「どうして私がそんなことしなければならないの？」と思うことでしょう。しかし，日頃からよく知っている人であれば，考えてしまうと思います。特にいつも自分のお願いをよく聞いてくれる人や，そのお願いの内容が自分や公共の福祉などにもメリットがあったりするのであれば，やろうという気になるのではないでしょうか。

このように，「思わず人のお願いを引き受けてしまう」というプロセスを，大きくは3つの視点で考えてみましょう。

①お互いの関係性を構築しておこう

日頃から関係性を築くことが大切です。たとえばあいさつをよく交わしたり，何気ない会話でもよくするようにしておきましょう。お互いにあいさつして，気軽に会話のできる「安心できる関係」をつくることが大切です。

②信用されるようにしよう

あいさつが気軽にできる関係が築

けたら，信用されるような関係を目指しましょう。自分のことばかり話すのではなくて，相手の気持ちに寄り添うようにしましょう。相手ががんばっていたら「最近，●●をがんばっていますね」「いつも遅くまでおつかれさまです」，また何か浮かない顔をしていたら，「最近，何か変わったことはありませんか」「困っていることはないですか」など相手のことを気遣った声掛けをしてみましょう。また，彼らの行事に参加したり，手伝ったり，何かよい情報を教えたりもよいでしょう。ビジネスライクなお付き合いではなかなかお互いの理解も深まりませんし，お互いの気持ちも縮まらないでしょう。

③相手を説得しよう

人は，相手からの依頼が一方的だと感じると，反発してしまいます。その活動が相手にとっていかにメリットがあるか，または地域にとって意義があるかなど説得して，相手が自発的に動いてくれるようにしましょう。

上から目線で「そうすることが当然」という感じで説得してしまっては，うまくいくものもうまくいきません。「あなただからお願いしたい」「あなたの力を借りたい」「あなたがやってくれたら本当に助かる」といわれると，相手は納得してくれたりするものです。

逆に「誰でもいいんだけど」「ヒマそうだから」などのようにいわれたら，相手のモチベーションが上がらないばかりか，よりよい協力も得られないことでしょう。

5　講座をかたちづくっていく

目標や対象，だいたいの内容を定めたら，それを達成するために，講座の部品を考えていかなければなりません。

始めはさまざまなヒントを頭に思い浮かべ，どうしたら楽しくなるのか，人が集まってくれそうか，目標に結びつきそうかなどを考えていきます。

そして，どうしたらそれが実現できるのか，予算や割ける人的資源，最適な方法や手段を選ぶ作業が必要になっていきます。

その際は，次のようなことも考えてみたらいかがでしょうか。

(1)　参考となる事例を集めよう！

全国の公民館では，さまざまな講座がおこなわれています。公民館という同じ目的を持った施設で，多くの職員が同じように悩んで講座をつくっているのです。そのなかには，自分がしてみたい，興味のある講座は，必ずあるはずです。

その参考になりそうな事例を調べてみましょう。今ではインターネットで手軽に全国の公民館の事例が集められます。講座募集や，活動報告，また館報が掲載されている公民館のホームページがたくさんありますので，検索したり，チェックしてみましょう。また『月刊公民館』の既刊号を見たり，文部科学省が毎年表彰している優良公民館のそれぞれの「特色ある取り組み」も参考になります。また，全国の各ブロックや都道府県で毎年おこなわれている公民館大会での発表事例もあります。また，新聞記事の地方欄にも公民館の活動が紹介されていたりします。また，公民館にかかわる関係書籍などにもさまざまな事例が紹介されていますので，手を尽くして集めて，目を通してみましょう。

公民館の事例ばかりでなく，民間がおこなっている「シブヤ大学」や「自由大学」などの市民大学講座や，民間のカルチャーセンターの講座などもとても参考になる事例がたくさんありますので，公民館に限らず，広く調べてみましょう。

たくさんの事例が集まり，興味ある事例を見つけられたら，その事例を深く掘り下げてみましょう。公民館の講座事例であれば，直接電話して聞いてみてもよいかもしれません。同じ公民館職員の立場であれば，きっととても親切に教えてもらえるでしょう。ただ，相手の都合も考慮しつつ，聞きたいポイントも絞ったりして，あまり長くならないようにしたいものです。

(2) 季節に合ったタイムリーな内容に

たとえば4月と5月は新しいことを始めたい気運が高まっている時期ですので，人の気持ちに乗っかった企画，ということも大切です。公民館では4月5月は講座数が少ない傾向がありますが，もったいないことです。

民間企業では季節ごとにどういう需要があるかを敏感に察知して，販促企画を練っています。たとえば春であれば，2月はバレンタイン，4月は5月の「母の日」に向けた企画，5月のゴールデンウィーク，5月は6月の「父の日」に向けた企画，梅雨の時期をねらった企画，12月はクリスマスなどです。

講座参加意欲を促すような，タイムリーな企画を考えてみましょう。

次のような企画が考えられます。

【春の企画】

・ひなまつり　・ホワイトデー　・花粉症　・卒業式　・エイプリルフール　・新学期・新社会人　・新生活　・お花見　・ゴールデンウィーク　・母の日　・梅雨　・その他

【夏の企画】

・父の日　・七夕　・アウトドア　・夏バテ　・海　・夏休み　・夏休みの宿題　・涼しくなる方法　・花火　・怪談　・その他

【秋の企画】

・防災　・秋の味覚　・スポーツ　・敬老の日　・お彼岸　・十五夜　・孫の日　・ハロウィン　・いい夫婦の日　・文化の日　・紅葉　・風邪予防　・その他

【冬の企画】

・体があたたかくなる　・忘年会　・クリスマス　・大掃除　・初日の出　・お正月　・受験　・成人式　・節分　・バレンタインデー　・その他

(3) たくさんの参加動機をつくろう

講座やイベントを開くとき，実際に参加表明をする人の影には，参加を迷っている人は大勢います。そういう人たちも参加を促すために，きっかけをたくさん提供してみてはいかがでしょうか。たとえば，スイミング教室をイベントと考えると，そのイベントに参加する目的は，「健康的になりたい」「技術を習得したい」「時間がある」「仲間をつくりたい」「リハビリしたい」など数多くあるのです，なかには，スイミング教室の雰囲気だけに入っていることで満足するケースも，出てきます。これらすべての目的を満足させる講座をつくることは難しいことですが，参加する目的は１つではないことをよく知っておきましょう。

そのためには日頃から，「自分なら，どういうきっかけがあれば参加したくなるだろう」と，考えるくせをつけるが大切です。

⑷　参加するメリットをつくろう

さまざまな娯楽が発達している現在，ありきたりの講座を開いただけでは講座に参加しません。娯楽に飢えていた時代とはまったく異なり，他の楽しいエンターテイメント（エンタメ）がたくさんあるからです。

それらの楽しいエンタメをあきらめて，講座に参加してもらうためには，それらのエンタメ以上にその講座が楽しいものでなければ来てくれません。はじめに物珍しさで来てくれることもありますが，そういう人たちは初回には来てくれても，次からは来てくれなくなります。

そうならないためには，「楽しさ」の強度を高めることが必要です。

そのためには，「トクする，タメになる，楽しめる」（3T の法則）を検討してみましょう。人は誰しも，トクをして，タメになって，楽しいことが好きなものです。

講座をつくるときも，この３つの要素を心がけてみましょう。

また，①著名人に協力してもらったり，②めったにみられないもの，希少性の高いものを提供したり，取り組んだり，③季節にあった内容にしたり，④参加特典が魅力的だったりするなど，人に話せるようなネタや資料，メリットを用意しておくと，「こんな講座だったよ」と友人や家族にも見せて，紹介することができ，「行ってみよう」というモチベーションにつながるでしょう。

⑸　オンライン講座も考えてみよう

2020年に始まるコロナ禍を経て，オンラインでの開催も多く開かれるようになりました。それについては後述します。

（→ p.110～　1-4 オンライン講座のノウハウ）

⑹　ワザと「スキマ」の多い内容にしてみよう

講座をつくるとき，ワザとスキマをいっぱい残しておく，不完全にする，完璧にしないようにすることも大切です。

スキマを残しておくというのは，たとえば自分たちの公民館に，デパートでおこなわれているような「ヒーローショー」の業者の人たちがやって来たら，私たちは何も手伝えないし，かかわれません。それは完璧に仕上がっていて，私たちにかかわれる余地がほとんどないからです。

しかし，手伝えるスキマがいっぱいあると，「何かやりましょうか」「受付をしましょうか」「椅子を並べましょうか」など，みんながかかわれる余地が生まれ，参加者も講座に主体的にかかわるきっかけが生まれます。

しかし，不完全なだけではいけません。その講座そのものの魅力が必要です。たとえばみんなが感動できるとか，経験したことのないような楽しさや喜びを感じるようなものがなければなりません。

不完全であれば，かかわる人によって中味を微修正したり，毎年その中味もかえることができます。そうすると，その人がいないと成り立たないといった悩みも解決できます。

これを「手抜き」とか考えてしまう人も，なかにはいるかもしれません。しかし職員が一生懸命すぎてしまうと，住民，企業，大学，さまざまな団体などの参加の機会が閉ざされてしまうことにならないでしょうか。つまり，一人ですべて抱え込んでしまうと，地域の多様な人たちの参加と支援を得ることができなくなるのです。それは，運営を支援するマンパワーを失うことにもなります。公民館の周りにはたくさんの仲間がいることを忘れないで，いろいろな人たちに声をかけて，楽しく取り組んでいけばよいのではないでしょうか。

講座をつくるにあたっては，公民館で実施する企画では，なるべく完璧な内容，運営にしようと張り切ってしまう人も多いと思いますが，あまり完璧にしてしまうと，住民は何もしないで，ただ単に受講すればよいというお客さんになってしまいます。公民館ではすべてが行き届いた完璧な企画は，かえって住民との距離をつくってしまうことにもなりかねないのです。

広島県の大竹市にある玖波公民館は，優良公民館表彰で最優秀を獲得した有名な公民館ですが，その公民館では正規の職員は一人しかいません。しかし，さまざまなイベントには大勢の人たちがかかわっていて，それぞれ受付をしたり，会場整理をしたり，講師接待をしたり，給仕をしたり大忙しです。しかし，皆さんとても生き生きとしていて，楽しそうです。

これらの人たちは，職員がこうして欲しいとお願いしているわけではありません。魅力的な活動に多くの住民が引き寄せられ，皆さんができる範囲で，楽しみながら，その活動にかかわっていっているのです。そうすることで，自分たちが公民館に積極的にかかわり，「自分たちの公民館」として，住民に愛されています。

⑺　ワークショップという手法をとろう

講座といえば学校形式のものが定番ですが，「ワークショップ」のような従来のやりかたにとらわれない学習形式も盛んです。特に公民館では，さまざまな背景を持った学習者が多く，参加者のなかにもひとかどの知識や経験を持っている人がおり，参加者から教わることも少なくありません。また公民館は「相互学習」「共同学習」といった学習をとても大切にしてきた歴史があります。

ワークショップとは，ただ単に講師の知識や情報を受け止めるだけでなく，参加者一人ひとりが学習に主体的に参加し，「意見交換する」「調べる」「発表する」「体験する」などのさまざまな活動をおこなう「心と頭と体で学んでいく学習（参加型体験学習）」です。ワークショップでは，お互いの学び合いから「気づき」や「発見」が大切にされ，自己理解を深めるばかりでなく，うまくいけば豊かな人間関係を育む力やそれぞれの内に秘めた持てる力を強めたり，積極的に課題解決に参加，行動していく力が育まれるということにもつながっていきます。

ワークショップは，ファシリテーターと呼ばれる進行役によって進められます。ファシリテーターは，プログラムづくりなどの事前準備の段階から，ワークショップの実践，さらにワークショップの成果を行動につなげる役割を担っています。ファシリテーターの視点や技能，進め方などにより，ワークショップの達成度が大きく影響されるため，ファシリテーターの役割はとても大切です。

ワークショップはかたちにとらわれない学習方法ですので，どんな方法が可能なのか，自分で調べてみたり，ファシリテーターとなる講師とよく相談してみましょう。

6　講師を選ぼう！

講師選びはたいへん大切です。講師によって，学習がうまくいったり，いかなかったりして，講座の善し悪しが大きく左右されるからです。

「昔からこの先生だから」「講師名簿に出ていたから」などの理由で容易に選んでしまうのではなく，慎重に講師は選びましょう。

⑴　社会教育に理解のある講師を

その道の専門家が必ずしも公民館での最良の講師とはなり得ません。その分野のことをよく知っているからといって，教え方がうまいとは限らないのです。特に大学の先生や研究者で，本がとてもよいからぜひこの人にとお願いしたものの，実際には専門的すぎて参加者からは評判がよくなかった，話しがへただったという話などはよく聞く話です。

公民館の講師としては，次のようなポイントも考慮しましょう。

１．その分野に造詣が深い

2．自分が話すことばかりに熱心になるのではなく，参加者の話，持っている力を引き出そうという姿勢がある

3．公民館のこと，社会教育，その地域への理解がある

4．講座後も，資料を提供してくれたり，かかわってくれたりして，その後の発展の援助をしてくれそう

⑵　あらゆる手を尽くして探そう

講師は，次のようなことを考慮して探してみましょう

①新聞，雑誌，書籍から探す

②所属の自治体で，その分野に近い人たちに尋ねる

③その分野の団体・研究機関などに問い合わせたり，出向いて情報をもらう

④類似の講座について情報を得る

⑤他市町村の公民館の知り合いに聞く

⑥都道府県公連や全公連，社会教育実践研究センターに問い合わせる

過去にその講師を呼んだことのある自治体，公民館がわかれば，積極的に問い合わせてみましょう。うまくいけば，そのときに講師謝金や，そのときの評判，どう頼めば引き受けてもらいやすいかなどの有益な情報も教えてもらえるかもしれません。

著名な方の場合，事務所を通すと莫大な講師謝金がかかることが多いので，別のルート（知人，友人など）から交渉すると安くなることがあります。

なお，政治や宗教，営利的な活動や宣伝はしないように，講師にあらかじめお願いしておきましょう。

7　講座の骨組みを立てていこう

講座の骨組みとして，常に登場するのが，5W2H です。この「5W1H」とは，WHEN（いつ）・WHERE（どこで）・WHO（誰に）・WHAT（何を）・WHY（何の目的で）・HOW TO（どのような方法で）・HOW MUCH（いくらで）は，企画の第一歩です。

・WHEN（いつ）：開催日時と予備日

開催日の決定は，内容や参加者の都合で，平日か休日か，日中か夜間か，何日間開催するのか，季節なども充分考慮して，慎重に決定します。

・WHERE（どこで）：会場

公民館ばかりが会場ではありません。

・WHO（誰に）：参加対象者

混乱が起きないようにハッキリ明示しておくことが大切です。

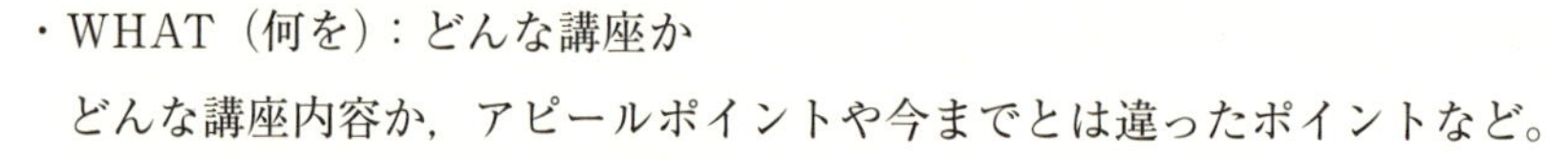

・WHAT（何を）：どんな講座か

どんな講座内容か，アピールポイントや今までとは違ったポイントなど。

・WHY（何の目的で）：この講座のねらい

どうしてこの講座を実施するのか，目標や目的など。

・HOW　TO（どのような方法で）：講座でおこなう学習方法など。

講義形式ばかりが学習方法ではありません。また，具体的なプログラムも。

・HOW MUCH（いくらで）：予算

この講座で使える予算，足りない場合の手立てや，協力してくれそうな団体や企業など。

まずは，この７項目を考えてみましょう。

8　PRを工夫しよう

(1)　コピーライターのようにつくろう

公民館でつくるチラシや館報では，キャッチーな言葉が少ないように感じます。

「行ってみたい！」「参加してみたい！」という気持ちにさせるには，言葉が大切です。

たとえばおいしい料理をそのまま映像としてテレビに映したり，広告に出したりしても，おいしさはうまく伝えられません。もっとより多くの人に伝えるようにするためには，その料理のおいしさを伝える工夫をする必要があります。

その講座の何がよいか，どういうことがウリなのか，参加するとどういうメリットがあるのかを伝えるためには，言葉がとても大切です。言葉にはコストがまったくかかりません。しかし，言葉１つで，受ける印象も全く違ってきますし，参加者数，参加層もガラリと変わってきます。その講座がどんなによくても，講師がどんなによくても，参加対象となりうる人たちにそのよさが伝えられなければ，それは存在しないに等しいのです。

公民館のPRが下手な理由の１つは，「わかりにくい」ことです。

大切なのは，「その講座のよさ」をわかりやすく説明することです。

最近は情報や娯楽が満ちあふれています。テレビ，ゲーム，デート，家族の時間よりも，その講座に参加する理由をわかりやすく教えなければなりません。

ただし，これは誇大に，おおげさに宣伝しろということではありません。「講座の価値を，正しく伝えること」が大切なのです。この講座はどういう特徴があるのか，どういうところにこだわっているのか，講師はどういう人なのか，この講座を受けたらどういう体験ができるのか，どういう「おみやげ」を持って帰れるのかがわかればよいのです。

それは何より，自分の携わっている講座のよさと伝えたいという強い思いがあることが大きく影響してきます。講座をつくると，多くの人は広報にまであまり力を割いてきませんでしたが，これからはもっと広報にも力を入れるべきではないでしょうか。

(2)　マスコミを味方につけよう！

これからの公民館PRを考えるうえで，大きく発展性が望めるのはマスコミ戦略です。今まで，公民館ではほとんどマスコミは活用していないところが多いのではないでしょうか。「まさか私のような小さな公民館の講座なんて，取り上げてくれないよ」「マスコミなんて雲の上のような存在だよ」と考えているかもしれません。

しかしマスコミは想像しているよりも，近い存在なのです。

マスコミは絶えずネタを探しています。特に“街ネタ”です。今，街ではどういうことが起こっているのか。事件や事故は警察の記者クラブにいれば情報が入ってきますが，街ネタというのは，足で歩かないとつかめません。ですから，公民館の講座などの“街ネタ”情報を，マスコミは欲しがっているのです。

全国紙には紙面のなかに地方版，地方紙には地域版があります。読者が住む地域のニュースを載せるページです。その面には，「週末だより」とか「今週のイベント」といったコーナーがあります。こういう催しがありますという情報を集めた欄です。そのネタの一つとして，公民館の講座を載せてもらえる可能性があります。

内容がユニークだったり，ニュースとしておもしろければ，取材して詳しく載せようということになります。「絵手紙教室」では平凡ですが，「お年寄りと幼稚園児の絵手紙交流教室」とあれば，「年代を越えて交流するためにどんな絵を描くのかな」と記者の興味をそそり，取材に来るかもしれません。

そういったネタ元として，館報を送ったり，「こういう講座があります」というプレスリリースを記者クラブや各マスコミに直接送ったりするのです。

慣れてくれば，企画を考えるときも，マスコミに記事として取り上げられることを意識するようになってきます。

初めはまったく反応がないことが続くと思います。しかし，自分の足で記者に宣伝に行ったり，電話でアピールしたりして，地道に少しずつ関係を築いていけば，取材に来て，取り上げてくれることもあるはずです。

ある公民館では，１年間で100件以上，さまざまな新聞に記事が掲載されています。やはりマメにプレスリリースをして，記者と少しずつ関係を築いていった結果だそうですが，最近ではマスコミのほうから，「何かおもしろい講座をやってませんか？」と問い合わせが来るようになったそうです。このような関係になれたら，公民館としてはありがたいのではないでしょうか。

新聞に掲載されると，ふだん公民館を利用している層よりもっと多くの人に知らせることができますし，公民館活動の大きなピーアールにもなります。

新聞などのマスコミに取り上げられることは効果絶大で，その広告効果は何百万，何千万円規模に値することでしょう。

〈マスコミで取り上げられる効果〉

マスコミに取り上げられたとしても，すぐに目に見える効果が得られないことがあります。マスコミに１回取り上げられたとしても，その番組や新聞を見ていない人もいますし，たった１回では「じゃあ行ってみようか」という気持ちにはなれない人も多いのです。

おそらく１回で公民館に行ってみようと思う人は，すでに公民館に何かしらの予備情報があったり，その講座内容についてよほど興味があったりするだけかもしれません。

１回載ったから安心するのではなく，何度も取り上げられるようにしないと，公民館に来るきっかけに大きく寄与しないでしょう。

またマスコミに取り上げられるメリットとして，１つあげられるのは「●●新聞に掲載」「▲▲テレビで紹介」など，第三者的な評価が得られることです。

マスコミに取り上げられたことで，「あ，この講座はマスコミに取り上げられるくらいなんだ」という，参加する人への安心感が得られることは大きなメリットです。

またマスコミに取り上げられると，働いている職員や，周りの人たちの意識もかわってくるから不思議なものです。

9　細かな配慮をしよう

(1)　講座の細かい配慮が，評価を左右する？

講座を開催してアンケートを取ってみると，講座の中味そのものではなく，意外なところで参加者から不満を持たれてしまい，講座そのものの評価を下げてしまっているケースがあります。せっかく講座の中身をすばらしいものにしたのに，そういうところで損してしまうのは，とてももったいないことです。

他の講座やイベントに参加してみると，自分で開催していたら気づかないようなところも気になったりするものです。そういう視点で，いろいろなイベントに参加したりして，運営方法をよくチェックしてみましょう。今まで何気なく参加していた講座には，こんなにもいろいろな配慮がなされていたのかとビックリするかもしれません。以下の点に配慮してみましょう。

①ゴミ対策

ゴミがたくさん出る場合は，その対応をあらかじめよく考えておきましょう。ゴミ置き場が収拾つかなくなっているのは，見た目にもよくありません。

②安全対策

子供たちが走り回ったりしないようにしたり，雨の日は床がすべらないようにするなど，会場の様子に目配りできる人の配置を考えましょう。

③天候対策

天候はさまざまなケースを想定しておきましょう。野外キャンプのような活動でも，念のため屋内スペースを用意しておくと，慌てずに済みます。

④協力団体

自分たちですべてやってしまうのではなく，さまざまな団体に協力してもらうことも検討しましょう。

⑤ボランティア

ボランティアの人たちの協力も考えてみましょう。

⑥スタッフ

講座がスムーズに進むよう，当日の動きなどのスタッフ同士の事前の打ち合わせは入念にしましょう。運営には必ずイレギュラーな事態が起こるものです。そういった不測の事態にも対応できるようにしておきましょう。

⑦障がい者への対応

障がい者にも対応できるようにしておきましょう。ただ，急な対応は難しいこともあるので，申込書に「受講にあたって配慮が必要な方は，備考欄に内容をご記入ください」などのように事前に書いてもらうことが必要です。

⑧設備の確保

公民館にある設備をチェックしておきましょう。使い方がわからなかったら，事前にチェックが必要です。

⑨著作権対応

最近は著作権がたいへん厳しくなっています。使用する資料や，チラシ・ポスターで使うイラストなど，細部までよく気をつけましょう。

⑩駐車場

車を置くスペースがあまりない場合は，公共交通機関や自転車などで来てもらうような配慮が必要です。

⑪会場への参加者誘導

会場となる部屋が奥まったところにある場合，張り紙などで目立つようにして，会場まで来られるようにしましょう。また大きなイベントの場合は，会場の付近に人を配置することも検討しましょう。

⑫届け出対応

公民館に寝泊まりしたり，また飲食を伴う取り組みになる場合，警察，消防，保健所などへ届け出が必要となることがありますので注意が必要です。

⑬トイレ

大きな取り組みとなる場合，トイレが足らなくなることがありますので，配慮が必要です。

⑭講師対応

講師へは，さまざまな配慮が求められます。事前の連絡が十分になされているか，当日電車の遅延などで，講師の到着が遅くなったりしたときの対応，会場に入ってからの対応，講座終了後はどうするかなどです。

⑮託児対応

子育て中のパパ，ママに対応できるよう，託児の検討をします。

(2)　地味だけど大切な事前準備

①資料作成

講座で役立ちそうな資料，学習の助けになるような参考図書のリストがあったらそろえて用意しておきましょう。また，会場にパネル展示，実物展示などして，その学習の理解を深めるような展示をすることも，効果的です。

もちろん，講師にも事前に，どのような資料があるとよいか相談してみたら，よいアイデアをくれるかもしれません。

②名簿の作成

参加者の名簿をつくっておきましょう。また，定員以上の応募があったとしても，キャンセルが出る場合もありますので，断る場合でも連絡先は聞いておきましょう。

講師もどういう参加者が多いのかによって，話す内容や学習方法を変えますので，きちんと説明できるようにしておきましょう。

③出席表，名札の準備

ワークショップなどでグループでの話し合いがある場合，名札があると便利です。

④当日必要なものをそろえておく

講師には，講座当日に何が必要かをあらかじめ聞いておきましょう。

パソコン，プロジェクター，付箋，模造紙，マジック，ラジカセなどが考えられます。

⑤直前には念のため，講師に連絡を！

講師がスケジュールを間違っていることもときどきあります。また，会場を間違えて記憶しているということもあります。

当日になって，講師が来ない！　なんてことのないように，１週間前から前日くらいまでにもう一度，連絡して確認しておきましょう。

その際には，応募状況なども報告しましょう。

⑥謝金の用意

講師への謝金の用意も忘れずに。振り込みの場合は手続きをしておきましょう。

⑦参加者に通知

申し込みが多ければ，抽選したうえで，その結果を通知しなければなりません。結果の通知には，「○○人の応募がありましたが，そのなかで選ばれましたので，欠席しないようにお願いします」などのような文言を入れて，参加者が欠席しないような工夫をしましょう。

⑧進行表を作成しよう！

各回の進行案をつくってみましょう。さまざまなケースを想定しておき，不測の事態に備えます。また流れのなかで，不自然なところや，運営上厳しいところがあれば，講師と相談しておきましょう。

⑨その他考えられる用意するもの

・前回の記録や感想などのまとめ
・筆記用具（忘れた人用）
・アンケート，回収箱
・領収書（参加費・教材費などがある場合）
・他の講座のPRチラシ
・参加者のお茶（必要に応じて）
・講師が印鑑を忘れたときの返信用封筒
・講師のお茶・お茶菓子
・講師帰途用の準備（タクシーの手配など）
・修了証（最終回）

10　ハラハラドキドキ！　本番当日

会場の設営は，余裕を持っておこないます。

机の配置，マイクのチェック，パソコンの準備など，すぐにできると思っていても，想定外のトラブルが発生してしまい，時間が取られてバタバタしてしまうこともよくあります。私の場合，パソコンがなかなかネットにつながらず，直前でようやくつながったという経験もあります。ワイヤレスマイクの電池が切れていたり，プロジェクターを使うのにパソコンとのコネクタが違ってつながらないなどということもありますので，十分余裕を持って準備しましょう。

⑴　会場設営で必要なもの

案内掲示，講座タイトル，講師の表示，講師用水・おしぼり，ホワイトボード（黒板），マジック（チョーク），マイク，録音機材，カメラ・ビデオ等記録用機材など

⑵　あれば役立つかも！？

模造紙，A3／A4／B4／B5のコピー用紙，マジックインキセット，筆記用具一式，セロテープ，はさみ，マグネット，画鋲，付箋，予備電池など

⑶　講師の席の配置

講座の内容をより充実させるため，講師の机の位置にも気をつけてみましょう。ふつうの講義であれば高めの机に席を用意するのが一般的ですが，もっとくつろいだ会にしたいときは，机をなくして席だけにしたり，またテレビ番組の「徹子の部屋」のように，司会との対談方式にするなどにすると，聞く側もリラックスして聞けます。

なお，対談形式の司会者は，テーマに関して広く見識があるとともに，自分の意見はなるべくはさまず，聞き上手，引き出し上手であることが必要です。

⑷　役割分担をしよう！

自分一人だけでは，講座運営は難しいものです。人手があると，トラブルがあったときは特に助かります。職場の人に応援を頼んでみましょう！　それが難しければ，参加者に頼むという手もあります。

当日は，次のような役割が考えられます。

・講師対応・司会・記録（ビデオ・カメラ撮影，音声録音）・会場設営・受付・会場整理・アンケート回収・その他

⑸　講師対応

講師を公民館に案内したら，まず館長からのあいさつをお願いしましょう。

その後，講師と講座内容や時間配分など，進行の再確認をします。連続講座の場合には，前回の様子や参加者の反応などを伝えましょう。

開始までに時間があるときは，講師が一人になる時間をつくる必要もあります。事前の準備などがありますし，講師も緊張していることがありますので，配慮が必要です。

⑹ 雰囲気づくり

講師，担当者も不安ですが，参加者も初回は不安でいっぱいです。少しでもリラックスできるような雰囲気をつくりましょう。

たとえば，こんな方法があります。

・開始まで，BGM（音楽）を流しておく。

・関連する資料を並べておく。

・雰囲気が明るくなるような飾り付けをする。

・参加者に言葉をかける。声をかけると，意外と自分の緊張もほぐれてきます。ただ，あまり特定の人ばかりと親しげにしていると，他の参加者に疎外感を与えてしまう恐れもありますので，注意しましょう。

⑺ 記録

講師の話をビデオなどで録音・録画する際は，必ず講師に「目的と使用方法」の了解を取ったうえでおこないましょう。

目的としては次のようなことが考えられます。

・欠席者のため

・まとめや記録づくりのため

・実施の記録として

・公民館だよりやホームページなどで実施報告をするため

(8) 連続講座では

連続講座では，間隔が空き，また複数の講師による講座の場合がありますので，学習の継続性を持たせるための工夫が必要です。

たとえば，前回の簡単なまとめや，参加者アンケートの評価を配ったりすることで，前回とのつながりが生まれてきます。また，その日の参考図書などを配ると，次回までの間に講座に対する理解を深めることができます。

このように学習効果を上げるための工夫も考えてみましょう。

11　講座後の後始末

講座は終わったら，それでおしまいではありません。以下のことも進めましょう。

(1) アンケート

講座終了時にアンケートや感想を書いてもらうことがあります。

アンケートは事細かな内容にするとうんざりして書かなくなってしまいます。アンケートがいやという人もいます。「強要ではなく，任意ですから」というのですが，もっとアンケートも工夫した方がよいでしょう。

また書く方が「ああ，クレームを聞きたがっているんだ」という意識になって，クレームを探して書くようなアンケートもあまりよくありません。あまり意味のないクレームにひきまわされ，モチベーションが下がってしまいます。

自分の講座にかける思いなどもさりげなく書いてもよいと思います。あまり通り一遍のアンケートではなく，工夫するよう心がけましょう。

(2) 学習後のネットワークづくり

学習後には自主グループ化などの参加者のネットワークづくりに配慮することも大切です。そのためには，学習情報を提供したり，自主的な活動への方法やすでにグループで活動している人たちとつないでいくこともできます。公民館の講座に初めて参加し，活動の幅が広がっている人たちはたくさんいます。

(3) 評価

公民館事業の評価には，参加者自身がどの程度学ぶことができたかを確認する評価と，その講座に対する評価の２つがあります。

前者は，参加者にとっての学習の達成度や，発展性を評価するものです。

後者は，主催者にとっての講座そのものの評価です。

評価は，次の事業にどう活かすかが大切ですので，アンケートをとったままではなく，きちんと反省材料にしましょう。

また，主催者の自己満足な評価で終わるのではなく，その講座がどれだけ役に立ったのかがわかるような内容にするよう工夫しましょう。

1-3 イメージでつかむ！公民館の仕事

1　住民の輪に入って話し合っている

➡どんな仕事？

サークルの運営上の問題や，地域で課題を抱えている人たちの相談に乗ります。

ポイント

☞話し合いに参加していても，自分たちの抱える問題がはっきりわかっているとは限りません。温度差もあります。じっくり聞くことに徹しましょう。
☞講座の準備会では，あーだこーだと話がまとまらなくなりがちですが，職員の思いどおりにいかないほうが，よい企画になったりします。
☞話し合いで，反対意見や批判意見が出たりすると自分の案が否定されたと落ち込みそうですが，多くの意見を取り入れたほうが，より多くの共感を得る企画になります。

注意点

☞何でも公民館で引き受けるのがよい職員だと（善意で）勘違いして，「あれもこれも公民館側でやりましょう」などと，ついついお世話をすぎてしまうことがあります。その場では住民の皆さんによろこんでもらえますが，長い目でみると，住民の自主性の芽を摘んでしまうことになります。日ごろから住民の活動に対して，公民館としてサポートすべきことは何か，住民自らがおこなうべきことは何か，ということを整理しておきましょう。
☞グループの運営は会員が主体であり，講師が中心に活動するような会は利用できない公民館が多いようです。
☞サークル化の相談には，部屋の使い方や利用方法などのルールをお知らせしましょう。

コツ

☞住民自身が自ら解決の糸口や結論を引き出せるような学習や話し合いとなるように，リードしましょう。
☞住民は，指導をきらう傾向があります。建前の話から本音トークに変わるまで，話に付き合いましょう。そうなれば，話に耳を傾けてもらえ，受け入れられるようになります。

エピソード

☞「話し合いに熱が入って，大議論になって，怒って帰っちゃった人がいました。議論ができる関係は大事だといいますが，いざその場になると……。次回，その人は，気まずそうにしながらも来てくれたので，内心ホッとしました。」
☞「ある講座の修了生で続けていた学習会がありましたが，学習会の開催案内などすべて公民館側がすることになってしまい，結局“自分たちで学習を続けるんだ”という気持ちに高まらなかった経験があります。」

ベテラン職員の一言

話し合いのコツの1つは，脱線にあると思います。今日の天気，うちの子供，偽装マンション……，どこへ飛び火するかわからない。時間のむだのように思えても，そのなかからいろいろなヒントが出てくることがよくあります。本当にむだなら，話題を戻しましょう。話し合いは「成果」も大切ですが，「楽しい」「人柄が互いにわかる」「建前でなく本音が出る」といった場になるといい。少なくとも，話し合いに参加した人の協力関係は，バッチリです。

2　講座開設のスタートで，参加者の前で趣旨を説明している

➡どんな仕事

趣旨，日程や進め方を説明して，参加者に共通の認識を深めます。

ポイント

☞開講式などでは，いきなり講義を始めるのではなく，オリエンテーションの時間をたっぷり持ったほうがよいようです。
☞たとえ人数の多い講座の場合でも，参加者の声を学習の場に活かすために工夫します。グループごとに自己紹介をしたりすると，緊張がほぐれたり，参加意欲がふくらみます。話し合いや報告，また意見を紙に書き，全体の場で整理していくなど，さまざまな方法があります。
☞チラシやPR記事をとおして，あらかじめ講座の趣旨が伝わるようにしておくことも大事です。

注意点

☞全体の時間配分を考え，決めた時間内で話を終えよう。講師にはガイダンスの時間を取ることの了解をあらかじめ得ておこう。
☞日程や事務的なことは，要点だけを。
☞間違いや訂正，変更はどうしてもあるもの。あわてず，「講座が終わるまでに伝わればよい」くらいに思いましょう。
☞講師の話をしてもらい，それで終わるというだけの学習の場にしない努力は，職員の大切な役割です。
☞自主グループ化も視野に入れて，流れを考えましょう。
☞講座の趣旨は，講師にきちんと伝えておこう。その場になって「そういう趣旨の講座だとは知りませんでした」などと講師からいわれないように。

コツ

☞漠然とした自己紹介では，学習のスタートがあいまいになり時間の無駄にもなりかねません。何を知り合うことがスタートに必要か，考えましょう。
☞慣れるまで，職場の仲間や上司に講座の説明としてガイダンスの一部を聞いてもらうとよいでしょう。
☞席の並べ方も大切です。講演会以外は，参加者同士の顔がよく見えるように配慮します。人数が多い場合はグループ化するよう運営します。
☞簡単なレクリエーションなどを取り入れると，講座の雰囲気もだいぶ違ってきます。

エピソード

☞「講師の紹介をするときは，事前に本人から肩書きや名前の読み方をしっかり確認しておきましょう。“今日の講師は○○大学の××准教授です”などと職員が紹介したのに，講師本人から“いや，今年から准教授から教授にあがりました”……。」
☞「栄養士さんが公民館で料理教室をしているのを見て感心。材料をいっぱい抱えて公民館にやって来て，会場を設営して，参加者の受付をして，そのうえ講師までやるのです。公民館職員は，講師まではやらないと思いますが……でも似てますね。」

ベテラン職員の一言

講師も人によりけり。最初は固くなっていたり，みんながわかってくれるか不安に思っている人もいます。参加者もその点は同じです。講師を依頼するときに，参加者の視線か参加者の立場からの関心のありかを，よく説明しておきましょう。みんな固くなってるなと思ったら，職員が質問したっていい。雰囲気がほぐれたら成功だし，質問が的はずれで笑われたっていい。あほな職員の存在も，役に立つんです。自信を持ちましょう！

3　カウンターで，住民の相談を受けている

➲どんな仕事？

窓口には，さまざまな情報を求めて住民が来館します。館の利用方法やサークル情報，学習機会を探すなど，さまざまな相談に応えます。

ポイント

☞部屋の申し込みなど事務的なことはテキパキと。学習相談には，相手の納得が得られるようじっくりと。
☞他の行政にかかわることの場合は，その場で問い合わせて解決できることもあります。しかし別の場所に行って解決してもらわなければならないものもあります。
☞基本的には，相談に来た人が次に何をするのかがはっきりする対応が必要です。
☞グループや他団体に相談したほうがよい場合には，公民館が間に入り，関係をつなぐことが多くあります。
☞日ごろから全国紙・地元新聞・市町村の広報紙・各種催しのチラシやポスターなどに目を配り，学習相談やイベントの問い合わせに対してスムーズに答えられるようにしておきましょう。

注意点

☞わからないことは答えられる職員に代わりましょう。一人のときは相手に断って，後で連絡できるようにしておきましょう。
☞サークル代表者や人の情報に関する問い合わせには，プライバシー保護に気をつけて対応しましょう！
☞公民館利用申し込みで，社会教育法第23条の禁止事項確認をおこなう際，根掘り葉掘り聞かれて不愉快に感じるという意見も出ています。どのように相手に聞くかということが問われています。「簡潔にていねいに」を職員一人ひとりが考える必要があります。

コ　ツ

☞どんな情報が得たいのか，適切な情報を１つ紹介するよりも，関連するものから２，３の情報を提供したほうが参考になることがあります。
☞サークル紹介は，連絡先を教えるのではなく，活動日に見学してもらうほうが，トラブルが少ないようです。
☞新しくグループに入りたい場合の相談が多いのですが，そのときのために，グループ紹介カードを取り，公開可という確認が取れているグループのリストを作成し，相談者に見てもらえるようにしています。
☞職員一人で判断できない場合は，職場で検討することもあります。
☞館の利用方法や交通案内など，聞かれそうなことは職場の仲間から聞いておきましょう。
☞混雑したときは，あとから来た方にお待ちいただくことの了解を得たり，短時間ですむ用件かなどを聞いたりしてから対応を続けると落ち着きます。

エピソード

☞「“手話の勉強をしたい”との問い合わせに，館では対応するサークルや講座がなかったので，福祉センターで活動するサークルを紹介したいと思います。」

ベテラン職員の一言

情報といってもさまざま。情報を提供するだけではつまらない。事務室にやって来る人とあれこれ話していると，いろいろな情報が手に入ります。時代は「双方向」。カウンターでの出会いを楽しみましょう。

4　ネットワークづくり

➲どんな仕事？

学級・講座の提供をはじめ，公民館事業には，教育機関や公共施設，コミュニティ施設などとの連携が欠かせません。

ポイント

☞公民館事業には，地域のさまざまな情報や，学習課題の多くの知識と理解が必要です。そのためのネットワークづくりが必要です。
☞行政は人，施設は人。図書館の司書，保健所の保健師など，機関，施設の専門職員やプロパーに，地域の様子や課題，社会的な課題の考え方や情報を教えてもらいます。専門職の連携はお互いに不得意分野を補え合えるものです。地域をフィールドに仕事をするケースワークや保健師，栄養士，図書館司書，保育士など，相談できる関係をつくっておきたいものです。

注意点

☞地域の問題に取り組むと，他の行政との関係も必要です。公民館職員は他の部局で取り組まれていること（施策）についてもアンテナをはり，学習に向け協力してもらえる関係をつくる役割があるといえます。たとえば，安全・安心を考える講座には，都市計画や暮らしの安全等の主管課との協力は必須です。

コ　ツ

☞公民館運営審議会も大切な場です。住民代表や学校選出の委員から地域のつながりに向け，積極的な意見を出してもらえるよう職員が働きかけることも大切です。
☞それぞれの機関や施設には，対象となる住民，活動上かかわりを持つ住民がいます。職員とつながることと並行してアプローチしましょう。
☞役所内部での検討委員会等に積極的に参加し，他の職員と出会う場を持つことも大切です。
☞施設･機関を情報として把握するだけではなく，職員と面識を持ったり，実際に利用してみたりすると，◎!!

エピソード

☞「母子保健担当の窓口となった市民健康課の保健師と連携して，当時子育て支援事業企画を模索する“母子保健推進会議”の構成メンバーを，保育士，幼稚園教諭，社会福祉士，教育相談員，社会教育主事等関係専門職員を含めた構成にすることができました。」

☞「公民館事業は地域の連携・関係機関との協力で豊かなものになっていきます。とりわけ子供を視野に入れた事業にはその視点が欠かせません。公民館から発信し“地域会議”を実施しています。メンバーは学校・PTA・図書館・児童館・民生委員・商店会・公民館運営審議会・自治会・老人会・子供会です。情報交換からさまざまな協力が生まれています。」

ベテラン職員の一言

職員，専門家のネットワークも大切ですが，公民館にやって来るさまざまな人たち，連中とのネットワークも捨てたものではありません。幼時から小学生，茶髪の若者，主婦，高齢者……。地域情報，学校情報が入るし，地域に「棲息」しているさまざまな個性ある人物の情報が入ります。そういう情報を活用しようとしたら，賢い職員にも賢くない職員にも，出番は平等に回ってくるではありませんか！

5　公民館報やチラシの作成

➡どんな仕事？

学級・講座，イベントの案内，館の事業，運営方針や地域の情報を，地域に知らせます。

ポイント

☞紙面や字数に制約があります。要点を伝えることに重点を置いて編集しましょう。
☞公民館だよりは，住民に学習の場をお知らせできる大切なPR手段です。
☞見出しのフレーズに工夫をしましょう。「公共機関の出す文書」などと固く考えていると，住民の心をひきつけるチラシになりません。公民館だよりやチラシは，読んでもらってなんぼの世界。読んでもらえなければ，ただの紙ごみにしかなりません。
☞一方的なお知らせではなく，編集方針として，住民の原稿が載り，地域のコミュニケーションを広げる，住民の活動に欠かせない中身にしましょう。
☞住民参加による編集委員会をつくると，住民の声が反映しやすくなります。

コ　ツ

☞地域で人と人とを結ぶ“取材”も有効です。
☞パソコンを使った編集が主流ですが，手づくり，手書きの素朴さもよいものです。POPやカット，画像を駆録してビジュアルに訴えます。大勢でつくると楽しいですよ。
☞他の公民館，他の事業体（民間含めて）が発行している機関紙やチラシを見て，「すてきなデザインだな」「参加してみたくなるチラシだな」と思ったらマネしてつくってみましょう。
☞「学ぶ」は「まねる」から。よいものには，たくさんヒントが隠されているはずです（ただし，まるっきりまねして，著作権の侵害にならないように注意！）。

注意点

☞間違いがないように多くの人の目をとおしてから印刷しましょう。
☞公民館だよりについての意見がいえる職場の体制も必要です。
☞チラシについても，対象となる人に読んでもらえるような配慮が必要です。たとえばルビをふる，外国人の場合は数か国語での表記（発行）など。
☞役所の窓口との連携が必要です。たとえば在日外国人には，住民課の窓口に置いたり，幼い子を持つ母親には，母親学級や乳児健診で配布したり，子供たちの事業は学校での配布などです。
☞自治会での配布や回覧も，地域の問題を考える場合は欠かせません。
☞公民館だよりはホームページに載せ，インターネットでも見られるよう配慮します。

エピソード

☞「自己紹介で，ぜったいに記事は書きませんといっていた編集委員が，取材に一緒に行くうちに，だんだん書くことになり，今ではしっかり取材して書いています。」
☞「子育て講座の受験生が，１枚のチラシをカレンダーに貼って，必ず申し込もうと，それほどまでに講座の開催を待っていたという人がいて，感激。」
☞「自然環境と景観をイメージして“身近な環境を考える講座”で企画委員を公募したら，“安心・安全まちづくり”のための“身近な環境”に関心と意見のある方ばかりがそろってしまいました。」
☞「直接手配りすると，反応が違ってきます。かつて，周囲の町内に公民館まつりのチラシを１軒１軒歩いて配ったら，“お前さんたちがわざわざ配ってくれたから，何年かぶりに公民館まつりに来てみたよ”とうれしい反応が返ってきたことがあります。」

ベテラン職員の一言

公民館報，毎月出していますか。主催事業を「お知らせ」するだけではつまらない。公民館の主人公は住民なのですから，住民が登場しない，「伝達」だけの編集はやめましょうね。話題はどこにでもあるし，原稿をもらう，聞き書きする，楽しいエピソードをコラムにして載せるなど，方法はいくらでもあります。頼めば，自宅の周辺に配ってくれる人だって，きっといますよ。話題も，「学習」「活動」にこだわらないほうがいい。公民館報の記事が，立ち話の話題になるようだったら，うれしいですね。

6　館の管理，整理整頓について

➡どんな仕事？

公民館を快適に使っていただくために，館内の美観や安全に日ごろから心配りをします。

チラシ・ポスターは，住民の皆さんに見やすいように整理して掲示し，備品は壊れていないかなどチェックしましょう。

ポイント

☞公民館は不特定多数の，多くの人が来るところです。利用者だけでなく，トイレに立ち寄ったり，仕事の休憩にお茶を飲みにも来ます。施設内がいつも快適な状態になっているかはとても大切です。いつもきれいになっていると，利用者皆がきれいにしたいという気持ちがおきるようです。知恵を出しながら，きれいにする工夫をすることで，皆が利用しやすい公民館になります。

☞チラシの置き方，ポスターの貼り方も，大事な学習提供の方法です。きちんと分類したり，いつも“旬”の情報を提供できるよう工夫することが必要です。

☞「講座の案内」「美術展等の案内」「コンサート舞台の案内」など催しの形態別に整理するのも方法ですし，「男女共同参画のコーナー」「子育て支援のコーナー」「国際交流のコーナー」など内容別に整理しておくのも方法でしょう。

コ　ツ

☞館内を回りながら，利用者の声を聞きましょう。気づかないところを指摘してくれます。

☞清掃は業者に委託しているところが多いと思います。清掃の人たちとの日常的なコミュニケーションが欠かせません。

☞ロビーにチラシを置いたり，壁にポスターを貼っておくだけでなく，その催しに関心を持ちそうな人や利用団体があったら，直接渡してあげるのもよいでしょう。

☞チラシなど，必ず１部は保存しておくと，あとで便利です。

☞電球の交換はまめにおこなうことで明るい施設の印象を与えます。

注意点

☞グループの利用者からも，備品や施設の不備について報告があります。なるべく早急に対応することが大事です。
☞公民館には部屋ごとにビデオや音響機器などさまざまな機械や機材があります。利用者から尋ねられたときに的確に答えられるよう，日ごろから使い方を学習しておきましょう。

エピソード

☞「ホールの舞台裏を，看板置場にしてしまい，大きな踊りの発表会の前に，大慌てで片付けました。その後，また「物置」になってしまっています。」
☞「壁に穴をあけた高校生グループは，みんなで相談のうえ弁償することになりました。（施設を利用している側の責任も考える必要があります。たとえばポットを壊した，障子を破った等ですが。何でも公民館で修繕することがいいわけではありません。自分たちで修繕したり，ものによっては弁償してもらうということもあります。みんなのものですから）」

ベテラン職員の一言

これが，どうも，小生の苦手なところで……コメントのしようがありません。ある公民館を見学したとき，職員の机の上に，どの机も，何も載っていないのにびっくりしたことがあります。館長の方針なのだそうです。きれいというより，不気味でしたね。正直いって。小生が現役だったときの，机の悲惨な状況もおすすめできませんが。館内の破損，汚れの修理は，日ごろのつきあいがいいと，腕のいい利用者が直してくれますよ。

7　学級・講座の企画

➡どんな仕事？

学級・講座の開催は，公民館が教育機関である証です。地域の課題や生活課題，住民のさまざまな学習要求を取り上げて，集団的な学習となるように企画します。

ポイント

☞企画のポイントは，①講義を聴く，②話し合う，③調べる，④記録する，の４つです。
☞テーマが決まったら，担当職員はそのテーマについてきちんと下調べをして理解を深めます。
☞地域の生活課題ならば社会性を持たせるように，また趣味や資格など自己実現に関するものなら，学習要求に根ざして展開できるかを考えます。
☞講座の内容は，住民の声に耳を傾け，地域の課題を考えるなかから生み出されます。
☞１人の住民として自分の生活を振り返ったときに，テーマの何が課題なのか，何が問題となっているのかを日ごろから考えてみましょう。
☞講座のテーマ・内容は，参加しそうな人たち，あるいは参加してもらいたい人たちをイメージしてつくりましょう。そして，その人たちが参加可能な時期・曜日・時間帯などをよく考えて講座を開設しましょう。
☞公民館で学習をおこなう意味として，個人的な関心にとどまるのではなく，グループ活動につながり，地域や暮らしを豊かにする学習になっていくという視点が必要です。
☞サークル化の希望も出てきます。カリキュラムを工夫して，受講生同士の気持ちがふれあう時間をつくるとよいでしょう。

エピソード

☞「受講申し込みが５人もいなかった講座がありました。その講座は地域にとって大事な課題を取り上げているのに，なぜ受講しないのか？　と来ない人を恨んだりもしましたが，でも，そういう企画は，いつも一人で考えた“完璧な”プログラムであったことを今では反省しています。」
☞「亡くなった祖父の介護で家族が大変な思いをした経験をベースにして，高齢者介護の問題をテーマにした講座をしたことがあります。自分の経験をベースにしながら，市役所の介護担当の職員や介護施設のケアマネジャーなどから意見・情報をいただいて内容を練り上げました。その結果，足掛け４か月全10回のかなりハードな内容の講座に定員を超える市民が申込んでくれました。一生活者としてのリアリティがいかに大切か感じました。」

コツ

☞講座の担当は複数の職員で，あるいは講座の企画は住民参加の準備会（企画委員会・運営委員会）ですすめることが理想的です。職員が一人で考えているよりも，いろいろな人に会って話を聞いてみましょう。

☞担当職員はそのテーマについて文献を読んだり，新聞報道などでどう取り上げられているのか調べたり，さらに自分の自治体ではそれに関してどういう施策が取り組まれているかなどを調べて，ある程度学習し，予備知識を持っておきましょう。企画を練る職員が，そのテーマについて不見識では，ダメです。地元でそのテーマに関して，取組や活動をされている方にヒアリングをおこなうのも１つの手です。

☞趣味・教養的な講座は，企画，運営に既存のサークルにかかわってもらうと学習のコツがわかります。

☞講師に企画の意図や課題意識，受講者層を伝え，一緒に考えたりアドバイスを受けるとよいでしょう。

☞自己研修を積んで，いろいろな学習方法に精通しておきましょう。多くの知識・情報を伝えるためには講義形式の学習が有効ですが，それだけだと，なかなか学んだ事が生活のなかで活きるようにはなりません。学習者が，お互いの経験や考えから学び合うところに社会教育・公民館活動の醍醐味があります。講義とともに，グループでの話し合い学習，実技・実習，フィールドワークなど参加型学習や体験学習の手法もバランスよく取り組みましょう。

注意点

☞テーマや呼びかけがマニアックになりすぎないように。また，関心をひきつけようと奇をてらったものにならないように気をつけましょう。

☞講座の企画は，広報にいつ載せるかということから逆算し，準備の日程も決まります。

ベテラン職員の一言

講座の企画には，職員の持っている問題意識や情報の量がモノをいいますが，これを主催事業一般に広げると，職員の趣味や生活技術，こだわりが役に立ちます。そうそう，この項目のテーマとは外れるかもしれませんが，最後に。「～しなければならない」ではなく「必要がある」「べきである」ではなく「～したい」と考えると，楽ですよ。職員として必要なものは，「趣味」「すけべ根性（異性への関心も含め，何事によらず興味を持つこと)」，そして「問題意識」です。

1-4 オンライン講座のノウハウ

「つどう」ことが公民館活動の大きな柱の一つ。その柱が今，コロナ禍によって，大きく揺らいでいます。つどいたくてもつどえない。そういうなかで，公民館ではどのような活動ができるのか，模索が続いています。

オンラインであっても，場所こそ違うところにいますが，時間と内容は共有していますので，それでも「つどう」といえるのかもしれません。

ただ，オンラインでの「つどう」をもっと効果的にするために，オンライン講座での集い方の中味を考えていく必要があるのではないでしょうか。

1　オンライン講座をつくってみよう！

従来の講座をそのままオンラインでおこなうだけでは，オンラインの良さを引き出すことはできません。オンラインの特徴や長所を活かした運営が必要です。

(1)　オンライン講座のメリット・デメリット

〈メリット〉

1）　場所にとらわれず，ネット環境があればパソコンやタブレットから，スマートフォンからも参加が可能。公民館まで移動しなくてよい

2）　会場の大きさ，定員をあまり考えなくてよい

3）どこからでも参加が可能（日本全国，あるいは世界各国からでも）

〈デメリット〉

1）公民館側としては，ネット環境に左右されるため，有線でも無線でもネット環境がなければできない

2）当日実際につながるかどうか，その講座が終わるまで不安がつきまとう

3）参加者のなかには使い慣れていない人もいるため，つながらない人への対処をどうするか考えておく必要がある

4）「同じ会場に一緒にいて，同じ空気を感じる」ような一体感をつくるのが難しい

5）ネット公開されるため，著作権などに十分配慮した運営が求められる（ネット公開がなくても十分配慮すべきですが）。

⑵　オンライン講座をよりよくするヒント

①構成を工夫しよう

オンラインの講座に参加したことのある人ならわかると思いますが，一人のプレゼンをずっと聞いているとたいへん疲れてくるものです。そこで，途中でグループワークを入れたり，質疑応答を入れたり，二人でトークするようにしたり，休憩を入れるなどして，メリハリをつけましょう。

またZoomにはチャット機能があり，話している最中にチャットに質問を書いたりできます。Zoomを使わなくても，ラインやメールでもかまいません。参加者にただ聞いているだけでなく，思ったこと，気づいたこと，疑問に思ったことなどを書き込んでもらうなどしてもよいでしょう。

ただ逆に，あまりにも参加者の

負担を増やしてしまうと，参加するのがしんどくなって，イヤになってしまう可能性もあります。参加意識が高い人たちばかりならよいかもしれませんが，ちょっと興味本位で参加している人は嫌がる可能性もあります。

②ファシリテーターをつくろう

その講座をうまく進行してくれるファシリテーターをきちんとつくりましょう。

ファシリテーターがいないと，講師以外の人は話すきっかけがなかなかつかめません。

ファシリテーターがいると，話したそうな人に話をふったり，逆にずっと話している人を途中でやめてもらったりするなど，講座の風通しがとてもよくなります。

③グループワークをしてみよう

Zoom には「ブレイクアウトルーム」という機能があり，参加者を３～４人のグループに分けることができます。

この機能を活用してみましょう。ただ，分けられたグループは顔見知りならともかく，まったく知らない人ばかりの場合，急に議論してというのは難しいことがあるので，グループごとに事務局が入ったり，または役割をきちんと決めて，何を話し合ってもらうかを明確にするなど，事前の準備をきちんとしておきましょう。

④「音」をよくしよう

オンラインでは映像はともかく，音がたいへん重要です。映像が多少乱れるくらいならよいのですが，音が悪いと集中できなかったり，不快に感じる人も多いようです。

PC のマイクはあまり性能がよくないため，周りの雑音を拾ったり，何台か同時に立ち上げたりしているとハウリングを起こしたり，音が途切れたりすることもあります。また，インターネットやイヤホンの接続に，Bluetooth や wi-fi などの無線を使うより，有線のほうが安定するので，有線を使ったほうがよいようです。講座がはじまる前に，こちらの音声がきちんと聞こえるかどうか，参加者に確認しましょう。また逆に，参加者の音（マイク）のほうも適正になっているか確認しておきましょう。

よく話すコーディネーターや講師には，専用のイヤホンマイクを用意し，ノイズが入らないよう音質をよくすると，参加者も安心できます。

⑤参加の仕方を，ていねいに説明しておこう

Zoomなどはじめて使う人もいますので，ホームページ，または参加者宛の通知に，セットアップの仕方やかんたんな操作手順，よくある質問をていねいに説明しておきましょう。

こちらで説明しなくても，ネット上にも説明書きはありますので，そちらへのリンクを案内してもよいでしょう。

もっと丁寧にするならば，つながるかどうか，何日か前にテストの日を設けたりしてもよいでしょう。

また当日になって急に人が入れないという人も出てくるおそれがありますので，そのような場合の連絡先も明示しておくことも大切です。その連絡先はどこと指定しておかないと，ホームページの問い合わせフォームから連絡したり，メール，SNSを通じて連絡してきたりするなどバラバラになってしまって，気づかないこともありますので，一つにしておくことです。

当日本番がはじまって忙しいときに，初歩的な対応などをするのはたいへんなので，あまり慣れていない不安な人はテスト日に必ず一度アクセスしてくださいと連絡を入れることもよいでしょう。

⑥参加者の気持ちに配慮した運営を心がけよう

オンライン講座で感じる居心地の悪さの１つに，相手との距離感があります。今までであれば，実際に顔を合わせていたので，相手の顔や気持ちが伝

わってきましたが，オンライン講座で司会やコーディネーターを担当すると，今ひとつ全体的な様子がつかめません。また，画面を切ってつながっている人もいるため，顔も見えない場合もあります。

オンライン講座では今までのような対面型ではないため，工夫を凝らす必要があります。

そのためにはどうしたらよいでしょうか。

１つは，テレビやラジオで，自分がとてもよいと感じている司会者やアナウンサーを見つけ，どういう話し方をしているか，どういう間の取り方をしているか，目線や動きなどをよく観察してみましょう。画面に向かって話しかけるようにしていたり，笑顔を絶やさなかったり，不必要な動きをしなかったり（身振りが大きいと気になったり，手元を動かしているとそちらに目がいってしまうなど），今まで気づかなかったところも，意識して見れば気づくことがたくさんあるはずです。

２つは，聞き手の立場に立って，運営することです。資料を見て欲しいときは，画面上に「この資料を今から使いますが……見えますか」。話が込み入っているときは，「今のお話，皆さん伝わりましたか……？」。ちょっと内輪ネタのようなお話や専門的なお話になったときは「これはですね……」などなど，なるべく聞き手を置いてけぼりにしないような運営を心がけましょう。

⑦入りやすい雰囲気をつくろう

オンライン講座は，単なる動画配信とは違い，一方的に流すだけではなくて，参加者からの意見や反応もくみ取れることが大きなメリットです。

まずははじめの段階で，どういう人がいるのかを自己紹介してもらう時間をつくってみましょう。きちんと自己紹介すると長くなるので，長くても一人1分程度で。あまり時間がない場合は，コメント欄を活用しましょう。

「みなさん，こんにちは。はじめに，自己紹介もかねて，こちらの声がきちんと聞こえているかどうか確認もしたいので，一言ずつあいさつをお願いします」

人数が多いときはチャット機能を使ってみましょう。時間をあまりかけなくて済みます。こうしてチャットを一度でも使っておけば，以後チャットにコメントもしやすくなるでしょう。

⑧ふりかえりの時間をつくろう

オンライン講座では内容をきちんと理解できていなかったり，またネットの調子が悪くてうまく聞き取れていなかったりする人がいます。

そのまま進めてしまうと，取り残されてしまう人が増えていくので，ときどきふりかえりの時間を設けましょう。

講師がまとめてもよいですし，コーディネーターが皆さんに声がけをして，きちんと理解できたかどうか，質問があるかなど，尋ねてみましょう。

コメント欄を活用して，それぞれの人が思ったこと，感じたこと，また疑問に思ったこと，自分の意見などを書き込んでもらうのもよいでしょう。

⑨事前にアクセスできるページをつくって，参加意欲を高めよう

参加者にとって，講座を受けるのは不安になるもの。「どういう中味なのか」「どんな講師か」など，あらかじめ知っておけば，参加しやすくなることでしょう。

以前であればネットを活用した取り組みは少なかったのですが，近年は，住民のネットスキルも高まりつつあり，事前に講座の予告，または予習のような位置づけ

で，ネット活用がしやすくなったように思います。公民館専用のホームページがなければ，Facebook やブログ，インスタグラム，note なども活用してみましょう。

講師が YouTube をしていれば，そのページのリンクをはったり，また著書があれば，その著書の簡単な紹介をしたりします。

また，事前にどういう内容になるのかなども書いておくと，参加意欲につながります。

⑩資料は小さな画面でも見やすいようにしよう

使われる資料はさまざまだと思いますが，相手がスマートフォンなど小さな画面で見ている可能性も想定して，文字やイラストは大きくして，見やすいように配慮します。

また途中でのアナウンス（今日の流れ，グループワークの説明，アンケートなど）は，口頭では聞き漏れがありますので，きちんと画面に文字で書いたほうが確実です。

⑪アンケートもお願いしよう

参加した人にはアンケートに協力してもらいましょう。アンケートは Google フォームなどを使ってつくってみましょう。無料で簡単にできますし，アンケートの回答も得られやすいでしょう。

またアンケートには，講座の終わった後のアクションとして，参加者が期待していることもよく聞いておきましょう。今後の連絡先を登録してもらったりしておいてもよいでしょう。

⑫自分でも実際に参加してみよう

まだオンラインの講座に参加したことがなければ，実際に参加してみましょう。実際に参加してみると，どういうところがよいのかという可能性や，どのように直したほうがよいのかという改善点が見えてくるでしょう。

自分が主催者だったらどうするか，という視点で参加すると，とても勉強になります。

2　著作権には気をつけよう！

近年は特にネット社会となり，コロナ禍ということもあって，公民館でもオンライン講座やYouTube配信などが増えています。一方で，著作権などの対応が必要になってきており，慎重におこなわなければならないことも増えてきています。

公民館職員のなかには，「著作権」などについて，あまり考えていない人も多いようです。私たちの周りには，著作物がたくさんあります。本，音楽，DVD，インターネットの記事や画像などです。これらの著作物には著作権があります。何か間違いがあってからでは遅く，今まで何もなかったのはたまたま運がよかっただけです。著作権などについて，ある程度のことは知っておくことが大切です。

(1)　ネット上のフリー素材に気をつけよう！

フリー素材だからと使ってもよいと考えて，利用条件をよく読まずにホームページや公民館だよりに使用してしまう人もいるようです。画像検索で「フリー　画像」のように検索して，一覧を出し，自分のイメージに合った写真を見つけて，そのまま使ってしまう。そんな人もなかにはいるのではないでしょうか。

フリー素材によっては，利用にあたってのさまざまな利用条件を課していることがあります。たとえば，よくあるのは「公序良俗に反する目的での利用」「反社会的勢力や違法行為にかかわる利用」「素材そのものをコンテンツ・商品として再配布・販売」などの利用はダメという条件です。またなかにはこれらの利用条件以外に，「素材を20点以上使った場合は有料」などのように，あまりにも多い数の利用はダメな場合もあります。

面倒くさがらずに，利用規約をきちんとチェックしましょう。

その利用条件を満たさずにそのような素材を無断で使用していれば，公民館が責任を負うケースも出てきます（某市の公民館では，インターネット上のフリー素材をその利用条件をよく読まないまま利用し，かなりの額の使用料を後日支払ったという事例もあります）。

「フリー」と書かれてあるからどう使ってもよい，無料で使ってもよいというわけではありませんので，ご注意ください。

もし心配な場合は，そのサイトの連絡先に確認して，さらに心配な場合は文書で確認しておくことも検討しましょう。

(2)　写真を撮るとき

公民館活動で，人物が写っている写真を，ホームページや公民館だよりで使うこともあることでしょう。そのときに問題になるのは「肖像権」です。

肖像権とは，簡単にいえば個人が私生活において自分の容貌や身体などを撮影されたり，撮影された写真や動画を許可なく公表されない権利のことです。

講座の様子を写真撮影することもあるでしょう。そんなとき，無断でその写真をホームページやチラシ，公民館だよりで使用してしまうと，プレイバシー権侵害や肖像権侵害の恐れがありますので，注意が必要です。

文化祭やイベントなど，とてもたくさんの人たちが来る場合でも，あらかじめ写真撮影をしてよいか，そしてその写真の使用目的などを確認しましょう。写真NGな人はリボンを付けたりして，目立つようにし，その人が写り込まないようにしましょう。または撮った後で使用する写真をよくチェックして，写っていないか確認のうえ，使うようにしましょう。

写真を撮影するときは腕章などを付け，写真を撮っているというアピールをすれば，映りたくない人は写真を避けるようになるようです。

逆に住民が撮影している場合も，注意喚起をしたほうがよいでしょう。自分のスマートフォンで撮影したものを，自分のホームページやSNSなどで公開する人が増えているからです。「自分で撮った写真だから，自由に公開できる」と思っている人が多いようですが，インターネット上の不特定多数の人が自由に見られる状況で公開する場合は，事前に掲載の許可を得ることが大切です。

もし事前に掲載許可をもらっていないなど，それらの配慮が厳しい場合は，写真に写っている人の顔が判別できるかどうかが１つのポイントとなります。皆さんが後ろ姿で個人を特定できない，またぼかしを入れるなどであればプライバシー権の侵害にはあたりません。

また野外活動の場合は，会場によっては撮影がNGだったり，撮影はOKであっても制限があったりしますので，それに従いましょう。たとえば美術館は撮影NGのところが多いですし，レストランでは料理の写真を撮ったりすることがNGというところもあります。「店のPRになるからよいのでは」と思うかもしれませんが，お店にとっては「おいしそうに映っていないとお店の評判が落ちる」「自分のお店の盛り付けや，独自のアレンジがマネされる」「他のお客さんに迷惑」といったような心配をするところもあるようです。自分たちだけの目線では思いも付かない理由があったりしますので，こちらで勝手に理由を付けて撮影はOKなはずと思い込まないことです。

ネット上にアップしなければ大丈夫だろう，ということではありません。あくまでもそれは相手との間にトラブルが表面化しないというだけで，断りもなく他人を撮ると，肖像権の侵害となるのです。

⑶　動画配信での音楽の使用

YouTubeなどで動画をつくっている公民館も増えてきました。そのような動画に，市販されているCDの「音源」を許可なく利用してはいけません。

たとえば，YouTubeでは音楽の使用が認められる場合と，認められない場合をホームページ上で説明がなされています。基本的には何らかの管理がなされている音楽は，著作権者に権利がゆだねられています。したがって，市販されている音源を利用する場合はジャスラック（一般社団法人日本音楽著作権協会：JASRAC）と，音源制作者（レコード会社など）の許諾が必要となります。

また，YouTubeのサイト内には「オーディオライブラリー」という，動画制作の際に無料で使用してもよい音楽や効果音が提供されています。そちらを利用すれば安全です。

なお，ジャスラックには細かな利用条件などが書かれていますので，ご心配なかたはそちらをご確認ください。

公民館も教育機関だということで，学校と同じように考えている人もいますが，認められていないケースもありますので，「著作権は大丈夫かな……？」と思われるときは，よく確認しましょう。

(4)　レンタルDVDを使用してもよい？

公民館で映画を観る，教材として映画を使うといった場合で，レンタルしたDVDなどを使用することは基本的にNGです。それらのDVDは個人で鑑賞する目的で使用するものですので，不特定多数の人が観るためには許可が必要です。

市販されているDVDも同様です。ただ，中には利用可能なケースもあります。もし利用することになった場合は，DVDに記載されている注意事項をよく読んでから使用しましょう。

さまざまな地域の公民館だよりを拝見していると，ときどき「公民館で映画鑑賞」というような取り組みが掲載されていることがあります。「男はつらいよ」や小津安二郎などの古きよき映画や，なかにはたいへん有名な海外の映画が上映されているということもあります。このような案内を見ると，「きちんと許可を得たのだろうか」と心配になります。

公民館も教育機関だということで，学校と同じように考えている人もいますが，認められていないケースもありますので，「著作権は大丈夫かな……？」

と思われるときは，よく確認しましょう。

⑸　ネット配信の同意書をとろう

コロナ禍により，公民館に集っての講座ができず，動画などを配信したり，公開講座にする公民館も見られます。

動画を公開する場合は，講師の方にはもちろん，同意をもらっていると思いますが，あとで何があるかわかりませんので，口頭ではなく，事前に同意書を交わしておくことも，これから必要になってきます。

動画の同意書については，ネット上にさまざまな様式が公開されていますので，そちらをご参考になさってみてください。

また，講師のかたには，ネット配信するにあたって，市販されている音楽を使ったりするなどの著作権侵害をしないよう事前に伝えて，よく配慮していただくようにお願いしましょう。

⑹　著名人の講演風景をホームページに掲載するときも注意を

一般の人であれば肖像権となりますが，有名なタレントさんや俳優，アーティストなどの芸能人，スポーツ選手などを撮った写真には「パブリシティ権」があります。

これらを館報やホームページに掲載する場合は，本人や事務所の許可が必要です。「写真を撮ってよいですか」という許可だけでは不足です。「撮影の許可」=「公表の許可」ではありません。撮影はOKでも，公表はダメという場合もあります。撮った写真を公表する場合も考えて，撮影の許可をもらうときにあわせて「公民館だよりに掲載したい」「ホームページで紹介したい」などと具体的な使用方法も伝えたうえで，許可をもらっておきましょう。

⑺　歌詞のコピー

歌詞にも著作権があります。「歌声喫茶」のような取り組みをしている公民館もありますが，これらの活動で使う歌詞を参加者分コピーして使っているのは問題があります。

童謡などで，すでに作者が死後50年を過ぎた人であれば問題がありませんが，最近の歌詞であればきちんと許可を得なければなりません。

この場合，１曲につきいくらという申請を出すため，懐メロを何十曲も歌うといった場合はけっこうな金額になってしまいますので，気をつけましょう。

⑻　出版物（本）のコピー（複写）に気をつけよう

個人的に，家庭内その他の限られた範囲で私的に使用することを目的とし，本人がコピーする場合は，権利侵害とはなりません。ただ，公民館で使用する場合は私的利用にはあたりませんので，別に考える必要があります。

ただ，公民館では講演する人が自分の講演する教材として，自分の著書からコピーして配ることもあると思います。その著作物の著作権を持つ本人が認めていて，ほんの１，２ページをコピーするのであれば，問題がないと思われます。しかし，実際にはその著作物を出版した出版社も，その著作の「出版権」というものを持っています。出版権者は複製して出版する権利を専有することができるのです。ですので，あまりたくさんのページをコピーして皆さんに配ってしまうと，本の売り上げが下がってしまい，出版社にも影響が出てきてしまいます。厳密にいえば，こちらの許可も必要となってきます。

なお，「授業目的公衆送信補償金制度」というものがあります。これは，ICT 活用教育での著作物利用の円滑化を図るため，これまで個別に権利者の許諾を得ることが必要だったオンデマンド型の遠隔授業などでの公衆送信についても，教育機関の設置者が補償金をお支払いいただくことで，無許諾でおこなうことが可能になるという制度です。公民館などで，著作物を用いて作成した教材を一般の参加者に送信したり，サーバにアップロードしたりすることなどが，講座の過程で利用するために必要と認められる限度において，個別に権利者の許諾を得ることなくおこなえるようになりました。ある程度のお金は必要ですが，これらの手続きを踏んでおけば，後で問題になることもなくなります。詳しくは，文化庁や文化庁のこの制度の指定管理団体のサートラス（授業目的公衆送信補償金等管理協会：SARTRAS）のホームページをご確認ください（https://sartras.or.jp/）。

新聞の利用についても同様です。新聞の利用については，新聞社ごとに違いますので，ホームページなどから問い合わせしてみましょう。

第2章

困ったときの公民館Q＆A

公民館の事業と運営
―社会教育法第23条をあらためて考える―

はじめに

公民館は社会教育法（以下，第２章では「法」という）で目的やその事業，運営方針などが規定されている。そのなかでも，法第23条の公民館の運営方針について，厳しく制限している場合が多く，貸し出しの基準などを設けて対応している市町村が多い。公民館職員の経験年数も低下し，臨時職員化も進むなかで，こうした基準等は会場貸し出し上の指針として必須となっている。また，一度定めたものを見直すということは，公務員にとって勇気が必要である。

過去には，1949年に施行した法第27条第１項「公民館に館長を置き」，1956年に施行した地方教育行政の組織及び運営に関する法律第31条第２項「前条に規定する学校以外の教育機関に，法律または条例で定めるところにより，事務職員，技術職員その他の所要の職員を置く」，1959年改正された法第９条の２第１項「都道府県及び市町村の教育委員会の事務局に，社会教育主事を置く」など法律の制定や改正に迅速に対処してきた。しかし2011年文部科学省の「社会教育調査」によると，社会教育主事の設置状況は全国で60％に満たない。また社会教育主事が配置されている市町村においても一般行政職員から資格取得を得て任命され，再び一般行政職員として他の部局に配置されるケースが多い。こうした傾向は社会教育の諸課題に対して対応する力が鈍化している要因の一つになっているのではないだろうか。

近年，「新しい公共」や社会の情報化・グローバル化が進展し，また住民の要望が多様化するなかで，今一度，法の趣旨，特に法第23条の解釈について論じてみたい。

公民館の法制化の趣旨と公民館の目的とは

公民館を構想した寺中作雄氏は1949年５月，社会教育課長時代に刊行された『社会教育法解説』（社会教育図書）の序文で「社会教育は社会の中にある教育であり，生活の中にある教育であり，家庭，職場，団体等人間の至るところであって，下手にこれを法制の枠内に閉じ込めることは，自由を生命とする社会教育をかえって圧殺する結果を恐れるのである」とし，法制化によって自由性の拘束を危惧していたが「自由を阻む方面に拘束を加えて，自由たる部分の発展と奨励とを策することも法制化の１つの使命である」とし「社会教育法は社会教育活動の全面にわたって，これを規制しようというのではない。常に国，地方公共団体というような権力的な組織との関係において，その責任と負担とを明らかにすることによって，社会教育の自由の分野を保障するというのが社会教育法法制化のねらいであって，その限度以上に進出して，かえって社会教育の自由を破るような法制となることを極力慎しまなければならないのである」というように法制化と自由性について記している。現在の公民館は特に法第23条に関して公民館自ら，自由を生命とする社会教育を拘束してはいないだろうか？

公民館の目的は法第20条で規定されている。社会教育法条文の作成を担当した井内慶次郎氏は2004年，全国社会教育委員連合会の群馬大会で「社会教育―展望と回顧」と題した講演をおこなっている。講演のなかで法第３条をはじめとして社会教育の法令をつくったときの基礎となったことを，戸田博士や鈴木健次郎氏の教えを土台にし，多少要約をしているが，次のように話している。

「実際生活に即するということは，社会生活のそれ自身の中に教育作用がある。社会教育は日常生活の外にあるのではない。日常生活の現実を踏まえたものでなければ，社会教育ではない。第２に彼此（ひし）ともに同じ立場に立つ（同一視線）。第３は，多数の者が応じるような形でやりなさい。一人よがりでは，社会教育は成り立たない」。そして「その後社会教育の変遷がありますが，今日においてもこの点は絶対必要だと思います」と述べている。法第３条は，条文の後半部分は法第20条とほぼ同様であり，法の成立時の逸話として我々の教訓として貴重な講演内容である。

公民館の事業について考える

法第22条では公民館の事業について第1号から第6号まで規定されている。この条項は，1999年に「青年学級を実施すること」が削除されたが，その他の条文は法の制定当時と変わりはない。公民館の事業は主に，第1号や第2号，第4号を中心に事業を実施しているのがほとんどではないだろうか。

実情は定期講座，講演会，講習会，体育，レクリエーションが多く，特に定期講座は予算や職員も少なくなるなかで通年事業や継続的・系統的な学習が減少している。法第22条第5号「各種の団体，機関等の連絡を図ること」は創成期は特に地域団体の協力は不可欠であったが，職員が配置され予算も確保されるようになって，館内での業務が中心となり，対外的なコーディネート力の意識の低下とともに，各種団体機関との連絡や連携が希薄になった。

しかし近年，法第5条第13号「主として学齢児童及び学齢生徒（それぞれ学校教育法第18条に規定する学齢児童及び学齢生徒をいう。）に対し，学校の授業の終了後又は休業日において学校，社会教育施設その他適切な施設を利用して行う学習その他の活動の機会を提供する事業の実施並びにその奨励に関すること」，第14号「青少年に対しボランティア活動など社会奉仕体験活動，自然体験活動その他の体験活動の機会を提供する事業の実施及びその奨励に関すること」，第15号「社会教育における学習の機会を利用して行つた学習の成果を活用して学校，社会教育施設その他地域において行う教育活動その他の活動の機会を提供する事業の実施及びその奨励に関すること」などが法第5条に追加改正され，通学合宿など学校と社会教育の連携が以前より多くなっており，一部公民館と活用して事業をおこなっている市町村があるものの，反面，教育委員会事務局の事務が多くなり，職員の負担が増している。これらの事業について公民館と連携を図るなどの創意工夫が大切である。課題としては，学習の成果の活用について一考する必要があろう。

展示などについてもサークルの作品展示や幼稚園や小中学校の作品の展示などを積極的に進めることが肝要である。同様に掲示板も，サークル案内や，公民館区域の幼稚園や小中学校の運動会やバザーなどの掲示も一考する必要がある。公民館を訪ねるとこうした展示や掲示物をしている公民館は積極的な運営の姿勢が一目瞭然である。

掲示物の依頼があったらむげに断るのではなく，教育性や地域性などを考慮して判断することが大切である。一例として有料老人ホームのポスター掲示の依頼があった場合，地域内にあるすべての同様な施設の依頼に対応すれば法に抵触することはない。ただし掲示スペースがない場合は，期限切れのものや，日常生活上の必要度を考慮しながら，「スペースができたら掲示します」というような柔軟な対応も必要である。

法第22条「住民の集会」と「公共的利用」について

法第22条第６号「住民の集会」その他の「公共的利用」については法第23条と関連が深いので，併せて論じてみたい。

「住民の集会」や特に「公共的利用」については，禁止事項として消極的な対応をしている市町村が多いのではないだろうか。したがって全国市長会の提案のような「運営方針の弾力化」も指摘されるのではないだろうか。

2013年度の「全国公民館実態調査」（全公連）では，公民館使用料について，有料と明記している公民館は71.4%，無料2.3%，明記無・その他・無回答が26.3%となっている。2010年度の調査では有料は76%であったが，今回の調査では５%減少している。無料は2013年度調査では2.3%で，2010年度調査の３%より微減している。行政改革や市町村合併，市庁部局への移管や他の施設への転用などで数値が揺れ動いているのではないだろうか。

有料・無料については「住民の集会」や「公共的利用」と深い関係がある。多くの市町村は地方自治法（昭和22年法律第67号）第180条の２の規定に基づき，地方公共団体の長の権限に属する事務の一部を教育委員会に委任し，さらに教育委員会は，地方教育行政の組織及び運営に関する法律（昭和31年法律第

162号）第25条第３項の規定に基づき，館長に公民館の使用許可や減免を委任している。したがって減免制度をとっている公民館ではその判断をしなければならない。現実には減免については，教育委員会事務局や，複数館の公民館では調整する公民館でおこなっている場合が多い。

さて，「住民の集会」の多くの団体が減免の対象になっている。町会等の自治団体，老人クラブ等の福祉団体，子供会や青年団・婦人会等の地域団体などである。

「公共的利用」に供する団体として，市庁部局の関連団体，教育機関，福祉団体等が減免となっている。これらの団体とともに法第10条に規定されている「社会教育関係団体」である。多くの市町村はサークルも「社会教育関係団体」として法第11条第２項によって支援，援助をしている。以上これらの団体は「住民の集会」や「公共的利用」として減免の対象となり，公民館活動の一翼を担っている。これらの団体は規程や基準などで，社会教育委員会や公民館運営審議会の意見を聞いて教育委員会が減免としている例が多い。

法第23条に関する文献等

肝心の営利・政党・宗教について，以下の通知文や文献を参考に見てみたい。

●「社会教育法第23条の解釈について」（1955年２月文部省社会教育局長通知）

「設問の如く特定政党にかすという事業のみをもって直ちに社会教育法第23条第１項第２号に該当するとはいえないが，当該事業の目的及び内容が特定の政党の利害のみに関するものであって社会教育の施設としての目的及び性格にふさわしくないものと認められるものである場合，またこれに該当しないものであっても当該使用が一般の利用とは異なった特恵的な利用若しくは特別に不利益な利用にわたるものである場合，若しくは以上の場合に該当しないものであっても特定の政党にその利用が偏するものである場合には，いずれも社会教育法第23条第２号の規定に該当すると解せられるから注意を要する（略）」

●『社会教育法解説』（寺中作雄著，社会教育図書，1949年）

「公民館がその行う事業によって多少の営利的目的を達することを全面的に禁止する趣旨ではない。（略）公民館の目的を忘れて営利目的のみを専ら追求したり，特定の営利的事業をなすものと協定し公民館事業の一部をこれに委託したり特定者に特別の利益を与えるような計画を立てたりすることは，公民館の教育事業に名を借りて特定者を利することとなって，公民館の目的を没却するに至る」

「公民館は公共的なものに利用せられるべきであるから特定の政党に特別有利な条件を提供したり，また特定の政党が独占的に公民館を利用するような運営をしてはならない。しかしながらいやしくも政党の事業と関係がある限り，何事も実施できないというのではない。すべての政党の公平な取り扱いによって公民館の活用を図ることは公民館の公共的利用の趣旨に反することではなく，（略）また仮に一政党に公民館を利用させる場合でも常に他の政党と公平平等な取扱いをなす限り不当ではない（下線部筆者）」

●『改正社会教育法解説』（宮地茂著，全国社会教育連合会，1959年）

「公民館の施設を目的外使用として，政党の演説会等に貸す場合において特定の政党を支持しまたはこれに反対する目的をもって許否を決するならばなお本条に違反することになろう。意識的にかかる目的を持つに至らなくても，特定の政党に偏して不公平に許否を決することは，公民館の政治的中立性を害うおそれがあるので慎重に考慮しなければならない。しかし，かといって，政党ないし政治啓発に公民館の施設を開放することはできないのだと解するのは正しくない」

「クリスマスにクリスマス・ツリーを飾り，ダンスパーティーを開いたり，門松を立てたりすることのように，宗教的起源を有するものであっても，その色彩が殆んど薄くなり，一種の社会風俗になってしまっているものは，憲法第30条及び本条で禁ずる外にあるものと解する」

●『公民館の紛争を考える』（徳村烝著，近代文芸社，2004年）

「『公の施設』としての公民館の『公』のとらえ方の課題は２つある。まず公民館は地方自治法第244条の規定する『公の施設』であるから，直接に一般住民の共同使用に供される公共用物である。住民から集会や学習会のために使用申請があったときは，管理者は公民館の目的に沿ったものである限り具体的かつ正当な理由がなくてはその申請を拒むことができない。しかし，実際には公民館の管理条例や規則で許否に関して『公益を害すおそれ』『風俗を害するおそれ』『管理に支障がある』といった規定にあてはめて恣意的に管理者が不許可や許可取消処分をしている。これらの管理条例・規則の解釈には判例にあったように憲法，教育基本法，社会教育法，地方自治法の諸規定の趣旨に照らして判断しなければならない。特に憲法の自由権，社会権，教育基本法の諸条項は判断基準として，常に脳裏に刻んでおかなければならない。

次に考えなくてならないのは，公民館を使用できるのは行政当局の施策を批判しない，もしくは反対しない住民の集会や学習会でなければならないとする行政当局や管理当局の姿勢である。公民館は市町村長のものでもなければ議会議員のものでもない。市町村長や議員のなかには公民館は自分たちのものという誤解がある。また，お上の施設を貸してやるという姿勢とも併せて，日本の行政文化の問題点が公民館の使用許可をめぐって表面化したのである。（略）このような管理当局の措置ができないような政治文化，市民文化を育てていくことこそ社会教育の課題である。このような課題を認識し，発展させていくことこそが社会教育担当者の専門性の重要な一側面である。その基本として，憲法の諸規定，教育基本法，社会教育法，そして地方自治法（特に第244条）の各条項をよく研修して判断の基準とすることである。要するに，公民館の使用に関して紛争が生じたとき，判断の基礎に常に憲法や教育基本法とどう関連するかという問題意識を持つことである」

以上４例を紹介した。

通知文や各文献について

第２章－２「困ったときの公民館Ｑ＆Ａ」はこうした文献や通知文，そして私の社会教育行政や公民館で経験した実践が論拠となっている。

最初の通知文は，千葉県教育委員会からの紹介に対する回答文で内容は「公民館の施設を特定政党の利害に関する事業のために当該特定政党に貸すことは，社会教育法第23条第１項第２号の規定に該当するか。（略）なお，選挙運動の期間中選挙の当日は，公職選挙法で禁止または規制されているので留意するように申し添える」というものである。基本的には法第23条を基本として回答している。

社会教育法は，1949年６月10日「時の記念日」に施行された。寺中氏の『社会教育法解説』は1949年７月に刊行されており，寺中氏自身が公民館を構想し普及に全力を注ぎ念願の公民館が法制化したことによって，法の趣旨を丁寧に解説している。その文中で「すべての政党の公平な取り扱いによって公民館の活用を図ることは公民館の公共的利用の趣旨に反することではない」と解説しているように，この条項に関しては法制化当初から変わることなく今日に至っている。法第22条の「公共的利用」は法第23条の条文の「もつぱら」「特定」という言葉を狭義にとらえて読み，公平平等と政治的中立を保ち偏りのない運営であれば利用が可能であるとしている。

宮地氏の宗教的起源を有するものは，宮地氏の例の他に，現在ではハロウィンやバレンタインや盆踊りや伝統行事の練習等も含まれるが，こうした言葉はまだ多くあり，教義を伴わず生活に根づいたものであれば支障はないと思う。宗教団体の使用については前項同様「特定」というように規定されているが，この場合は各市町村の事情によると思われる。宗教に関して，教育基本法第15条及び憲法第20条・第89条を知っておくことも大事である。

船橋市の公民館は，この法第23条で許可される団体は有料で，宮地氏が解説しているように「目的外使用」として減免の措置はない。なお，社会教育活動が広域化し特に隣接市町村の団体の使用にあたっては，市外料金を課し使用を認めている。通常使用料の1.5倍である。

『社会教育の紛争と法』そして本文で紹介した『公民館の紛争を考える』は「公民館の使用をめぐる紛争」「公民館の営利事業を紛争」などその他公民館に関する紛争について判例をもとに解説しており，公民館の使用上の紛争について法的論拠に基づいた判例を紹介した一冊の本であった。

船橋市の公民館は以前から「もっぱら」「特定」を狭義に解釈をして，営利団体・政党・宗教団体に対し，企業内研修，面接，福利厚生や公職選挙法に抵触しない政党や個人の市政報告会，宗教団体の会議等，幅広く貸し出しをおこなっていたが，公民館の使用にあたって，法第23条や公民館条例によって不許可とし裁判になった場合，私は公民館が社会教育法や公民館条例・施行規則，地方教育行政の組織及び運営に関する法律など，社会教育を主としたこれらの法律や条例が不許可の論拠となるかどうかという疑問があった。そこで公民館の判例を知りたいと思っていたところ，この本に出会った。そのなかでも首長や議員そして行政の管理的な姿勢を指摘しているのが印象的であった。

法第23条は法の制定以来条文の変更がまったくなく，解釈について迷いや疑義があるときは初心に帰ってみることが必要ではないだろうか。特に寺中氏は彼の経験から政治の浄化にも高い関心を持っており，政治教育の必要性を常に思っていた。厳しい解釈は寺中氏が危惧するように自由を生命とする社会教育をかえって圧殺する結果になっていないだろうか？

全国市長会の提案について

2012年７月24日全国市長会は「さらなる『基礎自治体への権限移譲』及び『義務付け，枠付けの見直し』について」【提案】をし，社会教育関係として，社会教育主事の必置義務の廃止，公民館運営方針の弾力化，社会教育関係団体への補助金交付手続きの自由化について指摘している。

この【提案】に対し，文部科学省は2013年３月，生涯政策局長名で「社会教育法第23条第１項第１号の解釈について」各都道府県教育委員会教育長に通知を出している。

通知では，法第23条第１項第１号の趣旨について「本規定の趣旨は，公民館が，法20条に掲げる目的を没却して専ら営利のみを追求することや，特定の営利事業に対して特に便宜を図り，それによって当該事業者に利益を与えることを禁止するもので，公民館が営利事業にかかわることを全面的に禁止するものではない」とし，以下具体的な事例を示している。

また社会教育主事の必置義務の廃止も提案しているが，社会教育主事は1959年の法改正で必置が規定され，公民館を含む社会教育関係職員の指導の要で，特に研修については法第28条の２で公民館職員の研修は法第９条の６を準用しておこなうことになっている。「公民館の設置及び運営に関する基準」（2003年６月改正・告示）でも種々の研修機会を積極的に利用することなどにより専門性のある職員としての資質及び能力の向上を図ることが期待されている。社会教育主事の必置義務の廃止は社会教育行政全体の後退になり，また，単に社会教育主事の問題ではなく，法律的に公民館職員にも影響を及ぼすことになり公民館の存亡が問われかねない。公民館運営の弾力化については本稿で論じているとおりである。

おわりに

予算減，職員減，経費減や市町村合併等による集約化，老朽化により建て替えるのか，用途変更か，廃止か問題は山積している。

公民館は利用者や住民に親しめるような，目的と事業に沿った運営をしてきたのだろうか。その成果として市民や議会，行政の理解を得てきたのだろうか。行政の公物として管理中心になりすぎてはいないだろうか。

法が制定され70年以上が経ち，社会は大きく変わっているなかで，変わってはならないものがある。それは寺中氏の「自由を阻む方面に拘束を加えて，自由たる部分の発展と奨励とを策することも法制化の一つの使命である」という言葉である。

2011年度文部科学省委託調査「生涯学習センター・社会教育施設の状況及び課題分析等に関する調査」報告書（2012年３月）では教育委員会の公民館に対する期待として，趣味教養などの学習機会の提供，住民同士の関係構築への取組，学習効果を生かした住民による地域活動等の支援，子供や青少年の教育体験活動支援，地域課題の解決のための学習機会の提供，地域活動のリーダーの育成・活用の促進，まちづくり・地域おこしの中心的機関が挙げられている。

同調査の現代的課題では，「地域・郷土理解」「まちづくり・住民参加」「育児・保育・子育て支援」への取り組みが多く，都道府県では，「コンピュータ・情報処理」「ボランティア・NPO」なども多くなっている。市区町村では「食育」への取り組みが都道府県を上回る。

所管別に見ると，首長部局の方が教育委員会よりも現代的課題への取り組みがやや多く，特に「まちづくり・住民参加」「災害・防災教育」「食育」「社会福祉（医療・介護・年金等）」「防犯対策」などについて首長部局の方が多くなっている。

このように近年の特徴として，首長部局の事業が多くなっており，行政内の連携や公民館の活用等行政の事業の見直しも必要である。さらに学校や各種団体等の連携も大事である。公民館は，創成期は総合施設であったが，行政間の機能分化が進むなかで，公民館は縮小し，定期講座やサークル活動が中心となっているのではないか。こうした時代は，貸し出し範囲の拡大や，事業の見直し，地域の学校や団体との連携強化が重要である。

井内氏は千葉県公民館連絡協議会の35周年の記念大会で，「雪だるまは静かにじっとしていると，太陽に照らされて溶けてしまう。消えないで大きくなるには自分が転がって大きくなる以外ない。あぐらをかかないで動きまわろう」と当時公民館職員を感動させた。今，じっとし，あぐらをかいていたら公民館は消えてしまうのが目に見えている。

社会が大きく変化した今日，公民館はある意味で岐路に立たされている。公民館の信頼回復とともに，市町村のさらなる発展のためにも，また，この難局を乗り越えるには職員一人ひとりの資質の向上が大切である。あぐらをかかないで大いに動きまわろう。より一層社会教育関係職員の奮闘が望まれる。

朱膳寺　宏一（元千葉県公民館連絡協議会会長，元船橋市北部公民館長）

2-2 困ったときの公民館Q&A

【公民館Ｑ＆Ａ　第１回】

Ｑ１　地域の民間企業が，社員採用のために公民館を面接会場として貸して欲しいといってきました。貸すことは可能でしょうか。

Ａ　はじめて公民館に勤務する方が，最初に経験することは，事業や庶務の他に，部屋の貸し出し等の業務や利用者との接遇です。

このなかでも，全公連への問い合わせが一番多いのが部屋の貸し出しの問題です。公民館の貸し出しの判断によって，地域における公民館の存在感が問われるといっても過言ではありません。

部屋を貸せるかどうかの判断は，「市町村に基準があるかどうか。市町村内で同じような事例があったか。他市町村ではどうか。社会の変化や趨勢はどうなっているか。さらに社会教育主事の見解」などを参考に迅速に対処しなければなりません。

このＱ１は，地域の民間企業が，社員採用のための面接会場として利用したいという事例ですが，法でいう直接営利を目的としたものではなく，また他の企業にも同じように貸し出しをすれば，中立性や公平性という面で問題はないと思います。「新しい公共」という社会の変化も考慮する必要があります。

さらに公民館本来の利用率が高くない場合や夜間など部屋が空いている場合，部屋の有効利用という点からも利用率を高める必要があります。特に有料規定を設けている公民館は使用料の増収につながり，それが公民館の目的の事業のために使われるような循環も期待できます。また，地域住民の雇用の創出という点からも利用してもらう意義は十分あります。

Q 2 地域では，歴史と伝統のあるお祭りが，毎年盛大におこなわれています。そのお祭りの練習を公民館でおこないたいという申請がありました。その申請は神社にかかわりのある地域の団体がおこなったのですが，貸し出してよいのでしょうか。

A お盆は仏事の１つですが，盆踊りの練習に利用を認めている公民館は多いと思います。お祭りも神事の１つですが，盆踊りの練習のように日常生活のなかの一部と考えれば，お祭りの練習会場として公民館を利用することは問題ありません。しかし，太鼓やお囃子の音が大きく，他の利用者や近所に迷惑がかかるような場合は音を小さくするか，大きな音を出しても迷惑にならないような公民館や他施設を紹介するなどの配慮も必要でしょう。お祭りでおこなわれる踊りなど，地域の伝統行事を守っていくことは大切なことです。

公民館で「門松づくり」などの教室をおこなっているところも多いと思います。門松は古事で，由来は神事です。このように神事や仏事は私たちの生活の一部となっています。これを宗教行事とみなすのは地域の人にとって違和感があるでしょう。地域の生活のなかに溶け込んでいるこのような行事は，伝統行事として守り育てなければなりません。キリスト教の行事であるクリスマスや最近のハロウィンは今や，生活になじんだ一般的な行事になっています。これらも利用は可能でしょう。ただし，これらの行事をおこなうにあたっては，寺社や教会がおこなうのではなく，住民が主体となっておこなうことが大切です。

お祭りのような伝統行事を伝承するために学校を利用し，学校ぐるみで取り組んでいるところもあります。学校も公民館も教育機関です。学校がこうした伝統行事に取り組むなかで，公民館も伝統行事等には積極的に取り組んで欲しいものです。

現代社会のように，住民のつながりが希薄になっているときには，地域連帯の醸成という点からも意義のあることです。

解説　公民館は，社会教育施設としての教育機関ですが，憲法で集会の自由が保障されるなかで，公民館を巡る貸し出し上の裁判の判例で，地方自治法に書かれている公の施設としてとらえられています。また，法には「住民の集会」などの規定があります。

この法第23条の具体的なケースについて，私が船橋市で経験したことや，各種法令，裁判事例などを参考に，皆さんとともに考えお答えしていきたいと思います。

いずれにせよ，住民の要望になるべく迅速に応えられるような公民館になることが，最大の住民サービスにつながります。

(公民館の運営方針)
第23条　公民館は，次の行為を行つてはならない。
一　もつぱら営利を目的として事業を行い，特定の営利事業に公民館の名称を利用させその他営利事業を援助すること。
二　特定の政党の利害に関する事業を行い，又は公私の選挙に関し，特定の候補者を支持すること。
2　市町村の設置する公民館は，特定の宗教を支持し，又は特定の教派，宗派若しくは教団を支援してはならない。

公民館は法第３条（国及び地方公共団体の任務）並びに法第20条（目的）及び第22条（公民館の事業）を果たすために設置されています。また，法第22条第６号では，「その施設を住民の集会その他の公共的利用に供すること。」と規定されています。法第23条は「公民館の運営方針」として，公民館がしてはいけないことを規定しています。この条項は，営利，政党，宗教のすべての活動を否定するものではなく「もつぱら」や「特定」といったように偏りがなく，また直接，営利販売や政治活動，宗教活動がおこなわれなければ，基本的には住民の利用は可能です。この「もつぱら」や「特定」を狭義に読むことが大切です。

寺中作雄の『社会教育法解説』（社会教育図書，1949年）では，「本条は公民館の事業をおこなうにつきその限界を示したものである。（中略）営利的・政党的・宗教的行為に走ることは避けなければならない。（中略）その運営が一部の人のみを利したり一党一派に支配されないことが必要であるからである」と解説しています。本条はすべての営利，政治，宗教活動を禁止しているものではなく，公民館がこのような行為に走ることを戒め，また一部の人に支配され偏らないような中立性や公平性をいっています。地方分権や規制緩和の時代，公民館も地域の実情に沿いながら，もっと懐を深くして欲しいものです。

【公民館Q＆A　第2回】

Q1　「着付け教室」と称した学習会を，公民館で開催したいという要望があります。そこでは，必要な物品や小物を，講師が受講生に斡旋することがあるそうです。このような場合は公民館を貸してよいのでしょうか。

A　公民館で「着付け教室」が実施されていない場合や，その地域に「着付け」を習う場がない場合は，民間営利社会教育事業者が利用することは可能でしょう。「社会教育法における民間営利社会教育事業者に関する解釈について」（1995年9月，文部省生涯学習局長通知）を参照ください。この場合，生涯学習の理念である住民の要望があるのかなど留意する必要があるでしょう。

なお，公民館は組織的な教育活動を基本としており，多くの公民館は図書室やロビーなどを除き，個人への貸し出しをしていないので，個人で開催したいという申し込みに対して貸し出しはむずかしいと思われます。

また，講師が物品や小物の斡旋を直接おこなうことは営利を特定の業者にもたらすことになるので，公民館としては，講師に対して着付けに必要な物品や小物の紹介にとどめるようお願いし，受講者が直接業者を選定して購入できるよう指導をすることが大事です。

こうした場合，地域婦人会などこの事業を必要とする団体が主催し，着付け業者や講師を招請して開催することが一番望ましいでしょう。

公民館は住民のための社会教育施設です。講師と住民（受講者）の立場を考えた場合，公民館の性格や役割をしっかりととらえておくことが肝要です。

私塾の公民館の利用の事例は，また紹介します。

Q 2 あるサークルが，公民館のホールを利用して，入場料を徴収する催し物の開催を希望しています。「入場料を公民館使用料と今後の活動費としたい」といっています。貸してもよいでしょうか。

A この事例の場合は，入場料を徴収する催し物をし，その利益を会場費や活動費にしたいということですが，催し物でサークルの運営費用を捻出することは問題ありません。文化祭等でバザーをしてその利益を運営費に充当しているサークルも多いと思います。そのケースと同様に考えればおわかりと思います。

ただ，都市部ではサークルのダンスパーティーが多く，その対応に悩んでいる公民館も多いと思います。船橋市では，ダンスパーティーで「パーティー券」を販売する場合は，「パーティー券」を入場料とみなし，５割増の使用料を徴収しています。入場料を徴収する催し物には，会員以外にも多くの人が集まります。同様に，公民館で入場料を徴収するすべての団体から５割増の使用料を課しています。

本来の目的を達成するため，公民館の会場使用料を無償としている市町村があります。一方では，公民館を目的外利用として有料で会場を提供している市町村もあり，使用料の徴収の可否は条例や規則で規定されています。

近年地方財政の圧迫から，公民館の使用料を無料から有料へという動きも加速しています。公民館の有効利用という点からも，広く公民館を活用しながら，その使用料を財政当局から公民館の運営費に充当してもらうことも必要でしょう。いずれにせよ有料化する場合は，公民館運営審議会などの意見を聞いておこなうことが大事です。

解説 法第23条の判断基準は，全国の市町村によって異なります。この条項は「公民館事業の運営方針」で，部屋の貸し出しを希望する団体への禁止事項ではないのです。

公民館の部屋の貸し出しの申し出に対し，「法によって貸し出すことができません」と窓口や電話で断る場合があると思いますが，特に今日の社会では相手に理解してもらうだけの説明をしなければなりません。

各市町村の判断基準には，その地域の環境や歴史性などさまざまな要因があります。

したがってどの判断基準が正しいとは，一概にはいいきれません。寺中作雄の『社会教育法解説』から今日までさまざまな解説がされています。それぞれの見解を示していますが，残念ながら実例はなく条文の解釈だけです。

しかし，規制緩和や地方分権が進むなかで，「社会の変化に対応した今後の社会教育行政の在り方について」（1998年，生涯学習審議会答申）に見られるように，社会教育について地方分権や規制緩和の推進が提言されています。

また2008年には，「公立社会教育施設整備費補助金に係る財産処分の承認等について」（生涯学習政策局長裁定）の改正がありました。これは1997年に公立社会教育施設整備費補助金が打ち切られ，ちょうど10年を経過したことを受けた，規制緩和の一環と思われます。2008年の社会教育法改正で生涯学習の理念「個人の要望と社会の要請」も規定されました。この理念は学習活動だけではなく，住民の要請する集会活動も含みます。

最近では「新しい公共」という言葉がよくいわれます。民間営利社会教育事業者のみならず，市民，NPO，企業などが教育や福祉など身近な分野で活躍できるような施策が展開されています。公民館ももっと懐を深くし，こうした社会の変化を読み取りながら公民館運営に活かすことが肝要です。

【公民館Q＆A　第３回】

Q 1　議員から政治報告会を開催したいという要望があります。このような場合は公民館を貸してよいのでしょうか。

A　公民館で政治報告会を開催することは，社会教育法第23条には抵触しないと思います。

ただし，公民館は公共スペースを除いて部屋の貸し出しは団体への貸し出しを原則としているのが現状です。したがって政治報告会に部屋を貸す場合は，政党や後援会などの組織的な団体が主催して開催することが求められます。

公民館は民意の高揚ということが重要で，戦後は政治教育も力を入れていました。寺中は『社会教育法解説』で，「すべての政党の公平な取り扱いによって公民館の活用を図ることは公民館の公共的利用に反するものではなく，また公民教育の目的で各政党の立会演説会または各政党の人々が参加する討論会等を公民館の主催を以って行うことは公民館の趣旨に反するものではない。」と述べています。

ここでキーワードになるのが「すべての政党」ということです。社会教育法には「特定の政党の利害に関する事業」や「特定の候補者を支持すること」とあります。したがって，偏りと公平性に留意し，あらゆる政治活動に対して広く公民館を利用してもらえれば問題はありません。

また，こうした報告会などの集会活動はポスターなどで開催を知らせるケースが多くありますが，公民館の部屋には定員があり，消防法第８条で防火管理者が「収容人員の管理」をおこなうことが義務づけられています。ポスターに定員や申し込み先を明記するよう指導することが必要です。

Q 2　ある地域団体より，公民館で宿泊訓練をしたいという要望があります。このような場合は公民館を貸してよいのでしょうか。

A　公民館で宿泊訓練をおこなうことは，条件が許せば可能でしょう。現在公民館を会場に全国的におこなわれている「通学合宿」は一つの例です。公民館には実習室や和室があり，宿泊することの不便さはあまりありません。実際，私も子供のころは公民館で宿泊した経験もあり，また公民館で仕事をしていたときにも子供たちを公民館に宿泊させた事業をおこないました。

地域によっては青年団などと夜を徹して話し合いをする公民館もあるでしょう。しかし，現状ではむずかしい問題が山積みです。

社会教育施設の専門化が進み，社会教育の宿泊訓練の場として「青少年の家」「青年の家」などが設置されたことや，公民館も機械化が進み管理人から機械警備と変容したことなど公民館の管理が強化されたことも一因としてあげられます。さらに開館時間などが条例で定められ，「通学合宿」など公民館が主催して開催する場合などは，上司の決裁を受けたうえでなくては開館時間を公民館が自由に変更できません。加えて職員の勤務時間など労働環境も整えられ，36協定など勤務時間の制限もあります。したがって，現在は公民館が主催する事業以外の宿泊は困難になっています。

こうした要望に応えられるとしたら，青年団や子供会などの地域と密接に関係する団体が宿泊を要望した場合は公民館が共催しておこなうことが考えられます。この場合でも住民の要望と教育的配慮が必要でしょう。

ただし，災害時の避難所となっている公民館は例外です。

解説　被災地では多くの公民館が避難所となっています。職員やボランティアの方々のご苦労も大変でしょうが，被災された人の立場を考え復興のためにご尽力いただけたらと念じています。また，学校が再開され，避難所が学校から公民館へ移るケースもあると思います。「住民とともに歩む公民館」であればこうした非常時には避難所として指定されていない公民館でも避難所となるのは当然です。住民の生活再建までともに歩むよう祈念しております。

Q１は，政治活動に関して，1955年「公民館と公職の選挙について」（社会教育局長通達）が出されています。そのなかで「３　公民館施設利用の個人演説会」について記されています。Q１では，政党などの政治報告会ですが，個人演説会の場合は選挙期間中が多く公職選挙法を留意する必要があります。選挙期間における候補者の公民館使用は，候補者から選挙管理委員会に申し出をおこない，選挙管理委員会から公民館に通知があります。多くの場合は候補者が事前に部屋の空き状況を確認して選挙管理委員会に申し出をしているようです。この場合でも部屋が空いていない場合は，断ることができます。

一般の政治報告会はQ１で記したとおりです。現在もこうした集会に貸与しない公民館があると聞いています。また，市町村合併でこのことが問題になった例があります。しかし公平で偏りのない貸し出しであれば，政治教育の推進ということからも意義深いものがあります。寺中の公民館構想の原点は政治の浄化でした。施設の有料無料との関係もあると思いますが，政治活動や一部の政党しか申し込みがないなどの理由で貸し出しをしない公民館もあります。しかし公民館は特定の政党を支持しない限り広く貸し出しをするような姿勢が求められます。

この問題は，公民館が市長部局への移管や指定管理になる一因にもなりかねません。

さて，Q２の場合ですが，1959年に国立青年の家が設置され，青年の家は都道府県にも広がりを見せました。さらに1971年の「急激な社会構造の変化に対処する社会教育のあり方について」（社会教育審議会答申）や，同年「青少年教育施設のための国有林野の活用について」（文部省社会教育局長通知）が出されたことによって，少年自然の家も多く出現しました。しかし，今日「青年の家」や「少年自然の家」は，管理的な側面などが顕著化し衰退をたどっています。千葉県でも「青年の家」や「少年自然の家」も半数近くが指定管理者や市町村へ譲渡されました。宿泊訓練の場であった施設が変容するなかで，通学合宿など地域の身近な場所での宿泊体験が求められています。特に宿泊体験が少なくなっている子供には「通学合宿」などを開催することは教育的にも意義深いことです。「通学合宿」では実行委員会を組織しておこなっていると思いますが，実行委員会任せではなく，公民館も積極的にかかわりながら進めることが大切です。

【公民館Q＆A　第4回】

Q 1　民間事業者が地域の公民館で，塾を開きたいという申し出がありました。塾の受講料は，１人あたり１回2,000円程度なので，一般の塾より割安ですが，これは営利目的にならないのでしょうか。

A　市町村によっては進学塾や民間営利社会教育事業者がなく，住民の要望として子供の学習塾を公民館でおこなっているところもあります。それは「住民の要望があったこと」「教育委員会が認めたこと」「住民の運営組織ができていること」など，このような条件を満たしたうえで公民館を使用しています。

子供向けの私塾や学習塾は都市部では多くありますが，都市部から離れたところではあまりありません。この場合，住民の要望で保護者が運営組織を設けておこなうことは何ら問題ありません。都市部でも子供向けの柔道や空手，絵や体操など保護者が運営組織を設けてさまざまな活動をおこなっているケースが多々あります。

その他に，お茶やお花，英会話塾，ダンスなど成人向けの多くの私塾または学習塾がありますが，公民館は主体的な人間形成の場として，組織的な教育活動を基本としていますので，個人への部屋の貸し出しは原則として認めていないのが現状です。どうしたら公民館を有効に使っていただけるようになるか，運営組織を設けるなどのアドバイスをすることも公民館職員として重要な職務です。単に塾というだけで頭から断るようなことでは，住民の信頼は得ることができません。住民の要望に応えられるような柔軟な対応をするために，職員自ら資質の向上を図る学びや，情報を収集することが大切です。

このような努力をしないで，単に公民館を学習塾に開放したら特に都市部の公民館は学習塾の巣窟になったり，成人サークルの私塾化傾向にも拍車をかけてしまうおそれがあります。

経費については，講師との契約関係が基本です。会場費などや受講する人数などを勘案して，公民館のアドバイスを受けながら決めてもらうとよいでしょう。

ただ謝礼は講師自身が決めるのではなく，運営組織が決めることが大切です。講師が自分の謝礼金に口を出すことは，運営組織に干渉することになり，混乱を招くだけです。

本例は，文部科学省生涯学習局長通知で「住民の要請する学習内容の専門性，多様性等から直接事業を行うことが困難な場合等」は開催しても支障がないというものでありました。民間営利社会教育事業者に公民館を貸し出しすることは，各市町村の財政事情や，住民の要請などの諸条件があります。

都市部においては，住民の要請に応えるだけの事業を実施できる財政状況にあり，加えて同種の民間営利社会教育事業者がある場合は，事業者の選定など困難性が伴い，公平な選定はむずかしく，社会教育委員会議の意見を聞き，さらに選定委員会や入札制を活用するようなことになるでしょう。

なお，単に民間事業者の場合は社会教育事業者と異なることもあるので，「民間営利社会教育事業者」と「民間事業者」の区別も知っておく必要があります。

Q 2 琴の教室で，講師にあたる人に個人個人が1回ごとのレッスン料として3,000円を支払っていることがわかりました。講師が主宰しているサークルなので，これは営利活動にならないのでしょうか。

A これは2つの問題が考えられます。まず，個人レッスンについては，私も多くの相談を受けました。琴だけでなく，ダンスや音楽関係など個人レッスンを必要とする団体は多くあります。

端的にいいますと，通常のレッスン日に全体練習と個人レッスンをおこなっている例もあります。これが一番望ましいと思います。

講師が自分の判断で，「あなたは個人レッスンが必要です」と自宅で個人レッスン料を徴収するのは，多少疑問を感じます。自宅で個人レッスンをする場合は，受講者の要望が優先されなければならないと思います。また，公民館の部屋はそもそも個人ではなく，団体に貸し出しをしているので，個人レッスンをして，レッスン料を徴収しているような場合が判明したら，代表者に話して，受講者が納得できるような個人レッスンにするように指導することが大切です。その一例として，「通常のレッスン日に全体練習と個人レッスンをおこなう。会として個人練習の日を設ける」などが考えられます。その場合でも個人レッスン料は会費から支出することが大切です。

もう一点の問題は，Q1でも答えましたが，公民館は組織的な教育活動を原則としているので，講師が直接公民館で活動をするということはできません。例外として教育委員会が「民間営利社会教育事業者」として公民館の使用を認めた場合があげられますが，個人レッスン料の扱いは前述のようになります。

解説 公民館の使用にあたっては，申請方式を採っている公民館がほとんどです。

書類の記載事項さえ整っていれば，自由に公民館を使うことができます。

しかし，申請の内容と活動の実態が異なっているケースも年々増えています。

個人レッスンもそうですが，内部からの相談がないとわからない場合が多くあります。また，講師主宰の事業も書類さえ団体の要件を整えてあれば，多くの市町村では申請を受けてしまいます。これも参加者の相談によって発覚する場合がほとんどです。

財政の厳しいなかで，職員が減り非正規化や職員の在職年数が少なくなっている現在，こうした問題はどこにでもおこることが予想されます。

職員と利用者の関係の希薄化も一因です。こうした問題は管理者として目を光らせるのではなく，利用者や住民との人間関係を構築しながら，ともに解決していく姿勢が大切です。同時に公民館の本来の目的や役割を職員自身がしっかりと身につけることが何より重要です。事例にあるようなことも，本来住民や利用者が自ら解決しなければなりません。そこに本来の公民館の姿があります。

【公民館Q＆A　第5回】

Q 1　宗教団体から，利用の申し込みがありました。以前借りたことがあるそうですが，前に利用したときは別団体の名称で借りたといいます。こうした場合，どのように対処したらいいでしょうか。

A　この事例の問題点は，「宗教団体に会場を貸してよいか」「前回の使用は別団体の名称の使用であった」の２つが考えられます。

１つ目ですが，船橋市では宗教団体への貸し出しは，「会員の会議や福祉的な利用」というような制限をしながら利用を認めています。これは，「他に利用できる施設がないこと」「宗教的な行為をしないこと」「特定の宗教に偏らないこと」を留意しています。また，こうした判断はそれぞれ市町村や地域によって異なります。

法第23条は「公民館の運営方針」を示したもので，公民館がしてはならない行為を規定しています。

この条文には「もっぱら」や「特定」という言葉がありますが，偏りのない一般的な利用の範疇であったら前述した一定の制限を設け宗教団体に貸し出すことも可能でしょう。といってもこれは国や県が判断するよりも，市町村公民館が判断する方が望ましいと思います。

また２つ目ですが，市町村の公民館使用申請書は公文書です。公民館の使用許可を条例で定めている市町村は多いと思います。使用の実態が申請内容と異なれば，虚偽の申請になり，公文書偽造になります。私が経験したことですが，町会長から使用申請書があり，目的は町会のお楽しみ会でした。夜の利用なので，設備の説明のために残っていたら，宗教団体のお楽しみ会の看板が持ち込まれました。船橋市は宗教団体のこうした利用も認めていましたので，利用する団体に「申請内容と利用の内容が違いますね」と話し，すぐに申請書を書き換えてもらいました。内容が違った理由ですが，当時，一般利用は有料でしたが町会・自治会は免除であったのと，宗教団体として貸してもらえるかどうかの不安もあったようです。職員がこのような事例に対して適切に対処できるように，法第23条の市町村の判断基準を知っておくことが大切です。

Q 2 政治家個人の講演会を開きたいと，公民館に申し込みがありました。時期はまだ選挙期間前で，一般市民にも広く呼びかけて実施する予定だといいます。個人講演会に公民館を貸してもよいでしょうか。

A 政治家個人で公民館を使用できるのは，公職選挙法による選挙期間中だけです。この場合，選挙管理委員会から，使用の申請があります。１公民館１回は無料で使用できますが，２回目以降は有料になります（公職選挙法第161条～第164条）。

こうした場合は，公民館が他の利用者で使えない場合は断ることができますが，多くの場合，候補者から事前に使用できる部屋が空いているか打診があります。その他，政治家の議会報告会などの申し込みがあると思いますが，多くの公民館は団体への貸し出しを基本としていますので個人への貸し出しはしていません。後援会など団体への貸し出しは問題ありませんが，個人への投票の呼びかけは公職選挙法に抵触するおそれがありますので留意する必要があります。

解説　Q１について，まず，各市町村公民館が共通の理解を持っていることが大事です。行財政改革等で職員も削減され，過去の事例を知っている経験豊富な職員は少なくなりました。さらに，公民館職員や社会教育主事の在職期間が短くなり，配属された職員はこうした事例に対して戸惑いも多いでしょう。そのためには，法第23条について市町村で解釈を決めて職員に周知することが大切です。法第23条の解釈については，「その市町村の歴史的経緯」「近隣市町村の解釈」「国に照会があった事例」などを参考に，公民館運営審議会や社会教育委員などの意見を聞きながら策定することが大事です。

Q２について，「社会教育法第23条の解釈について」（文部省社会教育局長回答　1955年）では，「（前略）当該使用が一般の利用とは異なった特恵的な利用若しくは特別に不利益な利用にわたるものである場合，若しくは以上の場合に該当しないものであっても特定の政党にその利用が偏するものである場合には，いずれも社会教育法第23条第２項の規定に該当すると解せられるから注意を要する。（後略）」と回答しています。このことは，特恵的な利用や特定の政党に偏しない場合は，法第23条に抵触しないものと考えられます。

【公民館Q＆A　第6回】

Q 1 大企業の求人説明会の会場に，地域の公民館を貸して欲しいといってきました。貸し出してもよいでしょうか。

A この事例で，ポイントとなるのは，「企業は営利団体か」「地域の社会教育の拠点である公民館を市外の企業に貸し出せるか」です。大企業も地域の商店会も企業といえます。船橋市では，古くは商店会の協力を得て商業青年学級を開設しました。また，私も商店会と協力して文化祭を開催しました。船橋市の商工会議所会頭との対談（『月刊公民館』2010年10月号）でも話題になりましたが，今も商店会との協力は続いています。こうした商店会との協力関係は地域の産業の発展のためになります。創成期の公民館でも，産業の振興は1つの目的でした。この地域の商店会に公民館の会場を貸し出すことは，地域振興という点からも意義のあることです。

大企業の求人説明会ということですが，大企業も地域の商店会も企業に変わりはありません。企業といってすぐに営利と判断することは公民館の間口を狭くします。直接の販売行為などもっぱら営利を目的と，特定の営利事務に加担しなければ公民館の貸し出しは可能です。

次に市外の団体にも公民館を貸し出せるかということですが，これは市町村の判断によります。船橋市では一定の要件を付して貸し出しをしています。特に都市部では市域が隣接しており，市の公民館より，隣接市のほうが便利な場合があります。また，企業等の説明会のように雇用の創出など地域のメリットもあります。グローバル化した社会ではこうした点も考慮した公民館の運営が望まれます。

Q 2 ある新興宗教団体が公民館を利用して，講演会を開きたいといってきました。さらにその講演会を地域住民にも呼びかけて，参加してもらいたいと考えています。貸し出してもよいでしょうか。

A 法第23条第２項では，「特定の宗教の支持・支援」について規定しています。すなわち，すべての宗教団体に対して，特定や偏りのない対応を求めています。

宗教団体の講演会は，主催する宗教団体の教義の普及になりかねませんので，お断りしている市町村が多いと思います。船橋市では，宗教団体の会議や研修に貸し出していますが，過去の経験として，会議目的で許可したにもかかわらず，宗教行為をおこなっていた例があります。その団体には使用目的と内容が違うことを話し，理解してもらいました。

会員を対象とした会議，研修会や講演会で，一般的な内容でしたら問題はないと思います。ただし，教義を伴わない家庭教育など一般的な講演会であっても地域住民に呼びかけをする場合は，講演の内容や講師が主催する宗教団体とのかかわりがないか，定員の関係で申し込み先などを確認する必要があります。

解説 公民館は，教育基本法や法で社会教育施設として規定されています。また，地方教育行政の組織及び運営に関する法律では，教育機関として設置されています。法第20条に公民館の目的が示され，これを受けて法第22条に「公民館の事業」が６項目挙げられています。法第22条第５号「各種の団体，機関等の連絡を図ること。」及び第６号「その施設を住民の集会その他の公共的利用に供すること。」とありますが，公民館の多くは定期講座やサークル育成などが公民館事業の中心となっている傾向があります。

各種の団体，機関等の連携については，地域の青年団や婦人会・子供会等の地域団体の衰退によって，公民館とのかかわりが少なくなっています。学級講座が中心の公民館は，行財政改革で正規職員から臨時職員への移行や予算減などで，公民館運営に苦慮しています。

団体や機関との連携は，最近では前述の各種の団体，機関等の連携や住民の集会などをさらに深めることが必要でしょう。

最近「新しい公共」ということがいわれています。官だけではなく，市民，NPO，企業などが各種のサービス主体となって，教育や子育て，まちづくりなど身近な分野で活躍できることが求められています。

前述の「各種の団体，機関等の連絡を図ること」は，地域の学校や団体，NPOなどいろいろあるでしょう。「その施設を住民の集会その他の公共的利用に供すること」も狭く解釈する傾向がありますが，公民館は地方自治法の「公の施設」としての性格もあります。憲法では集会の自由ということも定められています。また，教育基本法では政治教育や宗教教育も規定されています。多くの団体や機関と連携しながら，地域や社会の風を知り，そこから派生する課題や問題を学習に結びつけることもできます。

次に，法第20条では「一定区域」とあります。市町村公民館は条例で「対象区域」を定めていると思います。この一定区域について，1960年の「公民館の設置及び運営に関する基準」では，「市にあっては中学校の通学区域，町村にあっては小学校の通学区域」となっていましたが，1998年と2003年に改正され，２．（１）では「地域の諸条件を勘案し，事業の主たる対象となる区域を定める」，（２）では「対象区域にこだわらない広域的，体系的な学習サービスの一層の充実についても期待されること」となりました。「政治団体，宗教団体，営利団体，市外団体には貸し出さない」という従来の方針でいたら，公民館は新しい時代についていけません。「新しい公共」もそうですが，グローバル化した社会に公民館は対応していかなければなりません。

学級講座の充実やサークル活動の育成が公民館の本務には違いありません。貸し出しに余裕のある場合はもっと門戸を広げた公民館の運営が求められます。もう一度法第22条を広い視野で読み込む必要があります。

【公民館Q＆A　第７回】

Q１ 会場の使用申請の期限は，公民館の使用基準で，会場使用の１週間前となっていますが，当日に使用申請がありました。使用基準に基づいて，「１週間前でなくては，使用できません」と使用を断りましたが，申請者から「部屋が空いているのにどうして貸し出せないのか」といわれました。こうした場合，使用基準に基づくのか，利用者の立場で考えるのか，どのように対応したらよいでしょうか。

A この事例は，「使用基準に基づくか，利用者の立場で考えるのか」というのがポイントです。私が社会教育課に勤務していたとき，市民から電話がありました。「今日部屋を借りに行きましたが，『使用申請を１週間前までに行わなければ使用を許可できません』といわれました。部屋は空いているし，館長もいるのに使用を断られました」という旨の苦情でした。確かに船橋市では，使用申請は内規で使用の１週間前までにおこなうことを定めています。申請から使用までの期間は，１週間や５日間など，市町村によってさまざまですが，なぜ使用の許可まで期間を定めているかというと，事務上の手続きとして，館長の決裁を得て許可書を発行するまでの期間として，法第23条に抵触しないかどうかや新規団体に対して，公民館長が使用許可をすることができるか，というような最終判断を要す期間として定めています。

苦情を入れた市民が所属する団体は常時公民館を使用していることを確認し，課内の数人と相談したうえで，館長に「部屋が空いており，館長が在席し，さらに団体が常時使用しているような場合，館長の判断で，当日での貸し出しは可能ではないか」というようなことを話しましたが，館長は内規を盾に結局貸し出しませんでした。さて，ここで内規や規則・基準は公民館の貸し出し上の共通理解を示したもので，最終的に公民館の許可権限は，規則で館長に委任されています。

こうした判断が容易な場合は，臨機応変の対応が求められます。この事例のように，館長が在席している，部屋が空いているような場合はまさに，住民サービスと部屋の効率的な使用という点から，貸し出すことは可能でしょう。近年，館長や職員が臨時職員化していくような傾向で，こうした問題はおこりかねません。常時使用しているような団体の場合は，内規等に縛られず，柔軟な対応が求められます。

新規団体の申請や判断がむずかしいような場合は，社会教育主事の判断を求めたり，市町村に複数公民館のある場合，中央公民館や利用の多い公民館，さらに近隣市等に問い合わせ，館長が貸し出せるかの最終判断をすることが大切です。公民館職員としての経験が少ないと往々にして，内規や規則に縛られがちですが，公民館は絶えず住民の立場に立った対応が重要です。

Q２ あるサークルから文化祭で，自分たちの作品の展示即売をしたいという申し出がありました。文化祭でサークルの作品の展示即売はサークルの営利活動にならないでしょうか。

A 文化の日である11月３日は日本国憲法が公布された日です。翌年の５月３日に施行され，憲法記念日となりました。この文化の日を記念して，多くの公民館はこの時期に文化祭をおこないます。

文化祭は，学習やサークル活動の成果の発表の場や公民館利用者や地域住民の交流の場としておこなわれています。

私が初めて公民館に赴任した昭和50年代は，学習団体やサークル，地域団体による展示や発表の他，模擬店なども，盛大におこなわれていましたが，近年は，和歌山のカレー事件やO-157などによって模擬店も縮小し，文化祭もにぎやかさを失いつつあります。

さて，質問の文化祭でのサークルの作品の展示即売についてですが，絵や工芸品などは，サークル全体で取り組むというより，個人の作品です。文化祭の会場での販売は好ましくありません。こうした場合は文化祭ではなくフリーマーケットや，バザーに出すことなども考えられるでしょう。作品に興味をもってもらうため，小品を低額で販売することは，差し支えないと考えます。こうした場合小額でも，サークル全体で取り組み，余剰金が出たらサークルの運営費に充てることが望まれます。

サークル活動も長くなると，自分の作品も多くなり，持て余してしまうようなことをよく聞きます。しかし，こうしたなかでも，保健所の指導を受けながら，模擬店などをおこなっています。模擬店をおこなう場合は，予算案や決算案を提出してもらいます。利益はサークルの運営費に充てるよう指導します。

解説　Ｑ１の内規や基準は，職員の共通理解を図るためのものです。船橋市でも，公民館以外にも同じような内規や基準が多くあり，「基準・要綱集」として１冊にまとめられていましたが，法規担当から基本的には条例や規則で判断すべきであるという通知があり，この「基準・要綱集」が回収されたことがあります。基準や要綱・内規などは，ある意味ではマニュアルで，条例や規則の適応にあたって職員が的確に判断しおこなうように求めています。そのためには公民館職員は社会教育法にも示されているように，絶えず研修をとおして自らの資質の向上に努めなくてはなりません。すべてをマニュアルに従って判断するようでは，市民の立場に立った判断ができません。もしマニュアルをつくるような場合，公民館運営審議会など市民の意見を聞いてつくることが肝要です。

1999年５月，「行政機関の保有する情報の公開に関する法律」が定められました。行政の透明性や公平性，市民参加などがますます求められています。今後も市民の立場に立った公民館運営が求められます。

また最近は，公民館の利用申請にオンラインを導入している市町村も多いと思います。船橋市でも2006年に「船橋市行政手続等における情報通信の技術の利用に関する条例」が施行され，オンラインによる申請方式が導入されました。

利用者にとっては利便性が増しましたが，利用者の顔が見えなくなり，職員と利用者の距離が遠くなった感があります。とはいえ，オンライン化は市民の利便性や行政の効率化で職員の削減や委託化により進んでいくのではないでしょうか。公民館は単なる貸館でいいのか，社会教育法の目的や理念そして公民館の役割などを再考する必要があります。

Ｑ２は，文化祭での物品の販売についてです。公民館は組織的な教育活動の場です。そして学習活動やサークル活動，地域活動等が多様に展開されています。文化祭はこうした団体の成果の発表や交流の場です。個人の作品の販売はこうした趣旨に沿いません。

2008年の法改正で公民館を始めとして社会教育施設は，運営の評価が規定されました。健全な公民館運営のためにも，個人的な要求より組織的な運営の充実と社会への還元が求められています。

【公民館Ｑ＆Ａ　第８回】

Ｑ１　学校の夏季休業中，学生から「図書館は一杯だから，公民館で勉強させてもらえないか」という申し出がありました。今まではサークルや団体中心の貸し出しをしており，この申し出は断りました。今後，公民館は個人学習に対してどのように対処したらよいでしょうか。

Ａ　この事例は，「公民館でも，図書館のように個人の学習ができるか」というのがポイントです。Q&A 第７回では「使用基準」を中心に，サークルや団体の部屋の利用について記しました。部屋を利用できる人数は，５～10人と使用基準で定めている市町村が多いようです。一方，広辞苑では団体について，「共同の目的を達成するために結合した，２人以上の集団」と記述しています。船橋市では，オンライン化導入の際にこの人数を，２人以上のサークルや団体にも部屋の利用ができるように見直しました。たとえば，人形劇のように２人という少人数でおこなうサークルや団体があります。読み聞かせ

や，朗読ボランティアなども人数は多くありません。また，サークルも長い年月を過ぎると会員数の減少傾向がおこります。講師を招いておこなうサークルは，サークルの経費捻出のためにある程度人数が必要ですが，講師を必要としない相互学習をおこなっているサークルや団体は，そんなに経費を要しませんので，少人数でもサークルを維持できるからです。

さて，この事例ですが，個人で公民館を使用したいという市民の要望は，私も在職中に何度か経験しました。個人で公民館を使用できるのは，図書室やロビーの使用が一般的です。しかし船橋市や近隣市の公民館では，ロビー空間を有している公民館は多くありません。では，このような事例の場合どのように対応したらよいのでしょうか。私がある公民館に在職していたときに，この事例のような申し出がありました。この公民館には小さな図書室があり，長机がいくつか置いてありました。図書室はボランティアで運営していており，週に何回も開けることができないので，それ以外の日は閑散としていました。そこで，学生に開放することにし，氏名と入退室の時間を記入してもらうだけで個人学習の場として図書室を利用できることにしました。また，利用者が比較的少なくなる学校の夏季休業中に，部屋を学習室として開放した公民館もあります。

個人の学習のための部屋の貸し出しには，「使用基準」というハードルがあります。しかし，議会や教育委員会で定められた条例や規則を超えるものでなければ，後は館長の裁量です。交通の便がよく利用が多い公民館は別としても，「使用基準」というマニュアルだけでなく，利用者の声を大事にする弾力的な運営が大事です。この事例については，部屋に余裕がある場合，サークルや団体の貸し出しに支障のない範囲で公民館の部屋を提供することも必要でしょう。

Q 2 市民から「友人を偲ぶ会を公民館でしたいが，部屋を貸してもらえるのでしょうか」という問い合わせがありました。宗教的な行為はないということです。こうした場合でも公民館を貸すことができるでしょうか。

A 結論からいいますと，この場合も部屋を貸し出すことには可能です。私の経験した事例として，他市の外国人からの，「亡くなられた友人を偲ぶ会をしたいが，会場を貸してもらいたい」という問い合わせについて，船橋市の同じ地区の公民館長から相談がありました。私は，「船橋市は他市にも部屋を貸していること，宗教団体にも教義を伴わない集会であれば部屋を貸している」等を説明しました。

近年，家族葬が多くなり葬式も様変わりをしています。多くの方が故人を葬送するスタイルが少なくなっています。こうした時代は故人を偲ぶ会などの利用も多くなると思います。

船橋市では昭和30年代から40年代半ばまで，公民館で結婚式と披露宴が多くおこなわれていました。私が少年時代を過ごした宮城県の旧本吉町の公民館でも多くおこなわれていました。全国的に公民館で結婚式がおこなわれていたことを，各県や市町村の資料からみることができます。このころの公民館での結婚式は，生活改善とともに，他に現在のような結婚式をあげる式場が少なかったからです。最近の結婚式は，仲人がいない結婚式が多く，新郎新婦の意思を尊重するように様変わりしました。

このように，公民館でも結婚式をおこなっていたことからすれば，教義を伴わない「故人を偲ぶ会」のような集会はこれからの時代，要望が高まる可能性があります。ライフスタイルが変わりゆくなかで，公民館としてもしっかりと受け止められようにしなければなりません。

解説 Ｑ１は，「公民館は主にサークルや団体に貸し出しをするものである」という既成観念があると，つい見逃しがちな事例です。

2008年の法改正で個人の要望と社会の要請という生涯学習の理念が規定されました。公民館も個人の学習要望が多様化している今日，こうした要望に応える必要があります。一例として，学生の夏季休業中の利用状況を把握し，部屋に余裕があるような場合には，公民館はこのような申し出があれば積極的に部屋を開放し学習者を支援しましょう。また，公民館と図書館が隣接している場合は，図書館と連携をしながら進めることも大事です。

Ｑ２は，社会の変化と多様化によって，冠婚葬祭のあり方も変わってきている今日，今後起こりうる事例です。「偲ぶ会」という言葉は葬儀を連想し，宗教的ではないかと懐疑的になり，法第23条に抵触するのではないかと考えがちです。こうした場合はよく内容を聞いて対処する必要があります。公民館は市民の自由な集会の場です。法第23条を狭義に解釈し，「もっぱら」や「特定」にならなければ，こうした集会にも公民館を貸し出す姿勢が大切です。どうしても貸し出すことのできない場合は，他の施設を紹介するなど，市民の立場に立った対応が大事です。

公民館は，住民のための学習や集会の施設です。マニュアルだけに頼ると管理中心になり，市民の要望に応えるよりも行政の立場が強くなり，公民館とはいえません。公民館は船橋市でもみられますが，それぞれの地域性があり，その風を感じて運営することが肝要です。行政職員との交流や臨時職員化が進むなかで，法で定められているように，公民館職員としてさらなる研修をし，より成長が求められます。他市町村の公民館職員との交流や先輩職員からのアドバイスも，成長の場といえます。公民館はこれらの研修や交流とともに住民と接することによって人間としても成長ができます。「親の後ろ姿を見て育つ」という言葉がありますが，公民館職員も「住民とともに育つ」場です。住民の声が反映できるような公民館運営がもっとも大切です。

【公民館Q＆A　第9回】

Q1 公民館で講演会を開催する団体から，講演会講師の著作物の販売について可能か問い合わせがありました。これは法第23条の営利事業に該当するのでしょうか。

A 「公民館で講演会を開催する講師の著作物の販売は，営利事業に該当するのか」という質問です。結論からいいますと，講演会や学級講座などで学習を深めるうえで著作物の販売は可能です。

質問は一般団体の例と思われます。講演会をより深めるための著作物の販売は法第23条に違反するとはいえません。同条の「もつぱら」や「特定」に留意し，著作物の販売は「特定」の書店が直接販売することは避けるよう指導し，主催者などの関係者が販売することが望ましいでしょう。また，販売する著作物が講演会の内容と関係するか，事前に主催者に確認しておく必要があります。

公民館が主催する講演会は，企画段階から調査研究し，テーマの設定とともに，テーマに沿った講師の選定をします。公民館事業を企画する場合，調査研究は大切な準備です。

講演会は，市民の参加で企画するということは多くありません。多くは公民館職員で企画します。この場合でも調査研究は大切な作業で，学級講座と同じように，社会の要請や動向，個人の要望などをふまえてテーマの設定，講師の選定などの作業をおこないます。こうした作業をせず講師の知名度などを頼りに開催することも多々ありますが，生活に活かし，学習を深めるという点では，参加者の期待が半減することがあります。

１回の講演会は，場合によっては多額の謝礼を支払うことになりますので，企画や準備など十分におこない，その趣旨を講師に伝え，できるだけ参加者が満足のいくような講演会にすることが大切です。

そのためには，講師の話だけでなく，より講演会を充実させるため，講師の著作物を用意し，学習の補助教材として，その場で実費販売することは法第23条の営利事業に抵触するとはいえません。

この場合は，主催者の公民館が学習を深めるため講師の著作物を用意するか，講師が申し出る場合があります。

著作物を使用する学習は，語学講座，文学講座，音楽，手芸や料理などさまざまであり，学級講座の内容によって「テキスト」を必要とする場合があります。その「テキスト」が著作物の場合，参加者にあらかじめ用意していただくか，公民館で用意します。これは学習に必要な教材で，学級講座の募集時から学習に必要な「テキスト」と金額を明示しておくことが大切です。

学級講座の企画は講演会より，企画委員会など市民が参加しておこなわれる場合が多々あります。その場合，学習者と話し合ってテーマや講師を選定することも，講座を成功させるうえで大切な要素です。私が最初に公民館に赴任したときは，学習者とも話し合い，学習者が聞きたい内容を直接講師に手紙を書いたこともありました。学習者が学びたいことを講師に伝えるような工夫も必要です。学級講座では，前年度の踏襲や通年学級で形式化した学習活動を評価・反省をふまえて調査研究することは必須といえます。さらに，社会の要請や住民の要望を加味することも忘れてはなりません。

講演会や学級講座で著作物を販売する際は，出版社から直接取り寄せるか，または書店組合などを活用し，書店の場合でも複数の書店がある市町村の場合は「特定」の書店だけに依頼することは極力避けるようにしましょう。さらに，講演会で著作物を取り寄せる場合，残部は引き取ってもらうような工夫も必要です。

Q 2 公民館で１人500円の入場料を徴収して，映画会を開催したいという会場使用の申し込みがありましたが，法第23条の営利事業に抵触しないのでしょうか。

A 公民館で入場料を徴収しておこなう会場使用は，映画会・講演会・演劇・ダンスパーティーなど数多くあります。入場料は法第23条に抵触するかという質問ですが，基本的には入場料によって利益を目的としていないかが判断の基準になります。生活文化の向上に寄与する催し物で，利益を目的にしない会場使用は法第23条に抵触しないと思われます。

船橋市では，入場料を徴収する集会には，収支予算・決算書の提出を求めています。これは生活文化に寄与する目的か，利益を目的としていないか，入場料金が適正か，その経費は講師謝礼や機材のレンタル料，運営費に充当されるかなどを確認するためです。余剰金が多くなりそうな場合は，入場料を低額にしたり，また，少額の余剰金が生じた場合は，必ず運営の費用にするように指導しています。

入場料を徴収する会場使用は，通常の運営費では開催できない場合がほとんどです。入場料に見合った内容も求められます。また，運営費目当ての会場使用も考えものです。「入場料を徴収して会の運営費」に充てることは，会の運営上健全といえません。原則は会費で会の運営を図るのが，自主的・民主的な運営です。会員以外の財源を当てにして入場料に頼ることは，厳に慎まなければなりません。

都市部においては，ダンスサークルが主催するダンスパーティーが頻繁におこなわれています。船橋市ではダンスパーティーは学習成果の発表の場として，文化祭の他に年に１回を上限としています。また，この場合でも収支予算・決算書を提出してもらいます。参加費が高くならないように，また講師に不当に多額の謝礼を支払っていないかを見るためです。

いずれにしても入場料を徴収する催し物は，利益が生じないよう指導することが大切です。

解説　Ｑ１の著作物の販売ですが，法第23条（公民館の運営方針）第１項は，「公民館は，次の行為を行つてはならない。」とし，第１号で「もつぱら営利を目的として事業を行い，特定の営利事務に公民館の名称を利用させその他営利事業を援助すること。」と規定しています。

質問は著作物の販売ですが，この場合は「営利を目的とせず，営利事業を援助する」ことに抵触するとは思われません。むしろ講演会をより深めるために必要な配慮だと思われます。

ちなみに著作物は「著作権法」で保護されています。講演会はもとより，公民館でおこなう事業も同じです。著作物を全部複写して使うことは禁じられています。公民館で複写が認められているのは，著作権法第35条の「学校その他の教育機関（営利を目的として設置されているものを除く。）において教育を担任する者及び授業を受ける者は，その授業の過程における使用に供することを目的とする場合には，必要と認められる限度において，公表された著作物を複製することができる。」との規定に基づき，教材として必要な部分の複製が認められています。ページ数が少ないといって著作物の全部を複製して受講者に配布することは，著作権法に抵触します。

一般の団体に複写サービスをしている公民館もあると思われます。この場合，講師がサークル活動で著作物を複写することは著作権法第30条に抵触すると考えられます。個人が家庭などで複写することは禁じられていません。なお，利用者が作成した印刷物の複写は著作権法に抵触しません。個人で必要部分を複写する場合は図書館の複写サービスが利用できます。

Ｑ２の入場料ですが，「入場税法」があった時代は，「社会教育法（昭和24年法律第207号）第10条の社会教育関係団体（この表において「社会教育関係団体」と言う。）または同法第21条の公民館」と入場料の免税規定がありました。しかし，1988年の消費税法の導入を契機に，国税の入場税法は廃止となりました。

いずれにせよ，健全な団体の育成には，会費などの自主財源は不可欠で，入場料収入もその一部と考え，入場料に頼る運営はできるだけ抑制することが肝要です。

【公民館Q＆A　第10回】

Q 1　公民館に自動販売機を置きたいと業者から申し出がありました。その業者は，利益の一部を公民館に寄付したいといいます。業者から寄付を受け，自動販売機を設置することは法第23条に抵触しないでしょうか。

A　公民館に自動販売機を置くことは，地方自治法や市町村条例に基づき適正な手続きをしておけば問題はありません。この質問は，業者が利益の一部を寄付することについて法第23条に抵触しないかという事例です。

法第23条は，団体への貸し出しの許可など，法第20条の目的を達成するため法第22条の公民館の事業を実施する場合，公民館がおこなってはならない行為を示したもので，この事例のような場合は地方自治法が法的な根拠となります。

本事例は，法第23条とは範疇が異なり，地方自治法第238条の４（行政財産の管理及び処分）を受けた市町村条例によって事務的な手続きがおこなわれます。自動販売機の設置にあっては，条例に基づいて行政財産の使用申請をし，実費使用料を付して許可をします。この場合の実費使用料は市町村の歳入となります。したがって条例で定められた公民館は，利益の一部を受け取ることや，設置の許可をすることはできません。

実費使用料は，地方自治法第225条の規定に基づき，市町村条例の行政財産の使用料の定めに従って適正に処理されることになります。

公民館に直接自動販売機設置の申し出があった場合は，市町村長から委任された教育財産の管理者の許可が必要となるので，担当部局との協議が必要となるでしょう。協議にあたって，同業の業者が市町村内にあるか，同業者が複数の場合は公募や入札など慎重に検討する必要があります。

なお，公民館の近くに自動販売機がある場合は，民業を圧迫しないような配慮も必要でしょう。

Q 2 今度，選挙があって，候補者陣営が後援会への加入を呼びかける勧誘チラシを公民館の情報提供スペースに置きたいと打診してきましたが，置いてもよいでしょうか。

A 本事例は，「選挙前の特定の候補者の後援会への加入の勧誘チラシを情報スペースに置いてよいか」という政治活動の例ですが，選挙期間中または公示前であっても，公職選挙法に抵触することが考えられます。公民館で判断をせず，選挙管理委員会に相談することが大切です。

選挙期間以外に，公民館で政治報告会を開催する場合，「特定の政党の利害」「特定の候補者の支持」に偏ることなく，申し出たすべての政党や候補者の報告会の案内を掲示することは，法第23条に抵触しないと考えます。政治報告会で会場を貸与する場合は船橋市では団体への貸し出しを基本としていますので，候補者個人への貸し出しはお断りをし，後援会などの組織として申請をするようお願いしています。

公民館の情報提供は，主に掲示板によって情報が提供されます。船橋市の場合，主催事業の案内，サークル案内，国や県の公共的な掲示物，市の掲示物，その他の団体からの掲示物の依頼があった場合，音楽会，発表会など市や教育委員会の後援や協賛を受けたものを主に掲示しています。政治報告会案内のポスターは，公民館長の判断によりますが，勧誘チラシを置くことについては，選挙管理委員会の意見を聞いて対処することが必要でしょう。

ポスター掲示の依頼は，国や県，市町村の啓発物や近隣の学校の運動会やPTAのバザー，ベルマーク運動，地域の祭りの案内など数多くあります。

その際，掲示のスペースが十分あるかどうか，また，掲示物を依頼されても，ただ断るようなことではなく公民館に一任してもらうことや，掲示の許可印と期限を定めて掲示することも大切です。

ポスター等の掲示物は，公民館は社会教育施設という性格から，社会教育事業を推進するもの，地域の交流を促進するもの，公共的なものを中心に掲示し，生涯学習の推進や地域の拠点として地域活動の促進に寄与することが肝要です。

解説　公民館長が許可をできるのは，「公民館の使用許可に関すること」「公民館の使用料及び雑入金の調定及び徴収並びに使用料の減免に関すること」です。地方自治法（昭和22年法律第67号）第180条の２の規定に基づき，教育委員会に事務委任され，船橋市教育委員会では，地方教育行政の組織及び運営に関する法律（昭和31年法律第162号）第25条の規定に基づいて，「教育長の所掌事務の一部を委任する規程」を定め，公民館長に事務委任をしています。雑入金はコイン式の電話代，コピー・印刷代などです。

自動販売機については，地方自治法第238条の４第７項及び市町村条例によって申請や許可がおこなわれます。同様の例として，敷地内の電柱なども同様の手続きをおこないます。その使用料は地方自治法第225条に基づき，市町村条例によって使用料が算出されます。

したがって，社会教育法に基づいた公民館運営については館長の許可権限に属し，条例に基づいて使用料の徴収や減免などの権限を有しますが，自動販売機や電柱の設置の許可は，地方自治法に基づき，行政財産の使用として，許可権限も市長部局では首長，教育委員会では教育財産として教育長が許可権限者となります。公民館運営上の権限と，敷地や建物等行政財産の許可権限が異なることを理解しておきましょう。

Ｑ２については，政治活動の範囲が問われる事例です。前述の「Ａ」でも記しましたが，公民館で政治報告会を開催する場合，「特定の政党の利害」「特定の候補者の支持」に偏ることなく，申し出たすべての政党や候補者の報告会の案内を掲示することは，法第23条に抵触しないと考えます。政治教育の涵養という点からも，政治報告会などにも広く開けた公民館運営が求められています。ただ，政治団体も数多くありますので，選挙管理委員会の意見を聞くことが問題を複雑にしない方策だと思います。勧誘チラシを置くことが違法でない場合，さらにスペースがとれる場合には，「特定」に偏ることなく政治コーナーなどを設けておくことは公民館長の裁量となります。

ただ，公民館は生涯学習を担う法で定められた社会教育施設ということを忘れてはなりません。

【公民館Q＆A　第11回】

公民館が避難所として指定されていますが，その根拠の法令について教えてください。

A　2011年３月11日の東日本大震災は未曾有の被害をもたらし，多くの方が被災しました。心からお見舞い申し上げます。

この大震災によって，多くの皆さんが学校や公民館などに避難しました。災害による避難所の法的根拠は，災害対策基本法第16条第１項によって「市町村に，当該市町村の地域に係る地域防災計画を作成し，及びその実施を推進するほか，（略）市町村防災会議を置く。」と規定され，また同法第42条によって全国の市町村で，市町村地域防災計画が策定されています。この計画に従って避難所も指定されます。

東日本大震災で，指定された避難所以外に，私の故郷の気仙沼市本吉町では，地区の自治会館などに多くの人が避難したと聞いています。集落の住民の拠点でもある自治会館などは，今，都市部で失われつつある地域の連帯意識の強さもあり，公民館の創成期から住民自治を基調とした公民館の分館活動が実を結んだ結果ともいえましょう。

こうした状況下でも，被害を受けた気仙沼市本吉町の小泉公民館は，中学校を間借りして公民館の看板を掲げ，仮設住宅の集会所に出向くなどして公民館事業をおこないました。また，被災を免れた公民館は避難者が仮設住宅へ移るまでは大変な苦労をされ，ボランティアの受け入れなどしています。

このような非常時には主管課や防災担当課と連絡を取りながら速やかな対応が求められます。船橋市では，主管課の指導によって全公民館の職員が翌朝まで待機をしました。特に電車も不通となり帰宅困難者が多く歩いていた国道沿いの公民館では，延べ3,000人余の人が休憩で利用し，宿泊を余儀なくされた人も300人近くいたと聞いています。また船橋市内の大型ショッピング街では，店も締まり交通手段も途絶えたため，近くの公民館に多くの人が避難したと聞いています。宿泊を余儀なくされた方には，本部からの人的支援や食料の差し入れもあり，こうした対応に多くの感謝の意が寄せられました。このような非常時には，主管課や本部と連絡が取れなくなっても，公民館は被災者をはじめ帰宅困難者など臨機応変な対応が大切です。

解説　災害対策基本法に基づいた市町村防災計画は各部所にも配布されていると思います。この計画に基づいてさまざまな避難訓練がおこなわれています。公民館などの施設は，消防法によって「消防計画書」が義務づけられ，防火管理者の配置や避難訓練をおこなっています。しかし，災害には予測できる災害や，今回の地震のように想定外の災害も起こりえます。このようなときは，公民館は利用者や地域住民の視線に立って迅速な対応が求められます。「住民の視線に立つ」ことは住民の生活課題を見いだすことにもつながります。井内慶次郎先生は千葉県公民館連合会35周年記念の講演で社会教育のプログラムにふれ，地域性に沿ったプログラムの重要性を話していました。公民館は同市町村内でも，それぞれ地域性が異なります。その地域の風を読み取りながら公民館の運営をおこなうことが肝要です。地域には生活課題から派生する学習課題も多く見つかります。地域と接するほど，生活課題という目に見えない宝石が眠っています。それを掘り起こしながら住民とともに歩むことです。机に座っているだけでは公民館の未来は暗くなるばかりです。また，今回の災害時のような場合も住民と日ごろからつながりを持っていれば，いろいろな面で協力も得られるでしょう。職員の発想の転換や創造的な取り組みが今，必要です。

【公民館Q＆A　第12回】

Q1　公民館は教育基本法や地方教育行政の組織及び運営に関する法律，社会教育法により教育機関・社会教育施設として定められていますが，なぜ，一般団体への使用を認めているのでしょうか。法第23条に抵触しないのでしょうか。

A　公民館は法第20条の目的を達成するため，法第22条は6項目にわたって公民館の事業を示しています。第6号では「その施設を住民の集会その他の公共的利用に供すること。」とあります。住民の集会を「目的外利用」として利用を認めている市町村も多くあります。

住民の集会は「住民の政治報告会」「商店会の集会」「氏子や檀家の集会」などさまざまな集会があり，政治教育・宗教教育の涵養や消費者教育，郷土芸能の伝承などをとおして地域連帯の醸成などさまざまな側面があります。法第23条は「もっぱら・特定」というように，偏りや，もっぱら営利を目的とした事業を制限した条項です。したがって学級講座だけでなく，住民の集会活動を含んだ一般団体の利用も公民館事業としてとらえることが大切です。

私が社会教育課に在職中，船橋市における法第23条の取り扱いについて作成しました。その際，船橋市の公民館の歴史性や他市の状況などを参考にしましたが，特に重んじたのは本市の公民館の歴史です。また，法第23条の解釈にあたっては，先輩職員から条文の読み方として「もっぱら・特定」というように「狭義に解釈」するようにアドバイスも受けました。さらに「コミュニティ・センターの性格を含む広い意味での社会教育の中心施設として，地域住民の各種の日常的学習要求に応えながら特に新しいコミュニティの形成と人間性の伸長に果たす役割を，改めて重視しなければならない」（「急激な社会構造の変化に対処する社会教育のあり方について」1971年　社会教育審議会答申）も参考になりました。

公民館は社会教育法制定以来，さまざまな法整備によって教育機関としてまた社会教育施設として整備され，多種多様な学級講座を開設し，多くのサークルも育成してきました。しかし最近は行財政改革などで職員減・予算減が進み，主催事業の実施に支障をきたしています。加えて指定管理者や市長部局への移管なども進んでいます。公民館の事業といえば学級講座や集会活動がその中心を担ってきましたが，こうした厳しい時代には，法第22条第５号「各種の団体，機関等の連絡を図ること」や前述の第６号も積極的に取り組むことが必要です。

Q２　公民館に異動し，「公民館職員の研修に参加してください」と上司からいわれました。公民館職員の研修について教えてください。

A　Ｑ２は，公民館職員の研修についてです。一般に地方公務員の研修といえば地方公務員法第39条（研修）で「職員には，その勤務能率の発揮及び増進のために，研修を受ける機会が与えられなければならない。　２　前項の研修は，任命権者が行うものとする。」と規定されており，職階・等級そして接遇や最近ではセクハラなどさまざまな研修が任命権者によっておこなわれています。

一方，公民館の職員は法第28条の２（公民館の職員の研修）「第９条の６の規定は，公民館の職員の研修について準用する。」と規定されています。第９条の６（社会教育主事及び社会教育主事補の研修）とは「社会教育主事及び社会教育主事補の研修は，任命権者が行うもののほか，文部科学大臣及び都道府県が行う。」というように公民館職員の研修に準用されています。社会教育主事は教育委員会の事務局に置かれる専門的職員で法第９条の２に規定されています。

一方，公民館職員は法第27条で「公民館に館長を置き，主事その他必要な職員を置くことができる。　2　館長は，公民館の行う各種の事業の企画実施その他必要な事務を行い，所属職員を監督する。　3　主事は，館長の命を受け，公民館の事業の実施にあたる。」と規定されています。法解釈で「置く」は「必置」で「置くことができる」は「任意必置」です。したがって，社会教育主事や公民館長は必ず置かなければなりません。

また，公民館の職員については，公民館は地方教育行政の組織及び運営に関する法律によって「教育機関」と定められ，第31条第2項で「前条に規定する学校以外の教育機関に，法律又は条例で定めるところにより，事務職員，技術職員その他の所要の職員を置く。」と規定されています。この法律は1956年6月に施行されました。当時の様子について『船橋市社会教育要覧　昭和31年度版』で「昭和31年度とは，当市の社会教育にとって重大な年であった。地教委制度の変革によって，今まで社会教育課と中央公民館と一体であったが機構を改め，それぞれ専任の組織と職員によって社会教育の分業化を行った」と記述されており，公民館に専任の職員が初めて配置されました。当時船橋市の公民館は非常勤館長でした。

公民館職員の研修は，当時はさほど盛んではありませんでしたが，国や県の補助金で公民館数も増え，公民館職員の配置も補助要件になっていたため，公民館職員の数が増えるに従って，相互研修や自主研修が見られるようになりました。

このころは，任命権者である市町村が独自で研修をおこなうことは，市町村によっては，人的や予算的に困難でした。そこで，市町村が負担し合い，都道府県公連や地域公連，さらには，国や県の研修に参加させるようになりました。この都道府県公連などへの研修参加は公務として参加できます。昭和50年代後半，私はこれらの研修を一体化して計画的な研修への参加を試みましたが，職員の異動などで十分な成果をあげることができませんでした。また，近年行財政改革や予算減などで市町村が単独で研修をおこなうことが困難な状況になってきましたが，公民館職員の研修は上記のように必須であり，国や県さらに都道府県公連の研修にますます期待をしたいものです。

多くの研修に参加し，他市町村の職員との交流などをとおして情報を豊かにし，研修の成果を活かしながら，住民とともに育ちましょう。

解説　Ｑ１は，法第23条についてです。私が在職中に法第23条で知りたかったことの一つが，公民館貸し出しの法的な側面です。徳村蒸先生の『社会教育の紛争と法』（阿吽社，2000年）では「公共的利用」について「直接的に社会教育の目的を冠さない地域住民の催しや事業，集会に対して広く開放され自由に利用されることが重要な機能となっている」とし，「いずれの判決も公民館管理者側の，管理規則の違法性を指摘している」と記しています。さらに，公民館使用の裁判事例について，憲法や地方自治法も使用許否の判断になっていることを解説しています。

法第23条に関しては，憲法や地方自治法，教育基本法などさまざまな法令を参考にしながら条文の主旨をくんで使用の許否について判断することが必要です。また生涯学習時代の今日，個人の要望や社会の要請とともに，「新しい公共」の実現に期待が寄せられています。こうした現代的な課題に対しても積極的に取り組むことが必要です。

Ｑ２は公民館職員の研修です。公民館職員の研修は，2003年に改正された「公民館の設置及び運営に関する基準」においても規定されています。第８条第３項で「公民館の設置者は，館長，主事その他職員の資質及び能力の向上を図るため，研修の機会の充実に努めるものとする。」と公民館職員の資質や能力の向上のための研修の必要性を規定しています。さらに「教育公務員特例法」では教育公務員として社会教育主事などの専門的職員の研修も規定されています。

また，公民館職員の研修については，以前から各種答申類で研修をとおしての資質の向上が提言されていました。時代が変わり生涯学習時代の今日も「新しい時代を切り拓く生涯学習の振興方策について～知の循環型社会の構築を目指して～」(2008年，中央教育審議会答申）では「公民館の館長や主事等の職員については，公民館が地域住民に最も身近な社会教育施設として適切な学習機会を提供するなど能動的，積極的な活動を行うため，一人一人が国際化，情報化，高齢化等に伴う社会的要請及び地域の課題等の調査分析能力や，地域住民のニーズを的確に把握する能力を持つことが期待され，種々の研修機会を利用して専門性のある職員として資質の向上を図ることが望まれる。」と提言されています。予算減・人員減などの厳しいなかで，公民館も貸館傾向が強くなる傾向と，また，職員の研修への派遣も厳しくなるなかで，上記の答申のような課題に対して，公民館職員として目標をしっかり持ち，研修をとおして地域に活かすことが今特に大切です。公民館は地域の第一線の場です。公民館は住民のさまざまな活動の場です。したがって上から目線でなく，住民目線で取り組むことが重要です。

これは千葉県公連の研究冊子に寄せられた公民館の感想です。参考としてお読みいただければと思います。

職員から見た公民館勤務における不安

○公民館への勤務を命じられ，教育委員会のまた出先というイメージ

○左遷されたとか，リストラの対象というイメージ

○貸出施設の管理というイメージ

○住民や利用者とのコミュニケーションの不安

○突然「教育の仕事」という不安や戸惑い

○土日や夜間など変則勤務への戸惑い

○少人数での仕事の不安

○自ら進んで希望したが，公民館は楽だというイメージ

職員の充実感・働きがい

○住民との交流，これが一番

○職員の和がうまくいっているとき

○公民館の利用者と自然にあいさつが交わせるようになったとき
○人と人とを結びつけ，輪が広がったとき
○開催した事業がうまくいき，参加者から喜ばれたとき
○事業や地域づくりにかかわりそのなかから自分が学ぶことができたとき
○利用者や地域住民との人間関係がうまくいったとき
○利用者から「ありがとう」の一言
先輩職員から見た公民館勤務のいいところ
○いろいろな仕事が覚えられる（総合的な事務）
○自ら公民館事業や個別事業の計画が立てられる（創造的職場）
○公民館という第一線での仕事（市町村の顔）
○各種事業や住民との交流をとおして自分も成長できる（自己教育の場）
○子供から高齢者まで老若男女とふれあいができる（住民との出会い）
○機関・団体等との連絡・調整・援助等をとおし，地域連帯や融合の仕事ができる（コーディネーターやネットワーカー）

【公民館Ｑ＆Ａ　第13回】

Ｑ１　企業から，社員や家族の福利厚生事業で公民館を貸して欲しいという申し出がありました。内容は講演会や映画会で，講演会では本の販売を，また，菓子の販売もしたいといっています。さらに，入場料として500円を徴収し，売り上げの一部は被災地へ寄付するそうです。このケースは法第23条に抵触しないのでしょうか。

Ａ　質問は企業の福利厚生事業の公民館の貸与です。船橋市では企業の研修や企業面接とともに，企業の福利厚生の事業にも貸与しています。公民館の運営方針を示した法第23条第１項では「公民館は，次の行為を行つてはならない。　一　もつぱら営利を目的として事業を行い，特定の営利事務に公民館の名称を利用させその他営利事業を援助すること。　二　特定の政党の利害

に関する事業を行い，又は公私の選挙に関し，特定の候補者を支持すること。」というように，公民館が直接営利事業をおこなうことや，特定の営利事務に対する名称の利用やその営利事業を援助し，特定の政党の利害に関する事業をおこなってはならないとしています。ここで着目しなければならないことは「特定」という言葉で，すべてを禁止しているわけではありません。また憲法で定める集会の自由や地方自治法の不当な差別がないよう公平性や透明性にも配慮することが大切です。

公民館は生涯学習の事業を推進する社会教育施設としての役割を果たす一方，他方では目的外使用として，地域の住民の集会など多岐にわたって貸与しています。この事例の場合は「特定」でなければ企業の福利厚生事業に対し，会場を提供することは法第23条に抵触しません。ただしこうした事業に貸与する場合は，菓子や本の売り上げ，入場料など利益が出ていないか，同事業の予算書や決算書を提出してもらい，また利益が出た場合は，企業の収入となることのないよう，全額被災地への寄付にするなどの指導も大切です。

同じように，ダンスパーティーなど参加者から入場料や参加費を徴収するような場合も，収支予算書や決算書を提出してもらうことが大切です。こうした催し物で利益が生じた場合，講師に多額の謝礼を支払うのではなく，会の運営資金とすることが望ましいでしょう。

さらには旗やポスターなどの掲示を求めてくる場合があります。旗については，他の利用者もいることなどを考慮して判断することが大切です。また，ポスターは収容人員が定められており，定員を明記して掲示してもらう必要があるでしょう。

Q 2　公民館職員の発令について法的根拠や実際の発令の状況について教えてください。

A　公民館職員の発令は「地方教育行政の組織及び運営に関する法律」（以下「地教行法」という）第34条によって教育委員会が任命します。首長部局から教育委員会へ出向辞令が出され，教育委員会の配属先などは教育委員会の辞令となります。

公民館職員に関しては社会教育法に基づいて配置されます。本誌2012年４月号でも記しましたが，館長は法第27条の規定により必ず置くことと規定されており，同条の主事及びその他必要な職員は，地教行法第31条第２項によって配置が規定されています。発令の職名は一般行政職員と同じ職名で発令されている市町村がほとんどです。千葉県内では公民館主事として社会教育主事有資格者が発令されている市もあります。公民館主事という名称は「公民館の設置及び運営に関する基準」が2003年に改正されたとき，文部科学省生涯学習政策局長通知として「『公民館の設置及び運営に関する基準』の告示について」のなかの，「８　第８条関係（職員）」で公民館主事という名称が用いられており，文部科学省の「社会教育調査」でも指導系の職員として公民館主事という名称が使用されています。一般行政職員として発令している市町村が多いなかで，事業を担う職員として，公民館の主事の重要性について，その職責を認識するうえでも公民館主事という名称で発令することも社会教育法の目的を達成することに大きな励みになることと思います。近年，公民館職員の削減や高年齢化，非常勤化が進むなかで，館長の力量が公民館運営を左右します。館長の公民館に対する理解と努力が一層求められます。

公民館の生みの親，寺中作雄氏は『公民館の建設』のなかで「われわれの為のわれわれの力による，われわれの文化施設—それが公民館の特徴であり，公民館の本質である。」と記しています。われわれとは住民です。公民館は市町村の公有財産ですが，本来，住民のための施設であるということを理解して公民館運営に携わることが大切です。こうした視線は，地域力や住民の生活を高め，公民館の目標の究極である住民自治能力の向上に寄与することでしょう。

解説　企業などに会場を貸与することについて『公民館の施設利用について』（千葉県公連，1991年）によれば，全面無料の公民館と原則有料の公民館では差異があります。原則有料は比較的多岐にわたって貸与していますが，原則無料は，主催事業やサークル活動，地域活動などが中心です。企業の研修会や福利厚生事業，政党の政治報告会などについて原則無料の公民館は貸し出しの制限を，他方原則有料の公民館は貸し出している傾向が見られます。

また，『全国調査から見る公民館の現状』（全国公民館連合会，2010年）では，事業を実施している公民館が75.5%，一部の館で実施，まったく実施してない5.4%，無回答8.5%という調査結果となっています。ということは４分の１近くが事業を実施していません。その主な理由の第一として「貸館業務しかしてないから」，次に「人手，予算の減少」をあげています。

近年は，高齢社会，経済の停滞，情報化の進展など，社会はさらに急激な変化をしています。貸館傾向が多くなるなかで，公民館も社会教育施設としての役割を果たすことが大切ですが，法第22条第６号に「その施設を住民の集会その他の公共的利用に供すること。」という規定があります。最近，「新しい公共」としてNPOや企業や住民などとの連携が求められています。前年踏襲型の公民館運営だけでなく，特に会場貸し出しにあたってはより多くの団体などに会場を提供することも考慮しなければなりません。最近の状況として「新しい公共」なども知り，新しい公民館を切り拓くことが大切です。なお，有料化傾向のなかで施設貸与の有料化とともに主催事業の受講料徴収も取りざたされていますが，教育基本法第４条の「教育の機会均等」や社会教育法第３条「国及び地方公共団体の任務」を尊重し，公民館の主催事業は無料とするのが望ましいでしょう。

Ｑ２については，公民館の職員論です。公民館の事業は，法第22条で規定されていますが，各種事業の実施ほか，公民館の管理と運営，庶務関係，各種会議や研修への参加，貸し出しなどの窓口業務やサークルをはじめ各種機関や団体との連携，問い合わせや住民への対応など数多くあります。千葉県公連では1994年度から1996年度にかけて，県内の公民館でおこなわれている公民館職員の職務について調査し，『公民館職員の日々の仕事をみつめて』という冊子を1999年３月刊行しました。市町村によっては多少の差異がありましたが，公民館職員の職務が多岐にわたっていることが記されています。

公民館職員の専門性については，過去に単行法への運動がありましたが，実現することなく今日にいたりました。しかし，公民館職員の専門的な資質の向上は今も求められています。公民館の運営にあたって，2008年の法の改正で運営の状況に関する評価や運営の状況に関する情報の提供が追加されました。

評価にあたって，公民館の運営や経営の目標を，社会教育法や市町村の生涯学習推進の指針に従い，さらに地域の実情を把握しながら立てることが，より公民館運営を充実させ，評価の指針となります。また従来の館報やホームページで，公民館の事業や公民館運営審議会などの情報の提供に努めなければならないことや，さらに学習の成果を活用して学校，社会教育施設その他地域においておこなう教育活動，その他の活動の機会を提供する事業の実施及びその奨励に関しても規定されました。評価や情報公開そして学習の成果の活用など，新しく規定されたことにも取り組まなければなりません。

この傾向は，1981年，「臨時行政調査会」が発足し，行財政改革が進み，1999年「地方分権の推進を図るための関係法律の整備等に関する法律」によって数々の規制緩和が実施されました。

国の補助を受けた公民館は職員の配置も求められ館長以下それぞれ職員を配置しましたが，こうした行財政改革や規制緩和によって公民館も人員減・予算減となり，職員も正規職員から非正規職員が配置されるようになり，市町村合併による中央集約の動きも影響がありました。予算や職員が減少し貸館傾向がみられるなかでも，こうした法改正に対しての取り組みも必要となります。厳しい職員環境のなかで，公民館運営も日常生活から派生する課題について積極的に取り上げ，学習に結びつける努力とともに新しい課題に対してもより一層の創意工夫が求められています。

法の立法にあたった井内慶次郎氏は，千葉県公民館連合会設立35周年記念講演で「雪だるまは静かにじっとしていると，太陽に照らされて溶けてしまう。消えないで大きくなるには自分が転がって大きくなる以外にない。あぐらをかかないで動きまわろう。」と述べています。心に残る名言です。

【公民館Q＆A　第14回】

Q 公民館を無料で利用しているサークル活動で，「講師がサークルからの謝礼で生計を立てているのではないか」という私塾化傾向がありますが，公民館サークルで生計を立てることは，法第23条の営利事業にあたるでしょうか。

A 質問のサークルの私塾化ですが，私の現役時代からもその傾向が見られ，他市町村職員からも同じような意見が聞かれました。ましてや公民館に初めて勤務した職員は，サークル活動がなぜ無料や減免なのか？　なぜ優先的な利用が許可されるのか？　さらに，サークル活動は教育の事業といえるか？　単なるお稽古事でないか？　文化祭にも参加しないで，非協力的・閉鎖的でないか？　講師が会場の予約や申請をしているのでないか？　講師に依存し，果たして自主的な団体といえるのか？　など多くの疑問を持つ職員も多いでしょう。

第３章　社会教育関係団体

（社会教育関係団体の定義）

第10条　この法律で「社会教育関係団体」とは，法人であると否とを問わず，公の支配に属しない団体で社会教育に関する事業を行うことを主たる目的とするものをいう。

（文部科学大臣及び教育委員会との関係）

第11条　文部科学大臣及び教育委員会は，社会教育関係団体の求めに応じ，これに対し，専門的技術的指導又は助言を与えることができる。

２　文部科学大臣及び教育委員会は，社会教育関係団体の求めに応じ，これに対し，社会教育に関する事業に必要な物資の確保につき援助を行う。

（国及び地方公共団体との関係）

第12条　国及び地方公共団体は，社会教育関係団体に対し，いかなる方法によつても，不当に統制的支配を及ぼし，又はその事業に干渉を加えてはならない。

（審議会等への諮問）

第13条　（略）

（報告）

第14条　文部科学大臣及び教育委員会は，社会教育関係団体に対し，指導資料の作製及び調査研究のために必要な報告を求めることができる。

私が社会教育課に在職中，「サークルの講師は公民館で生計を立てることは好ましいことでない」と上司から法第10条で定められている社会教育関係団体への申請書類で「月謝」という表記でなく「謝礼」ということを厳しく指導されました。また，公民館運営審議会でも高額な謝礼について疑問を呈されたこともあります。

サークルは同じ趣味や趣旨に賛同する人が集まっておこなわれる自主的な社会教育活動です。初期のころのサークル活動の多くは市町村に公民館が設置され，公民館事業から生まれたものがほとんどでした。しかし，時が経ち職員が変わるごとに職員とサークルとの接点が少なくなり，また，サークルの活動のマンネリ化，発足時の目的意識の喪失や，今日的な傾向として，サークルや地域活動の役員を敬遠する風潮や，都市部では公民館事業からサークルを育成することは，会場確保に支障をきたし，主催事業への影響も懸念され主催事業からのサークル育成を抑制している反面，自発的なサークルが生まれ公民館の指導が行き届かず，私塾化への拍車をかけています。

公民館は法で定められた社会教育施設であり教育機関です。サークル活動にもその一環として，法第10条でいう「公の支配に属しない団体」としての自主性や「社会教育に関する事業を行うことを主たる目的とする」教育性などをはぐくむため，さらには特定の人に偏らないよう，公平性や透明性やまた社会に開かれた公益性などが求められ，その輪が地域コミュニティに普遍的に波及していくことも期待されます。このように自主性を尊重しつつ一定の距離を置き，サークルとして機能しているかを見守りながら接していくことが大切です。

その結果「社会教育関係団体」として，公民館の利用の減免，印刷など備品の提供，利用者協議会・サークル協議会の開催の援助などもその一環としておこなわれます。また，サークルの成果の発表の場として文化祭や公民館祭りなどへの参加も用意されています。

このようにしてサークルを見た場合，講師が公民館サークルで生計を立てることはサークルの自主性を損なう可能性を生じ，私塾化といわれるような傾向に進んでいくことが懸念され，講師の高額な謝礼は所得税法にも抵触する可能性が大です。

営利事業として，法第23条に抵触するかどうかの判断は，社会教育関係団体として申請方式で登録を受理した場合は，法第23条に抵触しません。

私塾化傾向に対処するためには，公民館の運営方針や重点目標のなかでサークル育成に関する項目を明記し，サークル育成を図ることが肝要です。具体的には，サークル研修会の開催や，社会教育関係団体の登録や認定の申請時に，成果の発表として文化祭や公民館祭などへの参加の呼びかけ，社会的貢献，講師の謝礼など的確な指導をすることや，さらに，文書や研修会などによって講師の公民館サークルに対する理解を得るように努めることも有効な手段です。公民館職員がこうした努力なく一方的に私塾化と認識することは，公民館職員のサークルへの理解が不足しているといっても過言ではありません。もっとも大切なことは職員がサークル会員と日常的に顔と顔を合わせ，会話を交わしながらお互いの信頼関係を築くことがサークルの問題解決への近道です。

解説　社会教育関係団体は，1949年6月に施行された法のなかで規定されました。

1959年の法改正までは，補助金の支出も禁止されていました。

戦後間もなくの1948年7月「地方における社会教育団体の組織について」（文部省社会教育局長通知）（注：制定までは，社会教育団体といっていた）ではノーコントロール・ノーサポートといわれるように戦前の反省から社会教育団体と行政の関係について示されています。法制定時や1959年の法改正で補助金が交付できるようになった後においても「公の支配に属さず」というようにその精神は生きています。船橋市で最初の社会教育関係団体は，青年団，婦人会，PTA，ボーイスカウトと体育協会や文化会などでサークルはありませんでした。1955年に独立した大規模な中央公民館が設置されたことによって公民館活動の拠点ができ，公民館事業から生まれたのがサークルの初めですが，なかには神社などで活動していたサークルもありました。

公民館への国庫補助金が1950年度から交付されていましたが，1971年度に施設費補助となり，国庫補助金も大幅に増額され看板公民館や木造の公民館が近代的な公民館に生まれ変わり，市内の各公民館でも多くのサークルが活動するようになりました。

サークルをなぜ社会教育関係団体と解釈するかについて，1976年9月に発行された福原匡彦著『社会教育法解説』（財団法人全日本社会教育連合会）で「各種の趣味・教養・スポーツなどを内容として無数に存在するグループ・サークルなどはこの種の社会教育団体として考えてよい」と解説しています。

船橋市では中央公民館で1966年ごろに，認可制を採用しました。昭和50年代初め他の公民館でも認定制度の導入が図られましたが，これを契機に市内公民館で統一しようということになり，公民館長の意見を聞きながら前述の『社会教育法解説』や「社会教育関係に対する助成について」（文部省社会教育局長通知，1959年）を参考にしながら社会教育課で原案を作成し，教育委員会の承認を受け，1978年４月から「船橋市社会教育関係団体の認定に関する規程」を設け，教育委員会が認定していました。

社会教育関係団体の認定にあたっては，会則，事務所所在地，事業報告・計画，決算，予算，役員名簿などを提出してもらうようにしました。また，全市的団体は社会教育委員会の，公民館のサークルは公民館運営審議会の意見を聞いて教育委員会の承認を受けるように配慮しました。1989年４月「社会教育関係団体の登録に関する基準」と改正しましたが，内容は大きく変わることなく現在もおこなわれています。

私塾化傾向が認められるからといって，申請制度で社会教育関係団体と認められたサークルから，社会教育関係団体を取り消すことは，正当な理由がない限りはむずかしいと思います。これは会場利用で許可を出した場合と同じです。サークルを主催事業と両輪で公民館事業としている市町村や無料で援助している市町村もあると思います。

しかし，行政改革の波が押し寄せているなかで，さらにはサークル活動が閉鎖的になるとサークルに対しての印象がよくなくなるので，有料化を加速させる要因となります。

『公民館調査から見る公民館の現状』（全国公民館連合会，2010年）の調査では有料と明記している公民館が76％で無料と明記している３％を大きく上回っています。ただ有料と明記している公民館でも減免措置をしている公民館が60％あります。

　サークル活動が有料化とならないよう，サークルについてその重要性を認識させ，研修会や会則などの書類の指導，公民館祭り・文化祭などをとおしてサークル会員にサークルとしての自覚を持ってもらうなど，継続的なサークル育成が求められています。2008年に改正された法第32条（運営の状況に関する評価等）が新設され，サークル育成も考慮する必要があるでしょう。また，サークルに疑義が生じたときは，公民館運営審議会の意見を聞くことも大切です。

【公民館Q＆A　第15回】

Q1　地域の団体の事務局を，公民館が担っていますが，それは公民館の事業といえるのでしょうか。また，地域団体の事務の支援についてどう対応したらよいでしょうか。

A　公民館の事業は，法第22条で，第1号から第6号まで，次の通り示されています。

（公民館の事業）
第22条　公民館は，第20条の目的達成のために，おおむね，左の事業を行う。但し，この法律及び他の法令によつて禁じられたものは，この限りでない。
　一　定期講座を開設すること。
　二　討論会，講習会，講演会，実習会，展示会等を開催すること。
　三　図書，記録，模型，資料等を備え，その利用を図ること。
　四　体育，レクリエーション等に関する集会を開催すること。
　五　各種の団体，機関等の連絡を図ること。

六　その施設を住民の集会その他の公共的利用に供すること。

さて，質問についてですが，１つは，「公民館に団体の事務局を置き，その事務を公民館が担って構わないか」。次に「地域団体の事務の支援についての対応」についてです。最初の質問の公民館に団体の事務局を置くことは可能です。1949年社会教育法が施行された同年，寺中作雄著の『社会教育法解説』が刊行されました。法第22条に関連して次のような記述があります。「公民館には各種団体・機関等の連絡調整のために各種団体・機関等の事務所を置き，またそれらの機関代表が公民館運営審議会の委員として，参加すること等によって１つの有機的活動体としての役割を果たす」。このように，公民館に事務所を置くことや，その事務を担うことについては社会教育法に抵触するものではありませんでした。

1956年制定の「地方教育行政の組織及び運営に関する法律」や，1959年の「社会教育法」改正に伴って，公民館主事や研修規定が追加され，さらに「公民館の設置及び運営に関する基準」が告示され，公民館も地域の総合施設としての性格から教育機関としての性格を強くしていきました。また，昭和30年代後半「社会教育施設整備費補助金申請要項」を設け，公民館の普及を図りました。その後，1976年には「公立社会教育施設整備費補助金交付要綱」となり，デラックスな公民館も見られるようになりました。施設の補助金の申請にあたっては，施設の用途，職員の配置，条例の確約などの要件も付され，特に施設については，団体のための部屋は補助の対象外でした。このように公民館も総合施設から教育施設へと変貌していくなかで，地域団体の減少とともに公民館との接点が少なくなりました。また，職員も地域とのかかわりが希薄となり，乖離が見られるようになりました。都市部においては団体の事務局が置かれていることは多くありませんが，地方によっては，今も団体の事務局が置かれている公民館もあります。公民館に事務局を置くことについて躊躇させたと思われる，補助金交付にあたっての縛りは，2008年７月「『公立社会教育施設整備費補助金に係る財産処分の承認について』の改正等について」（各都道府県教育委員会教育長宛て　文部科学省生涯学習政策局長通知）によって，財産処分が，報告をもって国の承認があったものとみなす制度となりました。この制度で公民館が市の部局へ移行する傾向もありますが，施設全体でなく事務室や共用部分についての財産処分も可能ではないかと思われ，地域団体の事務局を置くことや，職員の地域担当者や兼務辞令などによって地域との連携の道が再び拓けることが，地域連帯や教育力をはぐくむ原動力になります。

次に団体の事務への支援です。サークルをはじめとする社会教育関係団体については，法によって規定されていますが，地域の諸団体やスポーツ推進委員等の制度ボランティアなどは，そうした規定はありません。ただ，老人福祉法第10条の３で「老人クラブその他老人の福祉を増進することを目的とする事業を行う者及び民生委員の活動の連携及び調整を図る等地域の実情に応じた体制の整備に努めなければならない。」という規定があります。こうした団体に対する地域の拠点として公民館が使用されています。自治組織なども同じです。社会教育法制定に大きな影響を及ぼした戸田貞三博士は，「社会生活そのもののなかに教育的作用がある。」と述べていたと井内慶次郎氏は回顧しています。そうした意味では，団体の事務については，団体の主体性を損なうことなく，会議の通知文の作成発送や，各種のとりまとめなどについて協力的におこなうことは，地域連帯の醸成や，地域の連携・連帯をはぐくむうえで大きな意義があると思います。決められたことだけではなく，全体の奉仕者として地域への住民サービスをおこなうことは，公民館人として必要な事務であると思います。

Q 2 公民館で野菜の即売会を実施したいと考えています。周りにスーパーなどがなく，高齢者が遠くまで買いに行かなければならないので，近くの公民館でも買えるようにしたいのですが，どうすればよいでしょうか。

A この事例は，2009年，「社会教育法制定60周年記念　全国公民館研修大会」が開催され，そこで上映されたナトコ映画「公民館」（昭和25年制作）の一場面を思い起こします。ある県ではパン屋やパーマ屋等が公民館のなかで営業している様子が描写されていました。当時は産業振興をはじめ，食生活や生活文化の向上にも積極的に取り組んでいた時代です。公民館もそのような利用がされており，その場面が映画で全国に紹介されていました。

さて，「公民館で野菜の即売会を実施したい」ということですが，自治公民館であれば問題はありませんが，条例で定められた公民館では，金銭の取り扱いはすべて公金として，地方自治法に基づいて処理しなければなりませんので，公民館が直接即売会を開催することは，むずかしいと思います。即売会を担う受け皿として，農家の組合や消費者団体，婦人会などがおこなうことであれば問題はありません。今日の社会は団塊の世代も高齢者の仲間入りをし，高齢社会はいろいろな社会問題を提起しつつあります。都市部では，食事や食材の宅配サービスがおこなわれています。このような時代の変化にも対応できるような柔軟な公民館運営が求められます。ただ，過疎地などでは移動スーパーなどが巡回販売をおこなっている場所もありますので，こうしたことにも配慮する必要があります。

解説 公民館の事業は，学級講座や集会活動が主な事業としておこなわれていると思います。2008年度の文部科学省の社会教育調査中間報告では，公民館の学級・講座数は，46万9,990件で過去最高の数値でした。また，諸集会も，19万6,099件で前回調査に比べ41.9%増加しています。このように数値だけを見れば公民館は健在です。しかし実態はどうでしょう。私が公民館事業に携わっていたころは，学級講座は，継続的・系統的な学習を目指しており，複数回の講座を学級講座として分類していました。しかし現在は１回でも講座として分類している傾向があります。専門的職員や正規職員の減少とともに臨時職員化や異動サイクルの速さ，予算減などが，このような現象を生んでいるのではないかと推測されます。また展示活動や，図書等の記録の整理は，図書館との関連のなかでおこなわれているところも多いでしょう。

さて，Ｑ１の「地域の団体の事務局を，公民館が担うこと」についての是非です。この条項は法第22条第５号「各種の団体，機関等の連絡を図ること。」と関連します。船橋市の『社会教育要覧』によると昭和30年代の公民館は人材も資金も十分でなく，地域のつながりや住民の協力が欠かせませんでした。そのなかでも地域青年団は，青年学級や青年講座，また地域巡回映画会などに大きな力を発揮しました。さらに婦人会や自治組織とも連携していました。今では多くの公民館が疎遠となった敬老会も，このころは公民館の事業として地域と協力しておこなっていました。その後，子供会の育成等が続きました。当時は公民館とかかわりのあった青年団や婦人会，子供会などは公民館に事務所を置いて活動していました。これらの団体は社会教育法でいう社会教育関係団体ですが，その他，地域の自治組織や地域の老人クラブ，消防や交通など日常生活に必要な団体の拠点となっている公民館もあると思います。さらに，制度ボランティアとして，体育指導委員（現スポーツ推進委員）や青少年相談員などと連携を密にしている公民館もあるでしょう。公民館は地域の総合施設としての役割を果たしてきましたが，1963年老人福祉法が施行されたことで，敬老会も福祉所管へと移行傾向がみられ，公民館の事業としておこなうことも少なくなりました。昭和30年代から40年代は，公民館は総合施設から専門施設へ移行していった時代でした。公民館の歴史を紐解いたとき，創世記は事業への協力や公民館の建設運動や寄付など各種地域団体の協力があったことを知っておきましょう。「地域の団体の事務局を，公民館が担うこと」は社会教育関係団体に対しての援助規定はありますが，地域団体への援助規定はありません。といって法第22条の公民館の事業や法第23条の公民館の運営方針に違反しているとはいえません。この問題は，各市町村の自治体計画等による公民館の位置づけなどによっても対応は異なるでしょう。ただ，公民館と地域が疎遠になっているといわれる今日，その連携のあり方を模索し，行動をともにしながら実際の生活のなかから派生する課題について住民とともに解決しようとすることは，今日の公民館が，予算減や市町村合併で人員減など厳しいなかで，公民館の原点を見直すことにつながるでしょう。

最近の公民館は，事務分掌や前年踏襲主義のなかで，地域団体とのかかわりについて希薄化の傾向が顕著ですが，公民館から縦割り行政の壁を乗り越えて，地域の総合拠点として，運営の方針や重点目標に取り組むことも大切です。団体も公民館との距離が遠くなると，団体の役割や機能が低下し，さらには迷走する場合があります。公民館が今こそ初心に帰ることは，公民館や地域団体の再生への道となるでしょう。

法第20条で「一定区域」という言葉がありますが，公民館は地域や利用者によって支えられていることを忘れてはなりません。

Ｑ２は，公民館での販売についてです。法第23条では営利事業について「もつぱら営利を目的として事業を行い，特定の営利事業に公民館の名称を利用させその他営利事業を援助すること。」と規定しています。ここで大切なことは，すべての営利事業を禁止するものではなく，「特定の営利事業」への公民館の名称の利用や援助を禁止しています。この法第23条は「公民館の運営方針」について示したものです。営利事業の規定は団体への禁止事項ではなく，公民館の運営方針として公民館自身が戒めなければならない条項です。

【公民館Ｑ＆Ａ　第16回】

Q 1　公民館で，タバコを吸っている中学生や高校生を見かけることがあります。注意をしたいと思いますが，どのような対応をしたらよいでしょうか。また，指定管理者の職員の場合についても教えてください。

A　中学生や高校生などの未成年の喫煙の注意については，職員一人では勇気がいります。できたら複数の職員で注意をしましょう。未成年の喫煙は法に触れることを優しく話しましょう。それでも効果がない場合は，警察署や市町村では，青少年の非行などを担当する，たとえば児童相談所や青少年の非行対策の担当課に相談しましょう。また，民間のボランティアとして，補導委員などの制度を設けている市町村もあります。

こうした事例の場合は，近くの交番も対応してくれます。また，中学生や高校生の学校の生徒指導へ連絡し，巡回指導してもらうのも予防策として効果が期待できます。

公民館の使用に関して，地方教育行政の組織及び運営に関する法律（昭和31年６月30日法律第162号）第25条の規定に基づき，教育長の権限に属する事務の一部を公民館に事務委任できます。

こうした点から，公民館職員も公民館利用者をはじめとした来館者に対して，注意義務が生じると考えられます。したがって，来館者への気配りとともに目配りも大切です。

公民館職員も警察的な権限がなくても，公民館職員は施設の管理者として，さらに一人の大人として，こうした問題に対応することです。ここで大切なことは管理的な態度ではなく，未成年が喫煙をしてはいけないことを，対等な目線で話すことが重要です。威圧的な態度で叱責したらその後の反動が心配されます。反抗的な態度が度重なるようでしたら，深入りすることなく教育委員会と相談し，交番や学校への連絡をしましょう。

ホームレスも公民館や図書館をたまり場にする例があります。ホームレスがロビーなどの館内に入ると異臭で他の利用者から苦情が来ることがあります。トイレや水飲みの利用は仕方がありませんが，公民館の利用について説明し，速やかに退館してもらうようにしましょう。

指定管理者の公民館は公務員の職員がいない場合がありますが，市町村から委託されたものとして，未成年の喫煙については前述したことと同じような対応が求められます。また，いずれの場合も教育委員会，学校，警察などの関連部局との連携が求められます。

Q 2　公民館報（公民館だより）に，企業の広告を掲載して，公民館の臨時収入としたいと考えていますが，そのようなことは可能でしょうか。また，指定管理者の公民館の場合はどうでしょうか。

A　最近，自治体の広報紙にも企業の広告が掲載されています。市町村の歳入の確保のため，歳入を見込めるところはいろいろな方策で財源を確保しようとしています。

さて，質問の公民館報に企業の広告を掲載し，公民館の臨時収入としたいということですが，地方自治法には次のような条文があります。「（総計予算主義の原則）第210条　一会計年度における一切の収入及び支出は，すべてこれを歳入歳出予算に編入しなければならない。」

公民館報に広告を取り入れることは可能ですが，その収入は歳入として市町村の会計に戻入しなければなりません。したがって，公民館が臨時の収入として勝手に使うことは許されません。

指定管理者の場合は，地方自治法で「（公の施設の設置，管理及び廃止）第244条の２　普通地方公共団体は，法律又はこれに基づく政令に特別の定めがあるものを除くほか，公の施設の設置及びその管理に関する事項は，条例でこれを定めなければならない。（中略）８　普通地方公共団体は，適当と認めるときは，指定管理者にその管理する公の施設の利用に係る料金（次項において「利用料金」という。）を当該指定管理者の収入として収受させることができる。９　前項の場合における利用料金は，公益上必要があると認める場合を除くほか，条例の定めるところにより，指定管理者が定めるものとする。この場合において，指定管理者は，あらかじめ当該利用料金について当該普通地方公共団体の承認を受けなければならない。(後略)」と規定されています。指定管理者は経理も置くことになり，公民館報に広告を出すことは，委託者の承認があれば可能で，その収入は指定管理者の収入となり，公民館運営に使用できます。

掲載する企業については公募というように，特定の企業などに偏らないように配慮することです。広告を出すとすれば，公民館報が住民に読まれているか，企業などの広告主にメリットがあるかが問われます。そのためには，住民に読んでもらうように公民館報の内容の充実が不可欠です。

解説　私がある公民館に赴任したときのことです。毎日のように中学生が公民館でタバコを吸ったり，インスタント食品を食べたりして，公民館をたまり場にしていました。

それは前年から続いており，注意をすると車に悪戯されたり，前任者もその対応に困っていました。私とともに中学校の教員であった方がその公民館に赴任しましたので，その方から中学校での生徒指導について聞き，早速２人で対応にあたりました。

まずは，威圧的でなく，「こんにちは」とあいさつから入り，会話が交わせるようにしました。会話ができるようになって，公民館内や私たちの目の届くところではタバコは吸わないという約束をしました。一方では学校と綿密に連携をとりました。たまに怠学で公民館に来たときは女性職員が一緒に学校に行きました。学校が終わって公民館に寄ったときは，公民館にいることだけを学校に連絡し，先生に公民館へ来てもらうよう要請はしませんでした。いいつけになるからです。適当な時間になったら，帰るようにいいました。

こうしたことで約半年かかりましたが，公民館の中学生の騒動は収まりました。また，中学校と小学校の４校連絡会がありましたが，学校側の配慮で公民館もそのなかに入らせてもらい，学校との連携も密となり家庭教育セミナーなども円滑におこなえるようになりました。

小学生や中高生の来館は，騒がしい，喫煙しないかなど好ましく思わない職員もいますが，利用者に迷惑をかけたりしなければ，ロビーや図書室の利用はおおいに歓迎すべきです。またタバコなどの不良行為は，叱責することなく，学校や警察などへの言いつけは最小限に対応してみましょう。それで解決できなかったら，学校や交番への連絡なども必要となります。また，必要によっては監視カメラの設置なども検討することも効果があります。

ホームレスについては，問題が生じたらすぐに交番へ連絡しましょう。ただ，むずかしいのは「図書室を利用している」といって１日いられることです。異臭で他の利用者から苦情が出たときや居眠りをしている場合は，退館してもらうようにしましょう。

また，敷地内にたむろし，利用者などに迷惑をかける行為があった場合も交番に連絡し，速やかに敷地外に退去してもらうことも大切です。ただ，公民館の利用時間終了後，ひさしの下で寝て翌朝の開館前にいなくなるホームレスについては問題ないでしょう。

Ｑ２については，財政がひっ迫している今日，歳入として財源を求めるのが財政の大きな仕事になります。公民館では，本事例にあげたような公民館報に広告を載せることもそうですが，公民館使用料の有料化や値上げなどが，財政当局から求められています。公民館は法的に無償の原則はありません。しかし，財政的な側面も大切ですが，教育基本法第４条の「教育の機会均等」や法第３条の「国及び地方公共団体の任務」という観点から，住民に期待され，さらに地域の第一線として行政の発展にも寄与できるよう公民館の運営を充実させ社会教育活動の振興に資することが重要です。

【公民館Ｑ＆Ａ　第17回】

Q　地区内の団体から「公民館で新年会をしたいが，その席で飲酒は可能ですか？」という問い合わせがありました。公民館での飲酒はどのように対応したらよいのでしょうか。

A　「新年会で飲酒をしたい」ということですが，新年会については多くのサークルや団体が，年間計画で会の親睦を図るため，新年会や忘年会で公民館を利用していると思いますので，新年会で公民館を利用することは可能でしょう。次に飲酒は可能かどうかという点です。新年会に限らず飲酒を伴う利用として，敬老会，祭りの反省会，運動会の反省会，今はごく少なくなりましたが成人式や結婚式を祝う会などがあり，まだ多くの飲酒を伴う貸し出しがあるでしょう。また，飲酒を伴う貸し出しの可否も市町村の公民館によって異なると思います。

公民館は住民の茶の間ともいわれます。規模が小さくても住民との結びつきが強く，牧歌的な公民館では，各種催し物の後や地域行事の後など飲酒の機会が多いのではないでしょうか。

結論からいうと法的には公民館で飲酒をしてはならないという規定はありません。飲酒については利用の形態などを考慮し，公民館長が判断してはいかがでしょうか。また，最近都市部では，新年会などを店でおこなうサークルなどもあります。

新年会等で，公民館を利用するかどうかは，経費的な点や近くに店がないなど，地域団体やサークルの判断になるでしょう。

したがって市町村公民館の飲酒については，前述したように公民館長が判断するか，複数の公民館で統一した見解を必要とする場合は，公民館長会議や公民館運営審議会などの意見を聞いて決定したらいかがでしょうか。調整する公民館がない場合は，社会教育主事が公民館や審議会と調整して決めるのも一つの方法です。

解説 私が採用されたころの昭和40年代や50年代は，比較的公民館の飲酒については，現在より自由であったように思われます。一緒に酒を飲むことはよく飲みニケーションといわれて，お酒がコミュニケーションの潤滑油の役割を果たす場合もあります。特に農村部では多いでしょう。私が最後に勤めていた公民館も同様なことがいえました。私の先輩館長がよくいっていたことは，「夏はお茶の代わりにビールでもてなした」と。土地柄やそうしたもてなしが許された時代といえましょう。

余談でしたが，公民館は杓子定規では運営がむずかしくなることもあります。たとえば男の料理クラブが自分のつくった料理を肴に軽く一杯という場合はどうでしょうか。また，サークルが活動を終え時間内に新年会や忘年会をする場合，お酒を出すことはどうでしょうか。こうした場合，申し出がある場合とそうでない場合があります。

公民館は法第27条第１項で「公民館に館長を置き，主事その他必要な職員を置くことができる。」と規定されています。最近はマニュアルをつくりそのマニュアルに沿って判断する公民館長や，ややもすると公民館長不在や兼務の公民館が増えているのでしょうか。公民館長は前述のように公民館に必ず置かなければなりません。この飲酒のような場合はまさしく，そのときの状況や地域の雰囲気などの状況を把握して，即断即決というような公民館長の対応が求められます。公民館ではマニュアルだけでは対応しきれない部分が多くあります。それだけに各種研修をとおして自らの研さんが求められます。

さて，道路交通法の改正で，公民館で飲酒をする団体やサークルも少なくなりました。敬老行事や地区の新年会など飲酒を伴う貸し出しについては，公民館側も車を運転する人の飲酒はいけないこと，多量な飲酒は避けることなどを代表者に確認しておくことが必要でしょう。

公民館での飲酒について法や地方自治法の禁止規定はありません。公民館の貸し出しも法第22条（公民館の事業）第６号で「その施設を住民の集会その他の公共的利用に供すること。」と規定されています。その事業の実施にあたっては，法第20条（目的）に「公民館は，市町村その他一定区域内の住民のために，実際生活に即する教育，学術及び文化に関する各種の事業を行い，もつて住民の教養の向上，健康の増進，情操の純化を図り，生活文化の振興，社会福祉の増進に寄与することを目的とする。」という規定があります。したがって，飲酒が主目的の会場の貸し出しは法の禁止事項でなくても公民館の目的からして貸し出すことができないものと思われます。

【公民館Q＆A　第18回】

Q 1　公民館が画家の個展に会場を提供し，個展の作品を販売することは可能でしょうか。

A　「公民館でギャラリー的利用ができるでしょうか」という質問です。恐らく多くの市町村公民館では，「個人的な利用はできません。展示の部屋はありません。個人の作品を販売することは営利活動になります」等々で利用をお断りする公民館がほとんどだろうと思います。公民館によっては展示ギャラリーを備えている公民館や部屋を展示会場にする公民館もあると思いますが，展示期間や販売行為の禁止等の制約を付しているところが多いのではないかと思います。都市部では専門的なギャラリーとして，市町村立のギャラリーや文化的ホール等の貸部屋，民間のギャラリー専門店などがあり，画家の多くはこうした民間のギャラリーを使います。また，こうした問い合わせがあったら，そういう場所を紹介できるようにしておけばことは済むと思います。反面こうした専門施設がない市町村においては，対応がむずかしく，多くの場合はお断りしているのではないかと思います。

創成記の公民館や自治公民館では，貸し出しが可能だったでしょう。しかし公民館は1949年６月「社会教育法」で規定され，以来1956年「地教行法」の施行など，教育関連の法律が整備され，地域の総合施設としての性格から教育機関としての性格が強くなりました。こうした傾向とともに地域のさまざまな団体とも関係が希薄になってきました。創成記は地域の住民に支えられ地域に根差していた公民館も，今や財政事情で貸館が中心になり市長部局への移行，指定管理者の導入等公民館そのものの存在価値が問われ，住民や市町村当局にも見放され陸の孤島になりつつあります。

こういうときこそ，公民館の原点に立ち，現代における課題を見つめながら公民館運営をすることが大切です。この「画家の個展」の利用はただ法第23条に抵触するおそれが大きいということではなく，どうしたら貸し出しができるか，という方向で考えてみたらどうでしょうか。

Q 2　公民館を市の施設の魅力を高めるための活動の一つとしてネーミングライツ（命名権）などを実施できるでしょうか。

A　公民館の名称については，市民センターやふれあい会館など，社会教育法を設置根拠に運営している市町村は多くあると思います。しかし，公民館自身が命名権を実施することはむずかしいでしょう。第１に「○○公民館」という○○に住民の声が活きています。公民館は単なる造営物でなく，地域住民のオアシスです。そのオアシスがネーミングライツで呼ばれるようになったら，住民はどのように感じるでしょうか。また，法第23条の公民館の運営方針に逆行するおそれがあります。寺中作雄は『社会教育法解説』のなかで，「公民館の目的を忘れて営利のみをもっぱら追求したり，特定の営利的事業をなすものと協定し公民館事業の一部を委託したり特定者に特別の利益を与えるような計画を立てたりするようなことは，公民館の教育事業に名を借りて特定者を利することとなって，公民館の目的を忘却するにいたる。また営利会社或は営利会社と関係のある事業を行うものがその事業に関して公民館の名を用いて仕事をすることを認めることも厳に禁止しなければならない」と解説をしています。ここで大切なことはネーミングライツが公民館の目的と照らして

どうなのかということです。そういう問題は多くはないと思いますが，公民館の名称を変更する場合は，住民からの名称の公募など住民に親しまれる名称に変更することが肝要です。

解説　今，公民館が指定管理者への委託や市長部局への移行など，岐路に立っているといっても過言でありません。大きな理由は行財政改革の波に飲み込まれているのが一つの要因ですが，もう一つは公民館が市町村のなかでどのような位置づけにあるかという点です。職員も少なくなり異動のサイクルが早くなると，本来の目的を忘れ，目の前の事務だけをおこなうようになってしまいます。したがってサークル活動やわずかな予算での公民館事業に，行政にとって人件費や施設の維持のための管理的な経費を削減することが急務です。これは公民館だけではありません。さらに公民館職員も目的を失っているのかもしれません。公民館は地域の根無し草となってはいませんか。公民館は教育機関そして社会教育施設ですが，そこだけが強調されて地域の総合施設であるという原点を見失ってはいませんか。そして法第23条の解釈について記載されている事項はすべて禁止事項としてはいませんか。市町村によって差異はあると思いますが今一度見直す機会がきました。

全国市長会が2012年７月24日に「さらなる基礎自治体への権限移譲」及び「義務付け・枠付けの見直し」について政府へ【提案】したなかで「公民館運営方針の弾力化」が提案されています。その主な内容は「具体的な支障事例，地域の実情をふまえた必要性」として（前略）「しかし，現在公民館においては，営利を目的とした事業を行い，特定の営利事務に公民館の名称を利用させその営利事業を援助することができないことになっており，ネーミングライツを実施することや，個展において作品を販売することなど，これらの創意工夫に基づく活動ができない状況にある。現行の公民館の運営における営利活動に係る規定の枠付けを撤廃することにより，市の公民館の有効利用が図られるとともに，文化・芸術活動の振興を図ることができる」という提案です。

※編注：提案の経過については「２－１公民館の事業と運営―社会教育法第23条をあらためて考える」にて解説しています。

寺中作雄の『社会教育法解説』や1950年制作の「公民館」という映画には，公民館で散髪屋やパーマ屋，湯屋やパン屋などの例が出ています。これは「湯屋や散髪屋のない町村で，真にその住民の幸福上必要と認めてこれらの経営をなすとき」は可能である旨の解説をしています。個展については，こうした施設のない市町村は，特定の個人に偏らなければ，個展を希望する画家や書家などに貸し出しをしても問題はないと思います。また，法第22条に展示会等の開催があり，これは社会教育法の目的を逸脱しているとはいえません。

次にネーミングライツについては「A」でも記しました。公民館は住民のための学びや集い，結びの場所です。公民館にはふさわしいとはいえませんし，首長には公民館を理解してもらうことも必要でしょう。確か過去に市役所の命名権について話題になったことがありますが，実現しなかった記憶があります。公民館は住民のための施設であるということを再認識しましょう。

今再認識しなければと思う点は法第20条の目的と同法第22条の第５号と第６号です。特に法第22条の第６号の「住民の集会」「公共的利用」についてです。近年は「新しい公共」など公共に対する考え方も変わってきています。こうした時代に即応した対応や，第５号の地域の機関や団体との連携も大切です。地域の底力を活用しましょう。

公民館は本来人間相手の仕事です。公民館が事務的や管理的そして趣味的な講座だけでは，市長部局への移行や指定管理者になってしまうでしょう。住民の生活感が漂う汗や泥臭い公民館の運営が今こそ必要です。そのためには，日常の住民の生活感を感じ，多くの地域住民や団体・機関など接し，公民館もできるだけ門戸を広くすることが改めて必要な時代です。

寺中は『公民館建設』のなかで，「公民館は社会教育，社交娯楽，自治振興，産業振興，青年養成の目的を総合して成立する郷土振興の中核機関」という機能を期待していました。

特に当時の映画を見ると，産業の振興や生活改善など日常の生活を営むことに関心が多くあったように感じます。今日の社会は高齢化や少子化，情報化や科学技術の進歩など大きく変化しています。こうした日常生活に必要なことに対してどう公民館が立ち向かっていくかが求められてきます。公民館職員の創意工夫で，小泉公民館のように建物がなくても立派な公民館活動ができます。とにかく職員が額に汗して積極的に取り組むことが，住民や利用者の信頼を得，公民館が地域にとってかけがえのない存在となるでしょう。

朱膳寺　宏一（元千葉県公民館連絡協議会会長，元船橋市北部公民館長）

第3章

公民館を考える

3-1 公民館はどう語られてきたのか
―戦後70年の議論から考える公民館のこれから―

1　公民館をめぐる議論を問う

公民館は戦後の焦土のなかで構想され，1946年の文部次官通牒で公示された後，1960年代に全国に急速に広がりました。その後，とくに平成の大合併以降，公民館数は減少し続けています。しかし，現在でも全国に１万4,000館ほどの公民館があり，「このまま公民館がなくなって本当にいいのか」という問いが各地で発せられています。

私たちのこの社会を考えてみると，今日，少子高齢化と人口減少の急激な進展による社会保障制度の不安定化，産業構造の転換にともなう雇用の不安定化と非正規雇用の増大などによる経済的・社会的格差の拡大が大きな課題となっています。そして，そうした社会課題が人々の生活基盤を守らなければならない基礎自治体の疲弊をもたらし，住民自治組織の動揺を招いて，住民に未来に対する不安を与える大きな要因となっています。

ここで問われなければならないのは，基礎自治体を支える住民自治のあり方です。本来，地域コミュニティには，自治体の行政機能が低下しても，住民自身がそのコミュニティを経営するという意味での住民自治がしっかりと根づいていて，それが住民生活の維持を可能としていたという構造がありました。

公民館はもともとこのコミュニティに設けられ，その基本的な役割は，住民による地域コミュニティの自治を確かなものへと鍛え，基礎自治体の団体自治の基盤をつくり，住民生活の公的な保障を拡充することにありました。その基礎は，住民による地域自治なのです。

しかし今日，基礎自治体における団体自治の衰退がその基盤となっていた住民組織を壊し，住民の自治力が後退することで，さらに基礎自治体の行政機能を不全化するという悪循環が生まれています。拡大し続ける経済格差と近隣トラブル，そして貧困の静かな蔓延がそのことを端的に示しています。とくに，子どもの貧困状態は，先進国グループで最悪レベルだといわれます。「この社会を本当に次の世代へとつなげていけるのか」ということまでもが，問われる事態なのです。

いま私たちは，この社会の未来を持続可能なものとするためには，基礎自治体とその基盤である住民のコミュニティのあり方を，真剣に考えなければならない事態に迫られています。それはまた，住民生活の基盤としての「自治」を再生する道を探ることに他なりません。

一方で，こうした事態に直面して，政策的には，地方創生が重要課題とされ，地域コミュニティを住民自身が担い，経営し，この社会を次世代にきちんと受け渡していくための仕組みづくりの動きが活発化してきています。たとえば，総務省の地域総合生活支援サービスと地域運営組織の形成，厚生労働省の地域包括ケアシステムや地域共生社会の構築，国土交通省の地域防災の実施，そして文部科学省の地域学校協働活動の展開などです。

これらの施策の実施において，注目されているのが社会教育であり，その中心的な施設である公民館です。新たな地域運営組織をつくり，住民自身が地域社会を担い，相互に助け合って，住民の福祉を高め，さらに子どもたちへとこの社会を引き継いでいくための実践の核となる機関として，公民館が改めて注目されているのです。

しかし反面で，自治体の財政逼迫などもあって，既述のように公民館数は減少傾向にあります。その役割も文化・教養の学習の場に限定されてしまい，住民が地域コミュニティを担う実践の場としての役割を果たしているところは極めて少ないといっても過言ではありません。

私たちは改めて社会教育の役割を問い返し，あるべき公民館の姿を検討しなければならないのではないでしょうか。そして，社会教育・公民館の活動を通して，住民が地域コミュニティの担い手となり，あるべき新たな地域社会を構想する社会実践を進めることが求められています。

この試みを進めるためには，「なぜこうなってしまったのか」，「これ以外に道はなかったのか」を知り，「どういう未来にすればよいのか」，「それは可能なのか」を考える必要があります。そのためには，公民館の発足から今日までの間に，公民館はどのように語られ，社会の歴史的な課題や要請にいかに応えてきたのか，そしてその過程でその機能をいかに変容させてきたのかがとらえられなければなりません。

公民館関係者の連合体である公益社団法人全国公民館連合会は，専門委員会を組織して，これまでに過去3回，日本社会の変動期に「公民館のあるべき姿」を公表しています。第1回は1967年の「公民館のあるべき姿と今日的指標」であり，第2回は1970年の「公民館のあるべき姿と今日的指標　第二次専門委員会報告書」です。さらに，しばらくの間をおいて，生涯教育が政策課題となっていた1984年に「生涯教育時代に即応した公民館のあり方」を提起しています（以下，「第1次あるべき姿」「第2次あるべき姿」そして「第3次あるべき姿」と略称します。）。それはまた，公民館が新たな社会の状況に対応するための方向性を示そうとしたものだといってよいでしょう。その意味で，この「あるべき姿」を取り上げて，検討することは，過去，公民館がどのように語られ，どのような問題に直面し，それを乗り越えるためにどのような方向性を持とうとしたのかを理解し，これからの公民館のあり方の検討に活かしていくことにつながります。

以下，「公民館はどう語られてきたのか」について，この「あるべき姿」を導きの糸として，そのときどきの主な議論を紹介しながら，歴史的に検討していきます。

2　日本再生と新たな郷土づくり―文部次官通牒と寺中構想

戦後の公民館構想を政策として打ち出したのは，1946年の文部次官通牒（昭和21年7月5日）でした。その通牒には，敗戦直後の各地の町村において，郷土づくりの取り組みが進められていることを踏まえて，それをさらに推し進めるために公民館の設置を指導奨励することを目的とすることが述べられています。通牒は公民館について，次のように述べています。

「公民館は全国の各町村に設置せられ，此処に常時に町村民が打ち集つて談論し読書し，生活上産業上の指導を受けお互いの交友を深める場所である。それは謂はゞ郷土に於ける公民学校，図書館，博物館，公会堂，町村集会所，産業指導所などの機能を兼ねた文化教養の機関である。それは亦青年団婦人会などの町村に於ける文化団体の本部ともなり，各団体が相提携して町村振興の底力を生み出す場所でもある。この施設は上からの命令で設置されるのでなく，真に町村民の自主的な要望と努力によつて設置せられ，又町村自身の創意と財力とによつて維持せられてゆくことが理想である。」（昭和21年７月５日発社第122号　各地方長官あて　文部次官「公民館の設置運営について」，別紙「公民館設置運営の要綱」）

公民館は，戦争によって荒廃した人心を立て直し，日本を民主的で平和な国家へと再建するための，その基盤となる郷土の中核機関として構想されたのでした。この通牒の精神は，当時の社会の隅々にまで行き渡り，新たな社会建設への人々の意志を励ましていきました。たとえば，長野県竜丘村（現飯田市竜丘地区）の村長は，公民館の設置にあたって，次のように述べています。

「昭和二一年九月九日教育民生部長から公民館の設置と運営について次の通牒を受けました。国民の教養を高めて道義的知識的並に政治的の水準を引上げ，また町村自治体に民主々義の実際的訓練を与へると共に科学思想を普及して平和産業を振興する基を礎くことは新日本建設のため最も重要な課題と考へられるが，この度郷土の教育と交友と産業とを一体とする中枢機関として左記要綱に基き市町村の自発的創意と努力によつてそれぞれ公民館の設置を奨励することとなつたから特別の配意を願ひたく命によって通牒する猶同時に示されし設置運営要綱は非民主的な指令では絶対になく極力民主的，総力的な説明でその運営上にも県はみだりに監督がましい指示はせぬと言明してあります。」

「爾来新憲法の実施，学制改革の進展等により大に慎重なる研究を重ねましたが，この事は進駐軍教育局の重大注視事項でもあり，その設置遂行こそ郷土文化の発展新日本の平和的文化国家再建の理想を実現する鍵である。而して徹底せる郷土の民主化によつて新しき時代の先駆者たるこそ村人の待望する再び

築く母村の栄誉と確信致します。」（前島頼輔「公民館の発足に当りて」，『竜丘村公民館』第１号，1948年３月１日，１頁）

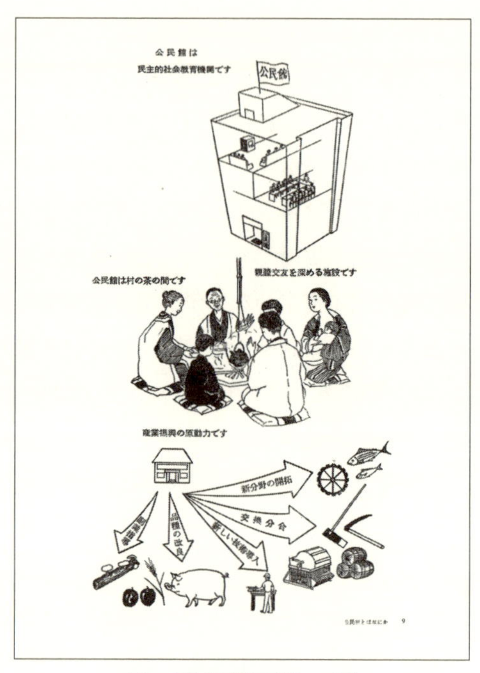

図　『公民館図説』 9頁

公民館の設置を説明する解説書の一つである『公民館図説』（小和田武典編著，寺中作雄監修，岩崎書店，1954年）には，図のような挿絵が掲げられています。この中でとくに注目したいのは，中段の「公民館は村の茶の間です」とキャプションがつけられた絵です。囲炉裏を囲んで，祖父母から乳飲み子までが描かれ，公民館が村の人々が顔と顔を突き合わせて懇談し，生活課題を話し合い，自ら村を経営していく核になる機関だということだけでなく，次世代を育成して，この社会を持続可能なものとしてつなげていくための基盤でもあることが，さりげなく描かれているのです。

この構想は当時の文部省公民教育課長（後の社会教育課長）であった寺中作雄らが作成し，連合国総司令部（GHQ）の成人教育担当官・ネルソンらとの綿密なすりあわせを経てとりまとめられたものでした。後に，この初期公民館構想は，「寺中構想」と呼ばれるようになります。

寺中による解説書には，公民館の機能について，次のように書かれています。

「第一に公民館は一の社会教育機関である。

第二に公民館は一の社交娯楽機関である。

第三に公民館は町村自治振興の機関である。

第四に公民館は産業振興の機関でもある。

第五に公民館は新しい時代に処すべき青年の養成に最も関心を持つ機関である。」（寺中作雄『公民館の建設─新しい町村の文化施設─』公民館協会，1946年，18-27頁）

しかも興味深いのは，文部次官通牒に次のように記されていることです。「尚本件については内務省，大蔵省，商工省，農林省及厚生省に於て了解済である……。」

住民生活のさまざまな側面に対応した行政領域が地域社会で総合化された，中核的な機関として公民館が構想されていたことがわかります。

3　初期公民館の変容

公民館はその後，1949年に制定された社会教育法で，明確に社会教育施設として規定され，1952年に発足した市町村教育委員会の事務へと組み込まれることになります。それでも，公民館は文部次官通牒の精神を受け継いで，学校教育からイメージされるような知識や教養の伝達という意味での教育ではなく，より広く市町村住民の実際生活に即して，その生活そのものの向上を図るための教育・学術・文化事業をおこなう拠点として位置づけられていました。しかし，当時の公民館関係者は，公民館が教育行政に組み込まれることに，抵抗感を感じていました。

つまり，せっかく新しい社会づくりのための中核機関としてつくられ，基礎自治体の首長が我が町，我が村の建設のために，公民館を設置しようとしていた矢先に，教育行政の機関だとされてしまっては，公民館がまちづくりから遠のいてしまうというのです。そこには，戦後の９年制義務教育の実施にあたり，新制中学校の校舎建設に教育予算を取られ，公民館にまで手当ができず，施設の建設が遅れ，結果的に公民館は施設ではなくて，機能や実践としてとらえられることとなってしまい，公民館の発展が阻害されるという不安と不満が存在していました。

当時の関係者は次のように述べています。

「昭和二十七年秋，地方教育委員会が全国的に設置されたが，これも公民館運動にとっては，一つの打撃であった。従来，熱心にこの運動を推進してきた市町村長を，公民館から隔絶する結果となったからである。……教育委員会の設置によって，教育行政が一般行政から離れるとともに，財政的措置の不じゅうぶんが目立ってきた。……公民館に直接責任をもつ教育委員会は，学校教育とくに義務教育の整備に追われて，公民館への関心が退潮しはじめた。教育委員会全般にみられる学校教育偏重の姿勢は……公民館の全面的な進展をはばんでいる。」（社団法人全国公民館連合会『公民館のあるべき姿と今日的指標・総集版』社団法人全国公民館連合会事務局，1982年，30頁）

しかも当時，新しい平和で民主的な国づくりの基盤として公民館を普及させるには，もう一つの大きな問題が持ち上がっていました。1950年からの朝鮮戦争でした。当時の様子を全国公民館連合会は，次のように総括しています。

「公民館指導方針に変化が見え始めたのは，昭和二十五年の朝鮮戦争以降である。基本的には，米ソの対立にもとづく，アメリカの対日政策の変化である。『平和』『文化』『民主』を指向する公民館をとりまく客観的，社会的諸条件は，いよいよ厳しさを加えていく。」（同上）

また，財政措置のあり方の変更によっても，公民館は大きな影響を受けることとなりました。その背景には，1953年から始められた昭和の大合併，つまり大規模な市町村合併による社会教育予算の圧縮が存在していました。その上，1955年の「地方財政再建促進特別措置法」によって，窮乏した地方財政において公民館関係予算も極端に切り詰められることとなったのでした。

そしてその後，経済発展を基調とした日本社会の構造的な変容によって，敗戦からの郷土の復興と平和で民主的な社会の建設のための中核施設という公民館の性格は，次第に変質することとなりました。公民館は文化活動や個人の趣味・娯楽の場を提供する市民サービス提供機関へと姿を変えていくのです。そこにはまた，経済発展によって社会機能が分業化され，それに対応する施設が設けられていき，従来のような総合的な郷土の中核施設としての公民館のあり方が有効ではなくなっていく事態が生まれていました。

「初期の公民館活動は，中央の構想に種々の問題をふくみながらも，地域住民の生活要求に基礎をおいて発展した。住民の自治能力の向上，自主的態度の育成，郷土産業の振興，文化的教養の啓培などに，相応の役割を果してきた。」「産業振興に関する施設や，生活保護・社会福祉などの施設が整備されるとともに，……マスコミの普及によって，文化的，娯楽的欲求が充足されるようになると，……これまでの公民館活動に，やや停滞のきざしが見えるようになった」のです（同上書，31頁）。

このような公民館をめぐる社会状況の変化に対応して，全公連は「第１次あるべき姿」を公表します。それは，戦後20年経ったところで提案され，専門委員会で足かけ３年間にわたる検討の末に公表されたものです。その時期はまた，日本社会が戦後復興を乗り越えて，1955年から1973年まで足かけ18年間続いた高度経済成長が，人々の生活を激変させ，また社会にさまざまな歪をもたらしつつあった時です。「第１次あるべき姿」は，戦後公民館構想からの公民館の変質を受けて，新しい公民館像を描こうとしたものでした。

この「第１次あるべき姿」は，寺中構想を「敗戦後，各地域に胎動しつつあった祖国再建の動きに呼応して，昭和二十一年に発せられた文部次官通達は荒廃した郷土民心に適合し，公民館運動の波は全国に広がっていった。」と評価した上で，「当時としてはやむを得ない一面であったが，それは施設観の強調においてじゅうぶんではなく，このことが現在まで尾をひいている。」と総括しています（同上書，４頁）。そして，その「解説」では，寺中構想以降の公民館運動を「教育文化・産業福祉・地方自治に関する総合的サービスセンターとして，地域住民の生活要求に広くこたえようとした」と高く評価しつつも，「次官通達の包括的・総合的な趣旨に比較するとき，社会教育法が，領域を『教育・学術・文化』に限定し，活動において政治・産業等とのつながりを見失ったことは，やはり問題なのだ」と指摘しています（同上書，38頁）。公民館が教育委員会の所管となり，一般行政との直接のつながりを失ったことが，公民館のあり方にとっては大きな影響を持ったことを示しています。

その上で，「第１次あるべき姿」の解説はさらに，1956年の教育委員会法の改廃と地方教育行政の組織及び運営に関する法律（地教行法）の制定による公選制教育委員会の廃止と任命制教育委員会の設置について，「教育行政が一般行政から独立すべきであるという，民主的教育行政の一つの基本原則に暗影を投じ，その独立性はいちじるしく弱体化し，この情勢の中で，社会教育は学校教育におさえられ，公民館に大きなブレーキとなった」と指摘しています（同上書，46頁）。

公民館をめぐっては，戦後復興の過程で，法制度が整備され，教育委員会制度がつくられ，さらにそれが公選制から任命制に切り換えられてきました。しかし，そのことが結果的に，公民館を住民生活と疎遠なものにしてしまい，新しい故郷をつくるための中核機関としての公民館本来のあり方を，文化教養の機会提供の場へと矮小化し，さらに一般行政からの自立性を弱めることで，その自由をも抑圧することとなったと，当時の関係者は批判するのです。

このことは，住民の「学び」という営みが，その本来もっていた生産や地域づくりとのかかわりを失い，いわゆる文化教養という高踏文化に限定されてしまい，さらにその学習活動そのものの自立性が奪われ，いわば学校的なものへと変質していったことを物語っています。このことが，行政がおこなうのは「社会教育」の環境整備なのであり，「社会教育」という営みではない，という指摘と重なっているのです（同上書，38頁）。

「第１次あるべき姿」は，施設論的な公民館論を求めていたのだといってよいでしょう。施設論とは，単なる建物や設備に関する議論ではありません。それは，施設を経営するためのハードウェアの整備，および学習内容編成や方法さらには施設経営論などのソフトウェア，またそれらを担う専門職論などからなる総合的な施設のあり方に関する議論であり，戦後公民館構想を実質化し，それを人々の自主的で自発的な社会教育の自由を保障する体系として構想することと結びついているものです。

この観点から，「第１次あるべき姿」は，戦後公民館構想があるべき施設論を持たなかったことで，その後の社会の機能分化によって公民館の機能を縮小させ，かつその自立性・独立性を失わせることとなったと批判するのです。

4　住民の自治能力の向上―公民館の目的

このような観点を基本として，「第１次あるべき姿」では，公民館の目的と理念を次のように述べています。「公民館は，住民の生活の必要にこたえ，教育・学術・文化の普及ならびに向上につとめ，もって地域民主化の推進に役立つことを目的とする。」「1　公民館活動の基底は，人間尊重の精神にある。」「2　公民館活動の核心は，国民の生涯教育の態勢を確立するにある。」「3　公民館活動の究極の狙いは，住民の自治能力の向上にある。」（同上書，5-7頁）

このような目的設定の背景には，戦後初期公民館構想の理念とともに，次のような認識が存在していました。「戦後，社会教育の再出発にあたって，まず強調されたのは『地域の民主化』であった。それは，中央集権主義，大都市中心主義に対立する地域に根ざす真の民主主義，いわゆる『草の根民主主義』の確立を目ざすものであった。民主主義を支えるものは，教養ある，自由・自発・自主・自律的な民衆である。……国民ひとりひとりが，自ら考え自ら行わなければならぬ。」（同上書，52頁）

戦争の辛酸をなめた人々が導き出した一つの答え，つまり自分の頭で考えて，行動すること，が明確に示されています。

上記の理念の背景には次のような認識がありました。「『地域民主化の推進に役立つことを目的とする』公民館が，なによりもまず民主的な存在でなければならないことは当然であるが，内に人間の解放や，人間の尊厳と価値の実現をめざして燃えあがるヒューマニズムの精神と理念を蔵さない限り，生気はつらつとした活動を展開し，真に住民の生命をまもり，その幸福を高めるような，きめの細かいサービスを行うこともできない」（同上書，54-55頁）。これは世界人権宣言にも通じる議論ですし，人類の普遍的な価値をおき，そこから具体的な施策としての公民館のあり方を規定しようとするものだといえます。

次に「生涯教育の体制を確立する」については，「学校教育と社会教育……は，しだいに融合しつつある」という認識（同上書，62頁）のもとで，「国民の生涯教育の態勢は，教育の全体構造のなかに，社会教育を正統に位置づけることから出発しなければならない」（同上書，60頁）といいます。ここには，世界の生涯教育の構想につながる普遍的な性格を見て取ることができます。

その上で，「住民の自治能力の向上」が「公民館活動の究極のねらい」だとされるのです（同上書，65頁)。それはまた，「公民館は……団体自治と住民自治の接点に立ち，両者を媒介するもの」という議論に展開していきます（同上)。その背後には，「住民の側では，都市化・大衆社会化の進展に従い，自治の意識と能力は後退し稀薄化しつつある。都市では自治会・町内会などの形骸化が見られるとともに，過疎地帯では部落会自体が崩壊しつつある」との問題意識から生まれた「ここに地方自治をになう住民教育の場としての公民館の重要性がある」との認識（同上）が存在しています。そしてこの認識から，次のような役割意識が示されることとなるのです。「新しい『社会連帯・自他共存の生活感情』が育成されなければならない」(同上書，66頁)。

5　都市化への対応と「第2次あるべき姿」

「第2次あるべき姿」(1970年）は，「第1次あるべき姿」の3年後，急激に変化する社会に対応すべき公民館のあり方を示すものとして公表されました。そのキーワードは「都市化」です。

この「第2次あるべき姿」は，「一　都市化に対応する公民館のあり方」，それを受けた「二　公民館をめぐる諸制度改善の具体案」から構成されています。その基本的な認識の枠組みは，「都市化は，地域社会における新たな教育需要を作り出している」(同上書，285頁）というものであり，公民館を「教育施設をともなう「教育機関」である」と定義する（同上）ところに，大きな特徴があります。

その上で，「第2次あるべき姿」は，公民館の「中心的な機能は「学習と創造」の機能に集約することが必要」だと述べます（同上書，288頁)。そこから公民館の機能の総合化に着目し，「地域の「茶の間」としての集会機能や地域発展の原動力としての機能をあわせもつことは必要」(同上書，289頁）として，戦後初期公民館構想を受け継ぐことを明示するのです。そして，「学習による人間の変革をともなわないかぎり，それらの機能はほんものとはなりにくい」として，「公民館の受け持つべき役割りは，市民の生涯学習態勢づくりをその原点とする」と指摘しています（同上）。

「第１次あるべき姿」で示された社会教育の性格，つまり行政は社会教育の条件整備をおこなうことにその作用を限定されるべきであり，社会教育という営為・事業をおこなうものではない，という観点がここに反映されていることを見て取ることができます。「第２次あるべき姿」では，それを市民の自律的な「学習」実践，つまり「生涯学習」としてとらえようとしているといってよいでしょう。

このような公民館の「機能」への着目から，今後の公民館のあり方に対する具体的な提案がなされます。それは「都市化」による人々の孤立と利用者の広域化という課題，そこからもたらされる学習要求の高度化，さらにそれらに応えるための新たな専門性の明確化，という論理で提示されます。

つまり「都市化状況の中で，孤独かつ孤立して，集団に属しえない人々がますます多くなっている実態をふまえ，……それらの人々に対して，積極的な魅力を持つ「いこい」「娯楽」「社交」のための場とふん囲気の設定されることが必要」（同上書，291頁）。「都市化が進む中では，従来の居住地域を越えた集団や職場を中心にした集団が増加しつつあり，それらの集団はこぞって自由に使用できる集会の場を求めている」（同上書，292頁）。「生涯学習の態勢の確立とは，ひとりの人間がいつまでも，どこまでも継続して学習を積み重ね，続けうるものでなければならない。その具体化（実際化）として教育態勢の構造化を強調したい……。」「一定の段階をマスターすれば次の段階にすすみ，さらに高度の段階へすすみうるような学習が用意される教育態勢づくりが必要」（同上書，292-293頁）だというのです。

さらに，このようなあり方を実現するために，専門職としての公民館主事の配置が強く主張されることとなります。その専門性は，「生涯教育のための学習内容の編成者である」とされます（同上書，294頁）。

そして，このような「都市化に対応する公民館のあり方」を受けて，公民館をめぐる諸制度の改善の具体案では，公民館を「社会教育機関」であると，「教育」を強調する形で位置づけつつ，その設置義務化と専門職制の確立，財政保障（財源の国庫負担）を求めることとなっているのです（同上書，295-313頁）。

全般的に，「第2次あるべき姿」は，「第1次あるべき姿」に比べて，「都市化」をキーワードに急速に孤立の度合いを深める個人に焦点を当てた上で，次の2点を強調するものとなっています。第一に，その生涯にわたる「人間の変革」（同上書，289頁）のために，「教育」機能を高め，そのための専門の施設としての性格を強めること，第二に，潤沢な税収を背景として，施設としての自立性を高めること，この二つです。

このことはまた，次のようにいってもよいでしょう。「第1次あるべき姿」において通奏低音のように公民館のあり方に影響を与えていた「教育文化・産業福祉・地方自治にかんする総合的サービスセンターとして，地域住民の生活要求に広くこたえようとした」公民館（同上書，35頁）という初期公民館構想から，「第2次あるべき姿」では，その構想において欠けていると認識された施設論的公民館論への傾斜を強め，その議論と「都市化」がもたらす人々の孤立などの危機への対応の必要および潤沢な税収を背景とした財政的な拡充が結びつくことで，公民館を専門職制に支えられた「教育」機関として自立させ，人々に教育機会を保障する公共施設として拡充するという方向性が明示されたのだ，と。その先にあるのは，市民の生涯にわたる「学習」の保障です。

6 「第3次あるべき姿」の公民館像とその背景

「第1次あるべき姿」「第2次あるべき姿」を経て，その後，公民館をめぐる議論に大きな動きが見られるのは，生涯教育が国民の学習権論を経て，「生涯学習」論へと展開しようとする1980年代の前半です。この時期は，日本社会が製造業を中心とした拡大再生産，つまり大量生産・大量消費の物質的な規模の拡大を追い求める経済発展の時代，すなわち産業社会としての発展が頂点に達し，いわゆる消費社会，つまり金融・情報さらにサービス産業を基本とした価値の多元化の時代へと足を踏み入れようとしていた時代と重なります。

政治的には，従来の製造業中心の社会に対応した行政システムを新たな金融・情報・サービス産業を基本とした社会のそれへと組み換えようとする行政改革（いわゆる行革）が進められていました。その検討・実施組織が，内閣に1981年に立ち上げられた第二次臨時行政調査会（いわゆる第二次臨調または臨調）です。教育においてもシステムの見直しがおこなわれ，それは教育臨調と呼ばれました。そこでは，産業社会の国民を育成するための学校が機能不全を起こし，校内暴力や不登校（当時は登校拒否と呼ばれました）が社会問題となっていたことが課題化されていきます。

この「教育臨調」の議論に国民の関心が集まり，青少年の健全育成のためには教育を抜本的に見直し，新たな教育の仕組みが必要だとする世論が強くなるなかで，教育システムを学校教育中心のそれから生涯学習体系へと転換していく教育の大改革の必要性が政治課題となっていきます。この議論のなかには「文部省不要論」などもあったため，文部省の中央教育審議会ではなく，首相直属の諮問機関である臨時教育審議会（臨教審）が1984年に設置されることなります。

臨教審は1984年から1987年までの４年間に，大議論を経て，第１次答申から第４次答申までの４つの答申を提出して閉じられますが，それは，大学入試改革から義務教育のあり方などの具体論から始まって，社会のあり方と教育の目標といった理念までを提起するものとなりました。臨教審が提起した目指すべき教育の形は，これまでのような画一的な価値にもとづく均質な国民の育成ではなく，個人のニーズにもとづく生涯にわたる学びを通して，一人ひとりが社会に自らの位置を占めることで社会を活性化させることを教育の目標とするものでした。臨教審は，人々の継続不断の生涯にわたる学びの営みを「生涯学習」と定義し，その学習の機会を整備する行政的な営為を「生涯教育」と呼びました。

このような状況の下，全国公民館連合会は，1981年に総会で公民館の「あるべき姿」の新版をつくることを決定し，翌82年に第５次専門委員会を設置し

（「部内情報　全公連第五次専門委員会」，『月刊公民館』1982年５月号），「生涯教育時代における新しい公民館像について」の検討を始めています（田代元彌「全公連第五次専門委員会が当面する問題状況（上）」，『月刊公民館』1983年２月号，28頁）。第５次専門委員会は，1982年２月に「生涯教育時代に即応した公民館のあり方について」の諮問を受け，検討を開始し，1983年７月に中間報告，1984年６月に本答申「生涯教育時代に即応した公民館のあり方」を出しています。これを「第３次あるべき姿」と呼ぶこととします。

「第３次あるべき姿」の背景は，日本社会の生涯教育時代への転換にともなう急激な社会構造の変容ですが，それを第５次専門委員会は，公民館をめぐる「社会状況」，「教育状況」，そして公民館自体の「内的状況」の激変であるととらえて，まず「中間発表」で，次のように指摘しています。「目前に迫っている二一世紀に向かって，さらに急激な変化を遂げようとする社会動向に正対する姿勢を整えること」，「誤認を伴ないまた実体が甚しくあいまいなわが国の生涯教育（論及び体制）そのものについて究明する」こと，公民館の教育機関としての「どこにその性格や活動の焦点がおかれるべきか」を本質的に解明することが求められている（「全公連第五次専門委員会中間発表　生涯教育時代に即応した公民館のあり方」，『月刊公民館』1983年７月号，37-38頁）。

その上で，「本答申」ではこの認識をさらに深めて，次のような時代状況が描き出されています。とくに，社会の構造的変化にともなって人々が孤立の度合いを深め，社会が分断されるとともに，公民館そのものが公教育機関としての性格を失っていくことへの厳しい危機意識が表明されるのです。

本答申の「総論」は次のように述べています。「科学技術の進歩にしたがって，産業構造が変わり，そこにおける勤労の様態も変わる。」「人間の世界観，価値観が多様に変化し，住民個々の教育に対する要求内容や水準に関する考慮も複雑になる。」「衣食住の様式や余暇の活用方式にも，たえざる変化が見られ，教育のプログラムにも新たな構想を加える必要に迫られる。」「人間相互の関係が薄らぎ，地縁的結合がいっそう流動的にな」る。「平均寿命の延伸に伴い，従来の単純なライフサイクル論による学習課題の選択を，世代間にまたがる新しい問題も含めて再検討しなければならない。」（(社) 全国公民館連合会第五次専門委員会「《答申》生涯教育時代に即応した公民館のあり方」,『月刊公民館』1984年６月号，17-18頁）

そして，これらをまとめて，「社会のあらゆる分野において，『分化』と『総合』とが繰り返される現代」である（同上）と述べています。この危機意識から，「第３次あるべき姿」には次のような前提が置かれていました。

「もともと社会教育は，時代の変化を予見し，住民がその生活を守り，発展させるのに必要な教育課題をとらえて，適切な学習の機会と場を提供しその成果を地域に還元することを本旨するものであり，それは学校教育とともに生涯教育の中核をなすものである。公民館はその実践の中枢機関としての任務を課せられている」（同上答申，同上雑誌，17頁）。第１次専門委員会の「第１次あるべき姿」にも示されたように「公民館活動の究極のねらいは，住民の自治能力の向上にある。／公民館は，社会連帯・自他共存の生活感情を育成し，住民自治の実をあげる場とならなければならない。」（「第五次専門委員会答申　内容解説　連載第七回」,『月刊公民館』1985年３月号，30頁）

その上で，この観点から，「第３次あるべき姿」は公民館の公教育機関としてのあり方を次のように規定します。「住民の直接の生活にかかわる地域社会に本格的に結び付き得るか」。「住民自身の中にある生活向上のための底力を掘り起こし，これに方向づけを正しくし得るための教育刺激を与え，学習の結果を地域社会に還元するところに重点を置く」。「生涯教育体制のもとでは，各種機関が相互に協力，補完し合う必要があ」り，「総合的な地域教育計画をもとにしなければならない。公民館は，住民の意志を集約して計画に反映させ，かつ計画にそって展開される活動の調整につとめなければならない。」（前掲「答申」，前掲雑誌，19頁）

そして本答申は，これらを改めて総括して，公民館の目的を次のように指摘します。「あらためて説くまでもなく，地域社会に深く根をおろす教育とは，究極的に『住民の自治能力を啓培する』ことをめざすものである。」（同上「答申」，同上雑誌，20頁）

こうして，「第３次あるべき姿」は，公民館のあり方を次のように述べることになります。

まず，公民館は生涯教育時代の公教育機関であると明示され，「住民に働きかけて，学習活動を動機づけ，さらに共同の学習の場を設定してそこに参加するように促す」ことが必要だが，学習の「内容を個々の生活に合わせて進化させ，具体化する活動に進むことが本当の学習であると」住民に意識させ，学習を実践させ，「個人による学習の成果は，自己の生活に還元されるばかりでなく，地域社会の営みに反映されなければ」ならず，「地域活動の方向を正すための世論形成を促進する」必要がある，というのです（同上「答申」，同上雑誌，21-22頁）。そこにはまた，そうでなければ，「自己と周囲とを的確に見定め，適切な判断に基づいて行動する人間は容易には育たない。そのために地域社会は今後いっそう動揺をし不安定の度を増すおそれがある」（同上「答申」，同上雑誌，22頁）という危機意識が存在していました。

さらにこの観点から，「第３次あるべき姿」は，公民館という公教育機関を経営するためには，専門職としての職員とそれを保障するための専門職制の確立が不可欠であることを，次のように指摘します。「価値観がますます多様になり，住民の意識や行動の仕方が細分化していくこれからの時代に向って，多数の住民の生活基盤である地域社会を分裂・崩壊から建設・発展の方向に変えて行くには，豊富な教育資料と教具とを整備し，適切な指導助言のサービスを行う専門的職員の配置が前提となる」（同上「答申」，同上雑誌，29頁）。

そして，以上を総括して，本答申は次のように公民館のあるべき姿を指摘して，結んでいます。「近づく二一世紀にそなえ，変化してやまない地域社会に深く根を下ろして，自ら学ぶことをとおして住民の結びつきと社会生活の発展を促す公民館の責任は重かつ大である。」（同上「答申」，同上雑誌，38頁）

7　不利益分配の政治と生涯学習政策

今ここで，私たちが改めて注意すべきは，「第３次あるべき姿」も第１次・第２次の「あるべき姿」と同じく，公民館や社会教育の公教育性の根拠を，地域住民の「住民自治」においているということです。この「第３次あるべき姿」の観点が重要になってくるのは，1999年から2010年まで続けられた基礎自治体の合体・編入，いわゆる「平成の大合併」を迎えてからであるように思われます。

この大規模な合併は，利益誘導・動員型政治の終焉を意味していました。民衆意識を動員し，国民経済を発展させるとともに，国家的な凝集力を高めるための利益誘導としての政治ができなくなり，一方で国民を国家的な保障から切り離していくこと（＝利益分配の停止）が，他方で国民に増税を基本とする「痛み」を分配し，受け入れさせる政治（＝不利益を分配し、負担させる政治）が求められることになったのです。しかもこの過程で，自民党長期政権の基盤は崩壊し，細川政権や民主党政権へ政権交代が繰り返されることになります。

このような社会では，人々の意識は個別化し，帰属の感覚を失っていく傾向を示すようになります。「正義」が支配する秩序だった社会は解体され，自己中心的な「いがみ合い」を基本とする社会へと移行していくのです。そして，合理的な財の分配にもとづく安定した社会から，自分が決定に参加しないままに不利益の分配が決められてしまう非合理な社会へと移行する結果として，社会の不安定性が増大し，人々は孤立して，自己防衛に走ることになります。

このような状況に呼応したように，2004年の中央教育審議会生涯学習分科会の審議経過報告書「今後の生涯学習の振興方策について」では，次のような論理が展開されています。

まず，従来の生涯学習が「現在の社会の要請に必ずしも適合していない」として，生涯学習が「社会の要請」に応えるべきものであることが明示されます。その上で，「生涯学習振興にあっては，個人の需要と社会の要請の両者のバランスを保つことが必要である」と指摘し，続けて「社会を形成する自立した個人の育成が課題であると同時に，自らが社会づくりの主体となって社会の形成に参画する「公」の意識を持つことが重要になっている」と述べられるのです（中央教育審議会生涯学習分科会審議経過報告書「今後の生涯学習の振興方策について」，2004年）。

この論理を平成の大合併や地方分権の動きとの関係で見てみると，生涯学習は，「社会の要請」を「当該自治体の要請」へと読み替え，住民の行政への「参加」を促しつつ，人々の多様な学習を統合して，社会に活かしていこうとする施策へと位置づけられることになります。つまり，生涯学習が自己責任論に回収されるとともに，住民各個人の責任において行政参加を進め，社会的要請に応えて，安定的な社会を再構築することが求められるようになるのです。

この論理のなかでは，生涯学習行政は，一行政部局である教育委員会の手を離れ，総合行政として首長部局主導でおこなわれるべきものへと転換していきます。このことは，昨今，多くの基礎自治体で，生涯学習を教育委員会の所掌からはずし，総務部や企画部など首長直轄に近い部局の所管へと移し替えていることに端的に示されています。

8　これからの社会に向けて

その後，2006年12月に教育基本法が改定されて，第３条に生涯学習が明記され，2008年には，学習指導要領の全面改訂に呼応するように，２月に中央教育審議会答申「新しい時代を切り拓く生涯学習の振興方策について」が出されることとなります。

この答申は，顕著な特徴を備えたものでした。2011年施行の新学習指導要領はOECDのPISA型学力を強く意識した上で，基礎学力の重視と問題解決の「能力・態度」の育成を重視するという２つの学力重視を並立させ，その背景に知識基盤社会と持続可能社会という社会観を明示していました。これと呼応するかのように，生涯学習の振興方策の答申においても，あるべき社会観として知識基盤社会と持続可能社会が明示され，それが「知の循環型社会」と命名されたのです。

自由で自立した個人を前提としていたはずの消費市場型の生涯学習は，ここにきて，「自立した個人」による「自立したコミュニティ（地域社会）の形成」が「持続可能な社会」と結びつけられることで，「自らのニーズに基づき学習した成果を社会に還元し，社会全体の持続的な教育力の向上に貢献する」「知の循環型社会」構築のための方途として，問い返されることとなったのです。

さらに，2011年1月に出された中央教育審議会生涯学習分科会「生涯学習・社会教育の振興に関する今後の検討課題等について」では，「学びを通じた個人の自立と『絆』の再構築」が謳われ，それが「地域課題の解決」へと連動する論理の構造が示されることになります。

しかし，このようないわば国家的な要請からなされた「生涯学習によるまちづくり」，端的には，生涯学習を用いた住民の行政参加とそれによる自治体の再統合の試みは，今のところ成功しているとはいえません。

ここで問われなければならないのは，個人の消費的な学習から「社会の要請」に応じる学習へと生涯学習の方向性を政策的に切り換えても，個人を社会へと媒介することはすでに不可能だということです。なぜなら，個人と社会とを媒介する「何か」が疲弊し，解体しているからです。

国のいう「社会の要請」の「社会」とは，当該自治体と読み替えのできるもので，抽象的な行政的・制度的社会概念です。しかし，個人という具体的な存在をこの社会という抽象的で行政的な空間・組織概念へと媒介し，個人がその社会のなかの存在，つまり国民または住民として位置づきつつ，求められる役割を担うためには，具体的な人々一人ひとりを社会的存在としてそこに十全に位置づける具体的な場所が必要となるのです。

個人を社会へと媒介する「何か」とは，表面的には「場所」のことです。しかし，個別的で具体的な存在である個人にとっては，それだけでは不十分で，つまり自他の相互承認と相互扶助を可能とする「何か」，すなわち場所の基礎となるべきものが問われなければならないのです。それは端的に，人と人との関係，とくに認めあい，高めあい，新たな社会をつくって担う主人公としての人々の相互のかかわり合いのことです。

そしてこのことは，寺中作雄が戦後の公民館構想を語るにあたって提示した「近代の最も大なる発見」としての「社会」の新たな姿であり，「社会に於ける自覚的個性の存在であり，社会我である」もの，つまり「自我」の今日的な姿なのだといえます（寺中作雄「公民教育の振興と公民館の構想」，『大日本教育』，1946年１月号，２頁)。

そして，私たちは今日，上記のような観点から，改めて新たな「公民館のあるべき姿」を構想する必要に迫られています。この社会における公民館とは，私たち一人ひとりが自分が住む地域コミュニティの住民であり，他者とともに，人々の言葉にならない声を聞き取って，言葉にしてお返しし，対話を促し，価値の相違を次の新たな価値の創出へとつなげつつ，常に新たな社会をつくっては変革していき続けること，それを「学び」という動的な生活の営みとして紡ぎ続ける場，そういうものとして構想される必要があるのです。

執筆・牧野　篤（東京大学大学院教育学研究科教授）
監修・吉田博彦（特定非営利活動法人教育支援協会代表理事）

「学び」を地域コミュニティに実装する
―想像力と配慮による当事者形成のプロセスを考える―

序 「学び」と地域コミュニティの焦点化

(1) 人生100年時代と社会の変動

人生100年時代が到来している。私たちの社会は，高齢化へ足を踏み入れて，すでに半世紀になろうとしている。その間，人口構造が少子高齢化・人口減少へと変わっただけでなく，私たちの生活にかかわる社会の様々な領域で，構造的な変化とでも呼ぶべき新たな事態が生起している。それはたとえば次のような現象として，表面化している。

つまり，Industry 4.0やSociety 5.0と呼ばれる人工知能を基盤とした社会の到来，貧困など社会の分断と人々の孤立，激甚災害の頻発，さらには2019年末から全世界的に流行し，多くの罹患者と死者を出した新型コロナウイルス感染症のパンデミックなどがそれである。しかも，日本では2060年には認知症患者が1,150万人を超え，総人口の13パーセントを占める時代がやってくると予測されている。また長期的には自然環境の破壊や気候変動による生態系の異変など，社会の外部環境の大きな変化がある。

これらはすべて，従来の社会とくに市場社会のあり方に疑問を投げかけるだけでなく，人々のコミュニケーションのあり方にまで，大きな影響をもたらしている。これらはいわば，産業社会（工業社会）の基盤である人間のあり方に対して，私たちに再考を促す社会の構造的な変化であり，また社会問題だといえる。私たちは，従来の社会とは異なる社会イメージを，これまでとは異なる新たな人間像と組織論を基礎として，創造し，それを実装して，社会を革新していくことが求められる時代にすでに身を置いているのだといってよい。

それは端的に，記憶や経験が社会の共有のものではなくなり，そのことが引き起こす人々の孤立，社会の砂粒化として現れている。私たちは，人々の価値観の多様化・多元化，そして人々の記憶・経験をベースにつくられていた社会の構造的変容という事態に直面しているのである。そしてそれは，この社会の基盤であったいわゆる「地域」の解体として，人々の日常生活においては感受されることとなる。それはまた，人々に，その生活の延長上に意識される「国」（くに・国家）の枠組みの動揺としても感じられ，人々自身の帰属の消失，つまり孤立として，そしてそこから導かれる自己責任論と自己防衛への強迫感として受け止められることとなる。

この社会には分断線が縦横に走り，人々の孤立が深刻化していくのである。

このような社会の構造的な変容に直面して提起されたのが「人生100年時代」である。そして，人生100年時代の社会においては，「学び」がすべての人々にとっての課題となる[1]。一つの価値観が大多数の人々に共有され，その価値を尺度とした競争で発展する社会ではなく，多様な価値観が人々を覆い，常に価値を組み換え，変化し続けることで，活力が生まれ続けるような社会のあり方が模索されているのだといえる。つまり，拡大や発展そして競争ではなく，生成と変化そして協調を基調とするあり方へと社会が変容していくことを意味している。

⑵　「学び」という運動

このような社会では，人々は過去に学んだ知識を一つの価値観にもとづいて生涯にわたって使い回すことはできなくなり，常に知識を更新し，新たな価値を生み出し続けることが求められる。学び直しが必要となるのである[2]。しかもその社会では，あらゆる人が価値の創造者であり，他者との対話の主体であり，社会をつくる担い手となり得ることとなる。

人々の人生100年のあらゆるステージが，社会にとってなくてはならないものとなるのである。このような社会では，高齢者は施策や対策の対象ではなく，社会の主な担い手となる。そして，人生100年時代を構想することは，必然的に，この社会の持続可能性を高めること，つまり次世代の担い手を社会総がかりで育成することを求めることにつながっていく[3]。子どもたちが改めて社会的な関心の焦点となるのである。しかも価値多元的で，価値の生成と変化を基調とする社会においては，国という大きな単位の一律の価値観に支配された教育（国民教育）ではなく，むしろ地域コミュニティ単位の，様々な住民が様々な生活の価値を生み出して日々生活しているその現場で，子どもたちが多様な人々との間で育つことで，多様な価値を生み出し，変化させる主体として，自分をつくりあげていく実践が求められる。高齢者が対策の対象から社会の担い手へとその位置づけを変化させたように，子どもも保護と教育の対象から価値を生み出す主役へとその位置づけを変えることとなる。子ども自身が，将来のおとなとして期待されるだけでなく，現在の主役として尊重されることとなるのである。

このような営みを担保するのが，社会教育や生涯学習という人々の日常的な学びの実践である。それは，何か知識や文化を学ぶというよりは，むしろ人々が地域コミュニティに生活する者として，自らがコミュニティをつくり，経営する上で，必要なことを互いに教えあい，自分を日常生活における社会的なアクターとして，他者とともにつくりだし，かつ地域コミュニティを変革していく主役として生成し続けること，そういうことである。つまり，過去の記憶や経験，そしてそれらにもとづく知識を伝え，受容するということだけではなく，むしろ地域コミュニティという日常生活の舞台で，他者とのかかわりのなかで，自らのありようを組み換えつつ，関係を構成し直して，新たなコミュニティをつくりだすとともに，日々新たな自分を他者とのかかわりを通して生み出し，生活の価値を生成し続ける運動，そして自らがその主役となることが，人々の日々の営みとなるということである。この人々の運動を「学び」と呼んでおきたい。

「学び」と「地域コミュニティ」が主題化されるのであり，この二つがどのようにして結びつきつつ，人々自身が新たな生活をこの社会の草の根からつくりだすアクターとして自らを形成すること，つまり当事者性を獲得することを促すのか，その筋道を明らかにし，新しい社会のあり方を模索することが，私たちに求められることとなるのである。

(3)　当事者性獲得の筋道：本稿の課題

本稿では，上記の課題を受け止めつつ，筆者の研究室が進めている二つの自治体との共同研究の事例を参考にして，子どもや高齢者を含めた地域住民が，自らが生活する地域コミュニティにおいて，他者とのかかわりのなかで，どのような変化を見せ，どのように地域コミュニティの担い手として自己を生成していくのか，その筋道に対して初歩的な考察を加えることとしたい。本稿で取り上げる実践は，岐阜県岐阜市との共同研究事業「ぎふスーパーシニア」地域学校協働活動事業と長野県松本市との共同研究事業「住民自治を基盤とした新しい社会システム構築」事業である。

前者は，岐阜市A小学校区をモデル校区として設定し，地域の高齢者を中心とした住民と学校との協働を組織して，子どもたちを見守りつつ育てる地域─学校の関係を構築する事業である。その過程で，学校内に地域住民と子どもたちが交流できる「場」(子どもたちによって「ハートルーム」と命名された)が設けられた。そこに筆者の研究室の院生たちが訪問して，時には「常駐」と呼ばれる滞在を通して，住民と子どもたちを結びつけつつ，新たな地域─学校関係を構築する取り組みが進められていった。いわば，ハートルームを拠点とする地域住民と子どもたちの交流の定点的かつ持続的な組織化である。本稿では，その過程でとくに地域住民にどのような変化が生まれ，そこに院生たちがどのような役割を果たすこととなったのかを検討することとしたい。

後者は，松本市がもつ町内公民館（自治公民館）を活用して，地域住民自身が自ら地域経営の意識的担い手となることを通して，住民自治を草の根から改めてつくりあげ，自治体行政のあり方を住民の学習を基盤とする協働型の仕組みに組み換えるための基礎研究である。そこでは，初年度の網羅的な訪問調査によって全市に487ある町会（町内会組織）から選ばれた三つの町会に対して，筆者の研究室の院生たちがワークショップという「形式」を持ち込み，町会役員をはじめとして，子どもや高齢者など，その都度異なる住民たちとの会話を組織し，相互の交流のなかから地元町会のあり方を検討することが試みられた。この過程で，住民の意識にどのような変化が生まれたのか，そしてそこに院生たちのかかわりがどのように作用したのかを検討することとしたい。

この検討によって見出されるのは，結論を先取りしていえば，住民が院生たちを触媒として，相互に想像力を働かせて，互いの思いを受け入れあって，配慮しあい，ともに地元の当事者として自己を形成していく姿であり，院生たちも触媒としてそこにあることで，彼ら自身がその場における当事者性，つまり当事者としての自分のあり方を獲得していく姿であった。いわば，よそ者が介在することによって，地元を担うことへの駆動力が住民のなかに生まれているのである。

以下，具体的に検討していく。

（なお，本稿は，拙稿「想像力と配慮：よそ者が当事者になること」（東京大学大学院教育学研究科社会教育学・生涯学習論研究室「ぎふスーパーシニア」共同研究チーム『ともに当事者になるということ―「ぎふスーパーシニア」共同研究第３年目の報告―／学習基盤社会研究・調査モノグラフ19』，2020年５月，終章）および拙稿「住民変容の筋道―ワークショップの特徴」（東京大学大学院教育学研究科社会教育学・生涯学習論研究室「住民自治を基盤とした社会システム構築事業」共同研究チーム『自治に気づくワークショップ―住民自治を基盤とした社会システム構築事業　松本市調査報告書・２―／学習基盤社会研究・調査モノグラフ20』，2020年６月，終章）を加筆修正したものであることをお断りしておく。）

1　岐阜県岐阜市Ａ小学校区：住民の変化に見るよそ者の当事者性[4]

(1)　住民変化の５段階

2019年度の共同研究では，Ａ小学校ハートルームにおけるクラブ活動の実践を通して，地元住民とくに高齢者と子どもたちの交流の促進が重点的に取り組まれた。その結果，かかわった院生たちによって，成果として６点（ハートルームの活用頻度の増加，学校と地域をつなぐ仕組みづくりの進展，教師の積極的な動き，学校のリーダーシップの確立，高齢者の子どもへの積極的かかわりと自己の役割への自覚，コーディネーターの役割の重要性への認識の高まり），課題として5点（既存の地域学校協働推進体制の組み換えの必要，教師との連携強化の必要，学校と地域の関係における子どもの成長についての検討の必要，保護者との関係づくり強化の必要，高齢者の学びを支える職員の配置と活用の必要）が提示された。

この活動を通して，地域住民とくに高齢者がハートルームの実践へのかかわりを通して，どのように子どもとの関係をつくり，子どもの自主性を育みつつ，自身の当事者性を高めてきたのかを検討することで，5つの段階のプロセスが見出されることとなった。高齢者の変化を，KJ法を使ったエピソード記述として描き出してみると5個のカテゴリー（段階）と2個のサブカテゴリーにまとめることができる。それを時系列に沿って構成し直すと，次のようになる。

つまり，地域住民たちは「①ハートルーム活動への参加」「②子どもへの関心・好奇心」「③関係性構築への課題意識」「④個別具体的な関係性の構築」を経て，最終的に「⑤子どもの自主性とシニアの当事者性」に到達しており，また「④個別具体的な関係性の構築」は，「小さな変化を重ねあう関係」「楽しさを共感しあう関係」の2個のサブカテゴリーに分類されるということであ

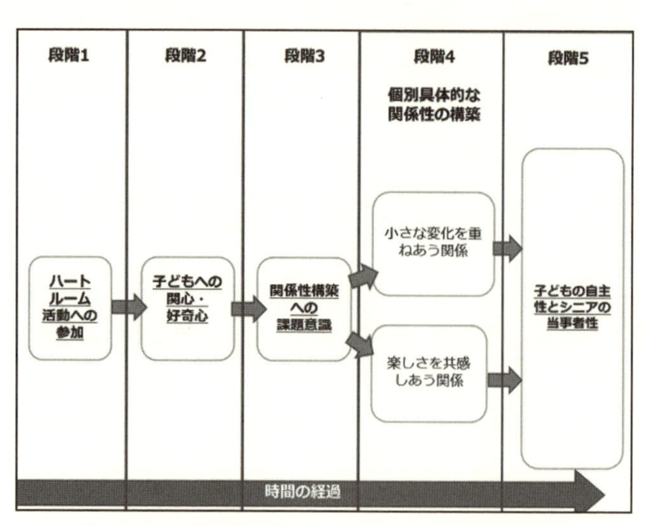

図1　クラブ活動を通して見られた地域住民の変化

（東京大学大学院教育学研究科社会教育学・生涯学習論研究室「ぎふスーパーシニア」共同研究チーム『ともに当事者になるということ－「ぎふスーパーシニア」共同研究第3年目の報告－／学習基盤社会研究・調査モノグラフ19』，2020年5月，p.140，図5-1）

る。これを図示すると，図１のようになる。

(2) よそ者が触発し媒介する住民の意識

この各段階の特徴について，当事者性の生成という課題に即して検討してみると，子どもと彼らをとりまく地域の高齢者そして私たち研究室の院生という三者の関係の動的な変容過程としてとらえ返すことができるように思われる。

段階１では，日常的に学校の外で子どもたちを見守る関係のあった高齢者が，院生たちに声をかけられ，ハートルームでの活動にかかわっている。ある高齢者は，院生たちの「常駐」をある意味で口実にして，ハートルームに出入りすることで，学校内の子どもたちとのかかわりを深め，さらに自身の農業経験を活かして，クラブ活動の一つであるフルーツランドグループの活動を支援するようになっている。また別の高齢者は給食交流会に出ることで，ハートルームの活動を知り，院生たちの常駐に顔を出すことで，徐々に子どもたちとの距離を縮めている。さらに，ブルーシートの会という高齢者の生きがいづくりの団体も，院生たちの常駐をきっかけにハートルームを訪れるようになり，その後，子どもたちの活動に参加している。

これら高齢住民の動きを見ると，子どもたちにかかわりを持ちたいと思いながらも，学校という場のハードルが高く，どうしたらよいのか一歩足を踏み出せないでいた彼らが，院生というよそ者が地域に常駐するという，いわば非日常に触発されて，また興味を持ち，しかも院生の活動が市との共同研究であり，自分たちに支援を期待されているという大義名分があることで，院生に便宜を図ったり，活動を手助けしたりするという関与を通して，またはそれをある意味で口実にして，まず院生たちとかかわり，ハートルームという「場」に入り込み，そこで子どもたちとの関係をつくっていった姿をとらえることができる。院生たちが声をかけたという面はあるが，それに応えるだけの気持ちを高齢住民たちが持っていて，それが触発・開発されたということであり，双方が子どもたちに向かう気持ちを抱きつつ，ハートルームという空間で交わりあったのだといえる。その後，高齢者が子どもたちと交流することで，子どもたちの存在が高齢者のかかわりを駆動することとなっている。

院生たちは過去2年間の共同研究を通して子どもたちと良好な関係をつくっており，子どもたちがよそ者である院生といる場としてのハートルームが，地域と学校の間に介在し，それを高齢者自身が活用することで，学校内の子どもへのかかわりへと足を踏み出していった。そこに，院生の存在に触発される高齢者の思いがあった。これが段階1だといえそうである。

⑶　子どもへのまなざしと自己の振り返り

段階2では，クラブ活動に参加した高齢者たちの振り返りの時間が彼らに与えた気づきの効果を見出すことができる。そこでは，高齢者自身が，日頃見ることのない学校内の子どもたちの姿に触れて，新鮮な驚きを感じている。たとえば，スクールランチグループに参加した高齢者は，学年が異なる子どもたちが対等に意見をいいあう姿に驚き，別の高齢者は子どもたちの自由な発想に目を見張り，子どもたちへの眼差しを，子どもたちを肯定し，一緒に活動したいし，支援したいという思いへと組み換えている。それはまた，そのように子どもに驚き，子どもへの視点を変化させていく自分への気づきが生まれ，それがさらに子どもたちに対するかかわりへと彼らを駆動しているということでもある。

子どもたちの新しい姿の発見に驚く自分をうれしく受け止めることで，高齢者は子どもへのかかわりを深めていくが，そこには，振り返りの時間を設け，高齢者と対話的にかかわりを持ち，その気持ちを引き出している，子どもとすでに肯定的な関係をつくっている院生の存在がある。しかも，この振り返りの対話は，院生たちよそ者が持ち込んだ「形式」でもあり，その「形式」が高齢者に内省を促すことで，高齢者同士の，また院生たちとの対話を通して，子どもの新たな一面を発見して驚いている自分を言葉にして表出すること，つまり意識化することとなっている。このことは見落とされてはならないであろう。

段階3では，子どもたちとの関係を深めることで，却って，課題を感じ始める高齢者の姿がとらえられている。それは，子どもたちのクラブ活動に自分がどうかかわったらよいのかという戸惑いであるといえる。単に好意や善意から，子どもたちにかかわろうとしている自分が，そこでは，子どもたちの自主性を尊重しようとするがために，どこまでかかわったらよいのか戸惑い，さらには自分がかかわることで，子どもたちに自分の考えを押しつけることになるのではないかという躊躇の感覚を持ったものとして，改めてとらえ返されている。高齢者の子どもへのかかわり方が，一方向のものから彼ら自身の存在において相互性を持ったものとして，高齢者自身の立ち位置を組み換え始めているのである。

しかし，それでも高齢者は，子どもたちとのかかわりをやめようとはしなかったと，院生たちは報告している。この段階では，高齢者は院生を子どもとの間に措くことなく，自らと子どもとの関係の中で，自分が戸惑いを持つことを感受しているが，その戸惑いを院生たちに吐露することによって，自分のあり方を整理しようとしているように受け止められる。ここにはすでに，子どもたちから離れ難くなっている高齢者の姿がある。

そして，ここにもよそ者でありながら子どもたちと良好な関係をつくっている院生たちの存在が，高齢者といわば「少しズレた関係」をつくることで，高齢者の気持ちに寄り添いつつ，それを受け止め，彼らの気持ちを子どもたちに対するかかわりへと促していく触媒作用を果たしていることを見て取ることができる。ここでいう「少しズレた関係」とは，高齢者と同じように子どもに向きあっているのでも，子どもと同じように高齢者に向きあっているのでもなく，しかも地元の住民でも，行政職員でもなく，さらに共同研究という「形式」とその大義名分を持ち込んでいるよそ者でありながら，それでも同じ場所にいて，同じように活動を担っている存在，いわば同じではないが，まったく異なる存在でもない，つねに自分をそこに照らすことで，自分を振り返ることができるような存在とそのかかわりのあり方のことをいう。それはまた，高齢者と子どもという関係に組み込まれていながら，その関係を相対化するような立ち位置にある存在がつくりだす関係なのだといえる。

(4) 個別具体的な関係の構築

段階４では，高齢者が段階３で感受した戸惑いをどう克服していったのかがとらえられる。それは，彼らが子どもたちとの活動を通して，個別具体的な関係を構築することによって，なされていった。それを院生たちは，「①子どもの主体性を尊重した話し合いによる成功体験」「②事前の準備・工夫・子どもからの反応」「③やりがい・楽しさの追求」として析出している。

これら三つの個別具体的な関係を貫いて存在するかかわりは，高齢者と子どもたちが経験を共有し，お互いの関係を，名前を互いに呼びあう関係へと組み換えることができたことに象徴的なように，次のようにとらえることができる。つまり，高齢者と子どもたちが経験を共有することを通して，お互いを慮るようになっているのである。高齢者は，自らの好意や善意から子どもにかかわろうとしていた，ある種の独りよがりな，一方向的なかかわりの持ち方から，子どもの気持ちを尊重し，子どもの希望を受け入れた上で，自らの経験に照らして，助言し，活動しようとする相互性を持ったものへと自らのありようを変化させており，子どもたち自身も，高齢者に自分の意見を伝え，高齢者の反応を参考にして，自分の考えを柔軟に組み換え，高齢者とともに自分の活動を深めることで，そこにうれしさを感じとっている。つまり高齢者と子どもとの間でかかわりの相互性が成立しているのである。相互性そのものが相手に開かれたものとして，再構築されていくのである。

段階４では，高齢者も子どもも，より個別的で具体的なかかわりを深めることとなったが，それは高齢者自身が子どもとの相互的な関係の中で自分のあり方を組み換えただけでなく，子ども自身が高齢者との相互的なかかわりの中で自分のあり方を組み換え，双方がそれぞれに相手を受け入れつつ，自分のあり方を変容させる，つまり相手を組み込んだ自分をつくりだすことで，相手がかけがえのない存在へと自分の手によってつくりだされていく，こういう経験を積んでいるのだといえる。つまり，小さな変化を重ねあい，認めあう関係が生まれているのであり，そして，この関係の中で，個別具体的な経験を重ねることで，その都度の楽しさを共感しあう関係がつくられているのである。

しかも，ここでも見落とされてはならないのは，院生自身がそういう高齢者と子どもの姿をとらえつつ，それをうれしいものと感受しているということである。彼ら自身が，高齢者と子どもとの触媒という役割から，両者の交流の場に自らを組み込みつつ，自分も高齢者や子どもと交流することで，変化していこうとする存在，つまり院生たち自身が，その場をつくりつつ，その場を体現したものとして自分を感受し始めているのであり，そのことがまた高齢者と子どもとをより親しく結びつけていく媒体として作動するようになっているのである。院生たち自身が，この場の当事者へと変化してきているのである。

(5) 黒衣としてのよそ者と駆動される住民

段階５は，いまだに子どもたちとのかかわりに戸惑いを感じ，それに悩みつつも，子どもたちとかかわりを持たざるを得ないかのようにしてかかわろうとする高齢者の存在と，それを受けて，自主性を発揮して，様々な活動を成し遂げていこうとする子どもの姿が示される。そしてそこには，子どもたちとのかかわりに悩む自分をもうれしいもの，肯定的なものとして受け止め，子どもたちとのかかわりを愉しんでいる高齢者の姿を見出すことができる。子どもたちも，高齢者のかかわりによって，活動への積極性を触発され，自ら考え，高齢者を含めた仲間とともに，活動を成し遂げることにうれしさを感じている。しかもそこには，ともに相手のためにという思いと，相手がそれに応えてくれた喜びという相互性を見出すことができる。

この段階では，高齢者も子どもも，それぞれが常に具体的な相手を自らのなかに感じつつ，自分の思いや行動を表現することで，自分をその場に実現するような関係に入っている。そして，その自己の表出をうれしく感じ，それがさらに次のかかわりへと彼らを駆動してしまう，そういう過剰性を持ったものとして，彼らの関係がつくられつつあるのだと受け止めることができる。

しかも，ここでも院生たちの存在が，高齢者と院生，子どもたちと院生という関係で相互性を持つだけでなく，高齢者と子どもという関係にかかわる院生という関係をつくるものとしてあることで，高齢者と子どもとの関係の調整弁として機能していることを見出すことができる。

このような関係は，過剰性を持って彼らを突き動かしていくことになるが，しかし，それはまた活動が進めば進むほどに，関係の緊密さが昂進して，次第に相互を縛りつけることとなり，息苦しいものになってしまう危険なしとしない。このような問題に対しては，この取り組みが学校の教育実践の一環としてあり，毎年または毎学期，子どもたちが入れ替わり，また地域の高齢者の構成も変わることで，新たな関係をつくることが高齢者と子どもたちに求められるという活動そのものの持つ制約が有効に機能するとともに，院生たちの存在が，高齢者と子ども双方にかかわることによって，つねに彼ら相互の関係を調整し続けるものとして，作用していることを指摘したいと思う。

ここではすでに，院生たちはよそ者でありながら，常に高齢者と子どもそれぞれに対して，そして高齢者と子どもの関係に対して，意識を向け，院生と彼らがつくる場に，そして高齢者と子どもがつくる場に，自らを措くことで，その場を自分をも含めた場として，そして自分をその場を取り込んだ自分として立ち上げている当事者として，そこに存在することになる。院生たちは，高齢者や子どもと「少しズレた関係」にあるのである。しかも，この過程で，子どもたちに学校という場でかかわる教師たちが，子どもたちの変化をとらえつつ，学校における教師と子どもとの関係を徐々に自分と子どもそして地域住民という三者の関係へと組み換えており，その媒体としてハートルームが機能し始めていることについても，注意を向ける必要があろう。

こうして，よそ者である院生たちは，当事者でありながら，黒衣として，ハートルームを地域の高齢者と子どもたち，そして教師を結びつける場として構成する触媒の役目を担うのであり，それはまたある種の狂言回しの役割を演じることでもあるといえる。そして，このような関係がつくられたハートルームという場において，毎年段階１から段階５までの関係性の変化を経ながら，ハートルームが高齢者と子どもとの関係を通して，徐々に地域コミュニティへとその空間を広げることで，地域と学校との協働活動を，そのアクターが入れ替わっても，継続的に担っていく推進器として機能し続けるものと思われる。この動きの萌芽はすでに生まれている。かかわりを持った高齢者のなかから自発的にハートルームサポーターと呼ばれるグループができ，子どもたちと交流しつつ，ハートルームの運営を担い始めているのである。

2 長野県松本市：町会における議論とワークショップのプロセス[5]

次に，松本市の3町会においておこなわれたワークショップにおける住民の変化を概観しておきたい。

(1) A町会

A町会は，住宅地の開発もあり，転入が多く，人口も増加している。子育て世代の転入もあって，子どもが多いという特徴がある。町会役員は，もっぱら旧住民によって担われていて，仲がよく，子どもたちへの働きかけも含めて，町会行事が活発におこなわれており，結束力の強い町会でもある。

A町会におけるワークショップの経緯は，概ね以下のとおりである。

第1回目のワークショップは，役員を対象として町会の魅力を話しあうこととした。役員からは，自然や利便性も含めて住環境に恵まれており，若い世代の転入もあって，子どもたちも多いが，住民の結束は強く，町会活動も活発だとの認識が示された。とくに，住民が町会活動に協力的で，安心して暮らせる地域だとの発言が多く，世代間交流も強く意識されているとのことであった。

ワークショップというよりも，院生たちが役員に町会の魅力についてたずね，それに対して，役員たちが話して聞かせるという関係の中で，役員一人ひとりが日頃から感じていること，思っていることを出しあい，相互に確認しあって，それがさらにお互いの思いを強めあう関係へと向かうという語りあいの会であったといってよい。

第2回ワークショップでは，子どもを対象として前回と同じく町会の魅力について話しあうこととした。子どもたちからみた町会のイメージは，自然豊かで新しい家も多く，おとなたちに思いやりがあって，子どもに積極的にかかわってくれ，人と人との間につながりが生まれる町会，というものであった。

子どもたちは当初，恥ずかしがってか，発言があまり出なかったが，院生が発言を促し，それに応えることで，院生たちに魅力を教えながら，子どもたち自身が相互に思いを確認しあい，それがさらにこんなことも，あんなことも，と気づき，また一緒に意見をまとめる動きへと展開していることを，この話しあいにおいても見て取ることができる。

この2回のワークショップを通して，院生たちは，町会役員と子どもそれぞれのまちの魅力についての受け止めが，必ずしも一致してはいないが，深いところでつながっていることを見出している。おとなは，利便性や自然環境など生活条件や自ら役員であるという立場にもとづく観点から地元を語っているのに対して，子どもたちはおとなにかかわってもらう自分という立場から，仲がよくて，温かい町会だと受け止めている。しかし，その根底にはお互いに対する思いが存在していて，語るときに相手の姿が思い起こされている。これらは院生がワークショップを持ち込むことで引き出された住民の意識や思いの相違であったが，その相違の深いところに共通の思いがあることを院生が学んだのだといえる。しかも，これらの意見が，いずれも院生たちからの問いかけに応える形で表出され，住民の間で相互に認められ，共有されていることに注意を払っておきたい。

第3回ワークショップは，高齢者の団体との話しあいであった。二つのグループに分かれての懇談となったが，この場では，高齢者が様々な活動を通して，日常を愉しんでいること，子どもたちとの交流を強く望んでいることなどが，院生を相手に語られた。また，若い世代の住民に対しても，子どもが小さなうちはPTA等で町会にかかわってくれるが，大きくなるにつれて，仕事に出たりするためか，かかわりが薄くなってしまうとの見方も示されている。

ここでも，院生が介在することで，彼らに地域を語るという形式をとりつつ，高齢者が相互に自分たちの認識を確認し，また次の世代への思いを共有しあっている姿を見ることができる。院生たちも，高齢者が地元の伝統を守りつつ，次の世代とのつながりを求めている姿を見出している。

第4回ワークショップは，新興住宅地に住む住民とともにおこなったもので，これまでと同じように地域の魅力について話しあってもらった。当初，住民の間には戸惑いもあったようだが，3回のワークショップで地元のことを学んだ院生たちの取り回しで，住民たちも次第に発言が増え，お互いに自分の思いを確認しあうことで，相手の思いと自分の思いを重ねていった。それはまた，日頃，地域の魅力とはなどと，とくに意識していなかったが，それとなく感じていたことを，言葉にすることで，相手もそう思っていたことを互いに認めあい，自分を相手との関係に位置づけることでもあった。

しかも，院生を相手に語ることによって，新規転入者として感じている問題，つまり旧住民の結束力が強く，転入者がどのようにかかわったらよいのか戸惑っている気持ちや，どうしたらお互いに交流できるのかと困惑している思いなどが吐露されることで，それをもお互いの思いとして認めあい，共有し，そこから子どもたちのために新旧住民が協力できないかとの建設的な意見へと議論が展開している。つまり，新住民たちも，この町会にかかわりたいと思っているのであり，その基礎には子どもへの思いがあることが見出せるのである。ここにいわばよそ者としての院生が，住民意識を喚起する触媒的な役割を果たしつつ，住民の思いが深いところでつながっていることを明らかにしたものと思われる。

(2) T町会

T町会は，いわゆる中心市街地の町会であり，少子高齢化と人口減少に直面している。その中でも，少ない子どもたちを対象にした三世代交流会などの行事がおこなわれており，とくに現町会長の強いリーダーシップにより地域の活動を主導している点が特徴的である。

第1回ワークショップでは，町会役員を対象として，この町会の魅力について語りあってもらった。歴史的建造物や観光地が多く，しかも自然も豊かで，交通の便もよく，住環境に優れていること，そのため伝統行事を大切にしており，また町会の役員が一生懸命になっていることなどが語られた。と同時に，人口が減り，高齢化率も高くなっていく中で，町会役員の負担も大きくなっていることが，問わず語りに吐露されてもいる。

院生たちが聞き役に回ることで，日頃の思いが表出されることとなったように受け止められ得る。

第2回ワークショップでは，子どもたちにまちの魅力や日頃の生活を語ってもらった。町会のほとんどの子どもたちが参加してくれ，日頃からの仲の良さが感じられた。この場では，「お祭りがあるのがいい」，「中学校が近くて自然豊か」，「スポーツ・部活・習い事で忙しくて，行事があってもなかなか参加できない」，「みんな優しくて不審者が少ない」，「学校で松本城についての授業があったり，定期的に天守閣の掃除があったりと地域について知る機会が多い」などがあげられた。自分の生活にひきつけての意見であり，それがおとなが同席しない場で，院生たちを相手に表出されることで，子どもたち同士が思いを共有することになったようである。

夏休みには，町会長が企画した「子ども合宿」が一泊二日で開かれ，保護者が準備から実施までかかわるとともに，院生からも2名が参加した。この「子ども合宿」はT町会では始めての試みであり，その後のT町会でのワークショップの内容にも大きな影響を与えることになった。子どもたちにとっては非日常を新たに体験するよい機会であった反面，町会長の主導によって，保護者が駆り出されたことの負担に対する住民とくに保護者たちの不満もあり，また子どもたちをお客さんにしてしまったのではないかとの反省も聞かれた。しかし，住民たちは不満を表明しつつも，この行事をやめようという話にはならなかった。

第3回ワークショップ以降は，「子ども合宿」への振り返りや今後の方向性についての話し合いが主となった。そこでは，行事に参加した子どもと保護者が参加し，子どもの感想を聞くことから始まった。子どもたちからは，来年も開催してほしいという声があがっていたが，保護者が準備に駆り出される負担は大きく，子どもの希望を叶えるためにも，余裕を持った準備を進めることの必要性が訴えられた。飽くまで，子どもたちの希望を中心に考えて，保護者や住民の負担を減らしつつ，実現できる方途を探るという意思が，暗黙の了解として共有されていたのである。

第4回ワークショップでは，院生たちが「子ども合宿」で実施された子どもたちのアンケート調査結果の報告をおこない，参加者たちと結果を共有した。誰もが，「子ども合宿」の意義は認めつつも，その実施にあたっては改善が必要であり，とくに保護者の負担を減らす工夫の重要性が指摘された。さらに，子どもたち自身が主役となって「合宿」を実施することも視野に入れることとなった。

第5回ワークショップでは,「子ども合宿」を含めた町会における交流のあり方が議論となった。日頃触れることのできない人たちに触れた子どもたちを,その後,町会の活動へとどう橋渡ししていくのか,その時,おとなの役割は何なのかなどが話しあわれた。

このワークショップの過程で見えてきたのは,子どもが少ない中で,子どもを巻き込んで,子どもために町会活動を進めたいという思いが住民に共有されている反面で,現時点では町会長のリーダーシップによってそれが進められていて,住民の間だけでなく,役員の間でも意思疎通に困難を覚える状況があることであった。こういういい難いことを,関係者たちは院生が取り回すグループの話しあいのなかで口にし,それを町会長が受け止めつつ,議論が進められたのであり,そこに住民自身が相互の思いを尊重して重ねつつ,何とかしたいという意識を共有していこうとする姿を見ることができる。

(3) H町会

H町会は中山間地域にあり,子どもはすでにおらず,人口も非常に少ない町会である。共同研究チームは,はじめに,まち歩きと懇談会を実施して,相互に知りあう関係をつくった上で,町会住民を対象として町会の魅力について話しあう時間を設けた。

そこでは,共通テーマとして「人」「自然」「環境」が挙げられた。移住者も含めて,子どもがおらず,人口が少ない環境の中で,日常的なつきあい以外に,地域の魅力について話をする機会もない住民が,改めて自分の地元に対する思いを語りあうこととなった。

その過程で院生たちが発見したのは,日照時間や利便性等という,日常生活における制約が多いことが,逆に住民たちにとっては現在あるものを楽しむことを教えてくれるという関係にあり,住民自身が生活を楽しんでいる姿であった。

それはまた,住民自身が院生たちの問いかけに応える形で口にした自分の生活の姿であり，そうでなければお互いに口にすることもなかったであろうことであった。この語りあいは，住民にとっても新鮮な気づきをもたらすこととなり，互いを知りあう機会ともなったようである。

(4)　ワークショップの特徴

これらのワークショップをとおして，院生たちは，住民が他人の意見に対して「反発」するのではなく，対話の中で「気づき」を生んでいることを発見している。それはまた，自分では何となく感じていたり，思っていたりしたことが，相手の思いの表出を聞くことで，意識化されるとともに，その相手との共通認識となるということであり，それを通して地域の課題を何とかしようとする思いや意思を持ち始めるということであった。何となく感じていて，知ってはいるが漠然としていたものが，ワークショップで自分の言葉で話すこと，または他の人の話を聞くことによって「気づき」につながるような様子が見られたのである。

しかも，町会を基盤としたワークショップは，筆者の研究室の院生たちが，共同研究を名目にして地元に持ち込み，いわば住民に対して開催することを強いた，ある種の「形式」としておこなわれたものであり，その過程で，住民たちは院生からの問いかけに促されて，発言しなければ，という思いをもち，発言することで，お互いに認めあい，それが次の発言を促すという関係に入っている。ここで筆者らが重視したいのは，その場におかれるという「形式」と，よそ者がいることで，そうせざるを得ずしてし始め，それが結果的に，仲間の間で新たな発見を重ね，しかも意識が仲間の存在を通して自分に向くことで，次への動きをつくろうとし始めるという住民たちの変化である。つまり，「形式」を外部の人間によってつくられることで，人々は内部のあり方を自ら組み換え，かつコトバによって事後的に気づくことで，自ら次の動きへと向かおうとするようになるということである。

住民の動きのきっかけをつくっているのは，いわゆるよそ者であり，そのよそ者がたとえば市の行政との関係である種の強制力を持って「形式」を押しつけるが，しかしそのよそ者たちは，若く，地元のことを知らず，いわば非専門家であり，地元の人々に教えを請う立場でいながら，ワークショップを進行するという意味においては専門的でもあるという立ち位置に立つことになる。このよそ者の立ち位置こそが，住民たちが彼らに思いを吐露しつつ，そこに映し出される自分の姿を見，また仲間の姿を発見して，相互に受け入れあいながら，気づきを得ていくことを触発することとなっているように見える。ここに，素人で，聞き役に回るよそ者の役割があるといってもよいであろう。

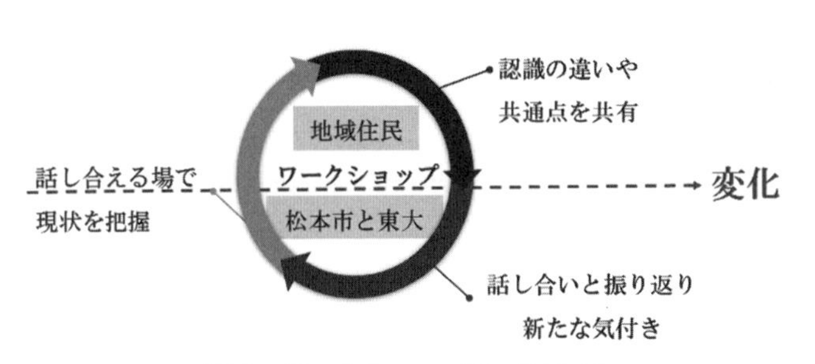

図2　ワークショップのプロセス

（東京大学大学院教育学研究科社会教育学・生涯学習論研究室「住民自治を基盤とした社会システム構築事業」共同研究チーム『自治に気づくワークショップ―住民自治を基盤とした社会システム構築事業』松本市調査報告書・2―／学習基盤社会研究・調査モノグラフ20』，2020年6月，p.38，図4-1）

このことを，院生たちは図2のようにまとめている。このプロセスにおいて，院生たちは「形式」を持ち込み，その「形式」を運用するワークショップの主宰者でありながら，地域住民に寄り添いつつ，教えを請い，聞き役に徹することで，住民の変容を図らずも引き起こす，そのワークショップという場の触媒的な当事者になっているのである。ここで見出せるのも，住民と院生との「少しズレた関係」であるといえる。

そして，ここで重要な役割を果たしているのが，コトバである。ここでは，敢えてコトバという表記を用いることとする。それは，いわゆる一般的な言葉ではなく，自分が発し，他者が語りかけることで，その場において共有され，お互いを介して，自己の認識に還ってきて，自分の次への動きを促してしまう，その場の他者への想像と配慮に満ちた自己認識と行動変容の媒介なのである。ワークショップという「形式」において発せられるよそ者のコトバが，その「形式」を維持するために住民の発話つまりコトバの表出を求め，住民はよそ者のコトバを参照しつつ，自分のコトバを発することで，「形式」の場にコトバを投げ出し，そうすることでその場にいる他者の思いと自分の思いを重ね，共有し，次の新たな動きを生み出そうとする関係に入っている。ワークショップという「形式」において，住民たちも，よそ者である院生たちも，ともにその場をつくり，思いを重ねあい，当事者になっているのである。

3　当事者性のズレが生み出す駆動力

既述のように，よそ者を触媒とし，コトバを媒介として，子どもたちへのかかわりを強めていく高齢者を中心としてなされる地域と学校の協働関係の推進やよそ者が持ち込んだ「形式」によって相互の認識を共有し，地域への思いを深めていく住民の変化は，いわゆるまちづくりとくに少子高齢化に直面して衰退していくように見える地域コミュニティにおける住民主導の活性化の動きとも通底する性質を持ったものでもある。

⑴　集落空洞化の３段階

たとえば，農政学者の小田切徳美は，農山村を踏査する過程で，集落の空洞化には三つの段階があることを見出している[6]。第一の段階は「人の空洞化」であり，それはまさに人口が減少することを意味している。第二の段階は「むらの空洞化」であり，それは人が減ることで自治体の行政機能だけでなく，たとえば自治会・町内会などの相互扶助機能が低下するなど，いわば「むら」の生活維持機能が低下していくことを示している。そして，第三の段階が「集落限界化」である。これを小田切は次のように表現している。「地域に残る高齢者の死亡や都市への『呼び寄せ』により，人口の減少はさらに進む。集落機能はある時から急激かつ全面的に脆弱化しはじめる。そこでは，生活に直結する集落機能さえも衰弱するため，集落の真の『限界化』がここから始まる。[7]」「この段階になると，住民の諦観（諦め）が地域の中に急速に広がっていく。『もう何をしてもこのムラはだめだ』という住民意識の一般化である。[8]」この諦めを，小田切はまた「誇りの空洞化」という[9]。

小田切は，この農山村の集落の空洞化を図３のように示している。そして，

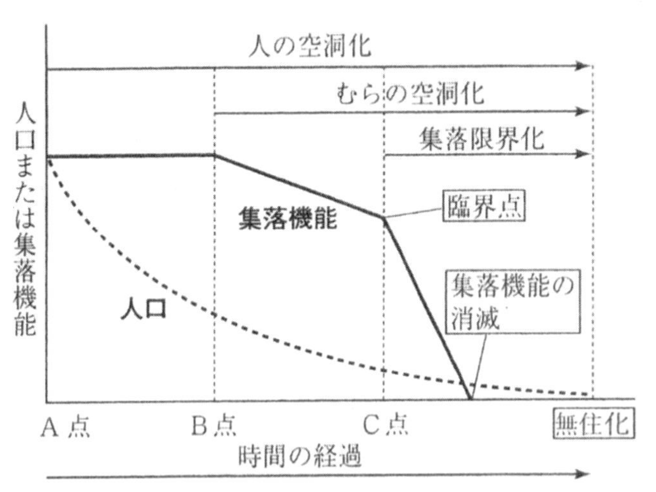

図3 集落機能脆弱化のプロセス（模式図）
（笠松浩樹「中山間地域における限界集落の実態」『季刊中国総覧』32号，2005年を大幅に加筆・修正［原注‐引用者］）
（小田切徳美『農山村は消滅しない』岩波新書，2014年，27頁）

「誇りの空洞化」が始まる地点を「臨界点」として，重視しようとする。「さらに［人口減少が―引用者］進むと，集落内にはわずかな高齢者のみが残る状態となる。寄合はなくなり，すべての共同活動が消滅する。このような集落を歩くと，残存する住民からは『余生を過ごすのに，いまは何も問題がない』という静かな言葉が返ってくることがあるが，それは一連の流れの中での諦観を表していることが多い。[10]」

これはまた，筆者が愛知県豊田市で行った中山間村の活性化支援事業の当初，集落住民から聞かされた言葉と重なる。筆者らが予備調査で入ったいくつかの集落からは，ほぼ例外なく，高齢者たちのこういう言葉が聞かれた。「せっかく来てくれても，もう何もしてやれん。すまんな。[11]」

なぜ，小田切は「誇りの空洞化」が始まる時点を「臨界点」と呼ぶのか。それは，「そこから，むらがポキッと折れてしまうかのように，急速に生活維持機能を低下させ，無住化に向けて，転がり落ちて行ってしまうように見える[12]」からである。

しかし，と小田切はいう。「集落は『どっこい生きている』[13]」，「集落空洞化のプロセスで強調したいのは，むしろ集落の強靱性である[14]」，「農山村集落は基本的に将来に向けて存在しようとする力が働いている。[15]」彼が見ようとしているのは，集落は人がつくり，人の生活は人々の意思によってつくられ，その意思は人々の関係が生み出す生活者としての誇りによって支えられているという点である。これはまた，筆者らの中山間村活性化事業で，従来のような経済開発の手法を捨て，文化事業としての「農的な生活」の創造を目的とするものへと切り換えることで，人々の意識に変化が生まれ，農山村が都市の若者をひきつける場へと変化していったことと重なりあう[16]。

⑵　「逆臨界点」の存在

小田切は，全国の農山村を歩くことで，「逆臨界点」つまり集落再生のプロセスにおいて，住民の諦めを克服して，しばらく維持されていた集落が，あるところから活性化へと上向いていく転換点があることを発見していく。それを彼に強く意識させたのは，中越地震（2004年）の被災地を歩いた経験であった。彼が着目したのは，非専門家の「地域サポート人材」が「地域復興支援員」として導入されていたことであった。彼はいう。「その多くは二〇～三〇歳代の若者であり，大多数が震災直後からのボランティア経験を持つ者であるが，少なくとも地域振興，復興支援の専門家ではない。彼らのミッションは，被災集落の復興デザイン（計画）づくりの支援であるが，実際にはそれを意識することなく，日々集落を歩き，高齢者に声をかけ，小さな思いの発掘に務めている。[17]」「その活動の経験から，中越地方である時期から言われはじめたのが，「地域への支援には『足し算の支援』と『掛け算の支援』がある。両者は別物だ」という考え方である。前者は，復興支援の取り組みの中で，特にコツコツとした積み重ねを重視するものであり，それはあたかも足し算のような作業であるとされている。具体的には，たとえば，高齢者の愚痴，悩み，小さな希望を丁寧に聞き，「それでもこの地域で頑張りたい」という思いを掘り起こすようなプロセスを指している。当然のことながら，ここには華々しい成果もスピード感のある展開もない。……被災後の数ヶ月から数年はこのタイプの支援が必要だった[18]」。

後者の「掛け算の支援」とはコンサルタントなどの専門家がかかわって，具体的な事業を導入して，地域の経済と生活を立て直し，かつ飛躍させる，短期間の支援を指している。そして，「この「掛け算の支援」は十分な「足し算の支援」の後にはじめて実施するべきものと言われている[19]」と小田切は指摘する。そして，こう続ける。「被災した集落でまず行われるべきは，地域の人々の復興へ向けた心の準備であり，『諦めてはいけない』ことを集落レベルで共有化することである。それは，言わば『寄り添い型』支援であり，むしろ性急な復興を意識しない者が適しているという。[20]」

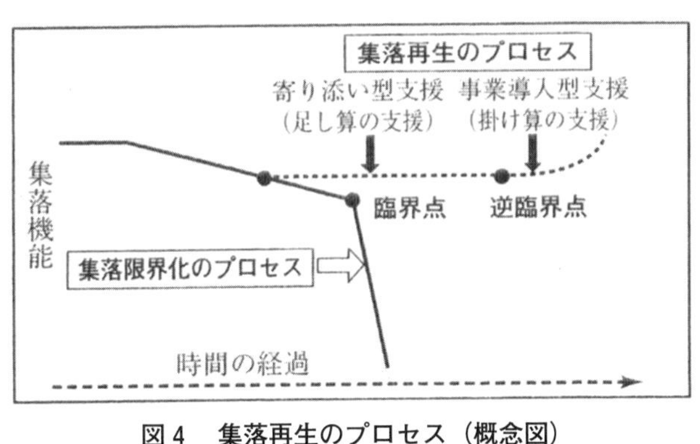

図4　集落再生のプロセス（概念図）
（小田切徳美『農山村は消滅しない』岩波新書，2014年，165頁）

この「足し算の支援」が「掛け算の支援」へと切り換えられるところが「逆臨界点」なのであり，それを導くのが「寄り添い型」の支援だというのである。小田切は，これを図4のように示している。

この中越地震の被災地支援から得られた知見はまた，筆者の既述の中山間村活性化事業の経験からも支持されるものである。筆者の事業においても，農業経験がなく，それでも環境配慮型の少し上質な生活を田園地帯で送りたいと考えていた若者たちが，過疎に苦しむ中山間村に移住し，そこで地元の高齢者と交流することで，高齢者が自信を取り戻す姿を目の当たりにしている[21]。小田切が指摘する「寄り添い型」の「足し算の支援」が，結果的に新たな観点からの「掛け算の支援」へと展開し，中山間村が都市の若者たちをひきつける新しいライフスタイル提案の拠点となったのである。

(3)　住民とよそ者の相互性

そのプロセスを細かに見ていくと，小田切が指摘していないいくつかの特徴があるように思われる。一つは，中越地震の被災地支援も筆者の中山間村活性化事業も，「寄り添い型」の「足し算の支援」をおこなっているのは，外部のよそ者だという点にかかわることである。その土地に対する先入観もなく，そして事業の経験も専門性もない，そして若いという特性を持ったよそ者が，その土地に入ることで，土地の住民たちは，住民の間では，それぞれのしがらみがあって話すことができないような愚痴や悩みを吐露することができ，しかも支援に入っている若者たちはそれが土地を知るための新しい知識にもなり，住民とくに高齢者に教えを請う関係で接することとなる。ここにまず，地元住民と支援員との地元住民を少し高みに置いた，相互性の関係がつくられる。これはまた，既述の岐阜市A小学校ハートルームの活動における院生と高齢者の関係でもあり，また松本市町会のワークショップにおける院生と住民との関係でもある。以下で述べられる小田切による指摘は，そのまま院生たちのあり方と重なるものでもある。

その後，住民と支援員との関係では，支援員の素朴な疑問や思いが，住民に還っていくことで，小田切のいうような「諦めてはいけない」という思いの共有につながるが，それは強く意識化されたものだというよりは，おのずからそうなってしまうようにして，さあ，がんばろう，と思えるような関係に入っているように思われる。意識するのではなく，そう感受してしまう，こういう関係の中で，人々は次の生活に向けて，自らを駆動しようとするのではないか。そこにはすでに，自分というものの中に，支援員などよそ者が入り込んでいる。

住民が変わるとともに支援員そのものも変わっていくのであり，だからこそ，小田切はそれをとらえて，こういうのではないだろうか。「実は復興支援員の中には，その経験の積み重ねにより，さまざまな分野の専門家としての力を持つ若者が生まれている。彼らは『足し算』（寄り添い型支援）もできる『掛け算』支援の担い手と言える。つまり，集落の復興過程でそれに寄り添う復興支援員は，彼ら自身も成長し，さまざまなスキルを身につけるに至っているのである。[22]」

この指摘では，さらに次のことを受け止める必要があろう。つまり，復興支援員の若者たちが，意識してそうなったのではなく，むしろ「寄り添い型」の支援を進め，土地の人々の日常生活にそのまま触れることで，その土地のあり方を自分のあり方として受け止め，組み換え，それが彼らの専門性へと練り上げられているのであり，とくにそれは意図してなされたものであるというよりも，むしろおのずからなるもの，その土地の人々の生活と彼ら自身の課題とが相互に反応し合うことで，彼ら自身の変化をもたらしている，このことを見出すことが求められるように思われる。そして，さらにこの過程で，地元の人々そのものが組み換えられている。つまり住民たち自身が，支援員の彼ら若者たちを受け止め，自分の生活のあり方を組み換えることで，この土地を維持しようとする気持ちになっているのである。だからこそ，復興支援員は「寄り添い型」の支援ができ，かつ「掛け算の支援」もできる専門家として迎え入れられるのであるが，そこでは地元住民がすでに復興支援員の若者の存在を受け入れて，新たな生活と地域づくりのアクターとして動き始めているはずである。

このことは筆者の事業においても見出せる変化である。よそ者である若者たちを迎えた地元の高齢者たちは，筆者らには渋い顔を見せるその裏で，孫が来てくれたと喜び，生活の世話を焼くことで，若者から感謝され，さらに自らが蓄積してきた農業技術や地元の文化を伝えることで，尊敬される関係ができ，そこから若者たちが考える新しい生活のあり方，つまり地元の文化と融合した新たなライフスタイルに目を見張りつつ，それを受け入れ，自らの生活を若者たちの生活を受け入れるものへと組み換えることで，新たな地元の事業を展開していった。しかしそこには，地元の高齢者たちが地元社会をどうこうしようという明確に意識されたビジョンのようなものは存在していない。ただ，地元の生活を続けたいという思いと，せっかく来てくれた若者たちを帰したくない，がっかりさせたくないという思いとが重なることで，何かしたいと動き出し，それが若者との間で共鳴して，愉しくなる，そういうことが起こっていたのである。こういうある種の意識せざる思いが重なりあうことで，住民はそうせざるを得ないかのようにして駆動されてしまい，地元は諦観から解放され，自ら誇りをつくりだす方向へと歩み始めるのである[23]。

(4)　当事者性のズレ

次に，小田切は「逆臨界点」の議論において，「寄り添い型支援」（足し算の支援）の段階を「事業準備段階」，そして「逆臨界点」を超えた段階を「事業導入段階」と呼び変えている[24]が，この段階では「『再生』『復興』を直接のテーマとするのではなく，外部からの『まなざし』ができるだけその集落に向けられるような仕組みをつくることが重要[25]」だという。彼は，続けて，次のように現地の変化を描写している。被災地が外部のボランティアなどを受け入れ，様々な取り組みを続け，足踏みをしているかのように見える期間が３年間ほど続いた後，住民の意識にも変化が見られ，集落を残したいという住民の気持ちが自然に出てきた，というのである[26]。住民の意識が変わるのに３年間かかるという知見は，筆者の経験から見ても肯けるものである。

小田切はこれ以上詳しくは述べていないが，筆者はこの３年間に住民の中に起こっていたことは，既述のＡ小学校におけるハートルームの実践で高齢者と子どもたちそしてよそ者である院生たちの間に起こっていたことと同じような構造またはメカニズムを持ったものであるように受け止めている。また，松本市の町会でのワークショップにおいて住民と院生との間で起きていたことは，その初期の住民の変化であるようにも思われる。ここでは，議論を一般化し，他の実践への適用可能性を高めるために，敢えて構造またはメカニズムという言葉を用いることとしたい。それは本来，阿吽の呼吸とでも呼ぶべき機微に富んだ関係性によって生み出される動的な変化である。

つまり，地域住民は，自らがおかれた状況に諦観に近い観念を抱きつつも，しかしそれでもどこかに悔しさや諦め切れなさを抱いている自分を持て余しており，それをよそ者の「まなざし」を借りることで，一旦対象化し，よそ者との間で自分を組み換えつつ，どうしようもないと諦めていた自分を乗り越えようとする力を得ることとなる。その時にはすでに自分はそれまでの自分ではなく，よそ者を組み込んだ自分となっている。よそ者はよそ者で，地元の人々に寄り添って，交流することで，人々の生活と文化を受け入れ，自分を地元の人々が受け入れてくれるように自分をつくりかえている。こういうことである。

ここで重要なのは，地元の人々とよそ者とが融合してしまうのではなく，それぞれを意識しつつ，自らをつくりかえるが，それは自らの立場から地元の当事者になっていくということであり，完全に一致してしまうということではないということである。地元の住民は地元の住民として，その地元の当事者になり，よそ者はよそ者としてその地元の当事者になるのであって，そのズレが常に次の活動への駆動力を生み出すこととなるのである。そしてそこでは，常によそ者そのものが地元住民にとっての参照系または触媒のような働きをしつつ，地元を常に住民主体で組み換え続ける推進器の役割を果たすこととなる。これを本稿では「少しズレた関係」と呼んでいる。

しかもこの時，見逃されてはならないのが，コトバの存在である。つまり，よそ者によって地元の様々な事柄が言語化され，地元住民へと投げかけられるが，そのコトバは地元住民の価値観とはズレれたものとして，住民の気持ちをくすぐり，そして逆撫でにし，そのことによって住民の地元社会への気づきをもたらし，自分自身を意識化することへと導いていく。つまり，よそ者のコトバを鏡として，住民が地元を再発見するのである。これを小田切は「交流の鏡効果[27]」と呼ぶが，その時すでに，地元住民はよそ者を介して自分を見つめる「まなざし」を獲得している。しかもそのよそ者は，専門家として，高みに立って，地元住民に意見をいうのではなく，むしろ教えを請う立場から，素朴な疑問を口にし，率直な感想を言葉にしているのであって，それだからこそ地元住民はそれに反発できず，むしろそれを受け入れ，内省し，改めて地元の可能性に気づくようになっていくのである。しかしここでは，すでにその地元はそれまでの地元ではなくなっており，その非専門家であり，素人であるよそ者を含み込んだ自分の地元として，住民の中に立ち現れているのだといえる。このことは，既述の岐阜市におけるハートルームの活動や松本市の町会におけるワークショップの実践においても見出すことのできる当事者の生成である。

4　PDCA サイクルから AAR 循環運動へ

(1)　レジリエンス・ポイントの存在

それゆえに小田切のいう「事業準備段階」はむしろすでに事業が始まっているものと受け止められるべきものであり，それは表面的には動きのない，「寄り添い型」「足し算の支援」がなされていて，ある種の停滞期のように見えて，実はその水面下では様々な思いが錯綜しつつ，諦観を乗り越えて，現実を何とか変革しようとする様々な試みが，意識せざる形でおこなわれている，いわば「胎動期」とでもいうべき時期なのではないだろうか。そして，このプロセスを細かに観察すると，このプロセスの様々な場面で，レジリエンス・ポイントとでも呼べるような，試みては思いとどまり，諦めては試みて，現状を変えようとする，人々相互の関係組み換えの動きが見出されるように思われる。そして，それが一つひとつのプロセスの場面として継起し，重なることで，逆臨界点を生み出すことになる。このように見える。それが，小田切のいう「足し算の支援」ということなのではないか。それを小田切の図を借りて表現すると図５のようになる。

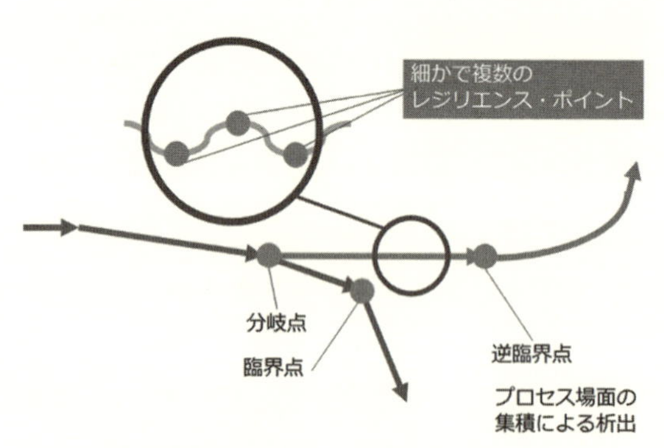

図５　「足し算の支援」段階の細かで複数のレジリエンス・ポイント

そして，このレジリエンス・ポイントを子細に観察すると，すでに述べたような人々相互の変容のあり方が見えてくる。それは，いわば AAR（Anticipation-Action-Reflection）とでも呼ぶべき循環運動である[28]。

従来，事業の展開には PDCA サイクルの適用が求められ，事業評価もこのサイクルによって得られるエビデンスにもとづいてなされるのが一般的であった。しかし，エビデンス・ベースドの事業立案と PDCA サイクルによる事業管理は，基本的には医療モデル，つまり条件を統制した上で，仮説を検証するためのものであり，またいわゆる工業製品の生産とその品質改善のための手法であり，目的・目標または生産物が明確で，それを達成するための技法であるといえる。この手法では，専門性にもとづいて，計画を立て，その計画の目的を実現するためのプロセスがPDCA（Plan-Do-Check-Act）つまり計画⇨実施⇨評価⇨検証として展開されることとなる。そして最近では，これを社会開発に適用するためにいわば修正版PDCA，つまりR-PDCAが導入されることが多くなっている。RとはResearchであり，たとえば地域の活性化であれば，事前に調査を繰り返して，活性化の阻害要因や促進要因を明らかにした上で，計画を立て，その実現のためにチェックを繰り返すという手法である。

PDCAとは目的志向型の手法であり，Back-Casting（バック・キャスティング）つまり未来起点の演繹的な思考法による事業プログラム実施手法だといえる。それはまた，語弊のあるいい方になるかも知れないが，悲観主義的であり，かつ性悪説的な，つねに目標を定めては，それにそぐわないものを潰して，目標を達成しようとする管理志向型の手法であり，かつ未来の目的に収束する閉鎖系の手法であるといえる。

このような手法は，たとえばこれまで扱ってきた集落の活性化などの議論では，いわば「逆臨界点」を超えて「掛け算の支援」段階に入って以降に活用できるものであり，「寄り添い型」で「足し算の支援」が必要な段階では，この手法は却って集落を破壊してしまうことになりかねない。小田切も中越地震後の集落支援の経験に照らして地元で語られた言葉を引用しているとおりである。「負の領域で「掛け算」をしてはいけない。算数が教える通り，符号が負の時に「掛け算」をすれば，負の数が拡大するだけだ。[29]」

(2) AARの循環運動としての地域コミュニティ

すでに見てきたように，地域コミュニティにおける人々の動きは，常に他者とのかかわりの中で，その関係を組み換えつつ，自らを生成し，それをさらに地域コミュニティのあり方へと展開していこうとする，いわばForward-Casting（フォワード・キャスティング）とでもいうべき現在起点の未来志向型のプロセスであるといえる。つまり，未来のあり方はよくわからないために，一つずつ試しながら，未来をCast（形づくる）していく，そういうものとしてある。その意味では，このプロセスは試行錯誤型であり，楽観主義的であり，性善説的で，帰納的なものだといえる。そして何よりも，現在起点で，よりよい未来を探し続けて，形づくっていこうとするものであるという意味で，様々な可能性を否定しない開放系の考え方である。

しかもこの過程では常に，やってみたあとの振り返りが組み込まれ，それがさらに次の思いへとつながり，プロセスが事後的な確認による過剰性によって駆動され続けるものとなる。それゆえに，このプロセスの起点はPlan（P）ではなくてAnticipation（A）であることが望ましい。Anticipationとは予測のことだが，そこには愉しいことやよいことを予期するという意味が含まれている。つまり，愉しいことを考えて，ニヤニヤしたり，ウキウキしたりして，その到来を待つ，というのがこの予測という言葉の原義なのであり，それにもとづいて，自分で動いてみて，その結果を振り返って，また愉しいことを考えて，未来をつくりだしていく，これがAARの循環運動である。こういう不断のプロセスが，既述のレジリエンス・ポイントにおいて展開しており，それが徐々に人々の関係を組み換え，意識を高めて，「やろう！」という気持ちへとつながっているのだといえる。

既述の岐阜市における取り組みに見られる地元の高齢者の変化は，まさにAARの循環運動をそのまま示しているものといえる。また松本市町会のワークショップにおいても，住民意識の変化の過程で，この循環が生まれているものと考えられる。

(3)　変容しあう関係としての当事者性

そして，ここで重要な働きを見せるのが，よそ者を含めた，住民それぞれの立場からの当事者性である。それが相互にズレていることで，互いに刺激しあい，新たな関係に向けて人々を事後的に駆動することになるのである。さらにいえば，そこに作用しているのは，人々相互の相手に対する想像力と配慮である。こうしたものが，地域コミュニティの草の根の人々の関係において起動す

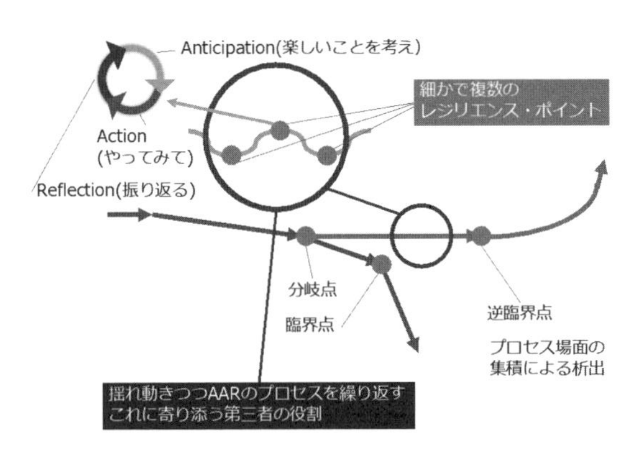

図6　レジリエンス・ポイント内部のAAR循環運動

ることで，その社会は常に人々の関係をつくりだし，自己をその関係として生み出しつつ，関係を組み換え続ける人々によって，不断に展開を続ける生命力を持つこととなるのである。しかも，既述の岐阜市や松本市の実践に示されるように，いわば定点観測的に同じメンバーで継続されるかかわりであろうが，毎回メンバーが入れ替わるワークショップであろうが，それが地域コミュニティという基盤を持ちつつ，常に人々の意識をその場において喚起し，相互性の関係の中で，自分への「気づき」を新たにし続けるという運動を生み出しているのである。それはいわゆる連続性を基本とした成長や発達という概念でとらえられるべきものではなく，むしろその都度の関係性の生成と新たな自己の表出が不断に継起するという生成・変化の過程としてとらえられるべきものなのだと思われる。これを図示すれば，図6のようになる。

そして，このプロセスが展開していく過程で，人々はそれぞれの立場から当事者となり，その当事者性が，地域コミュニティへの新たな気づきや発見，そして意味づけや価値づけをもたらすこととなる。既述の共同研究とのかかわりでいえば，この取り組みにかかわった子どもの中で，地域の高齢者に対する観点が変化し，地域コミュニティそのものへの見方の変容が導かれ，さらにそれが自己認識へと返ってきていることがうかがえる。たとえば，岐阜市のA中学校のある生徒は，A小学校の卒業生だが，自らすすんで岐阜市の英語スピーチコンテストに参加し，図7のようなプレゼンテーションをおこなった。地元の高齢者は彼らにとっての素晴らしい知的資源であり，その高齢者が住み，自分が住む地元は「number1!」なのである。

【発表英文】

I like my home town.

"Good morning!" Everyone gives a happy greeting. For example, children, adults, and older people and my classmates my family, mother, father, grandmother and grandfather. Even people I don't know are very friendly.

Look at this graph. It shows East Akutami's population. I have a question for you. How old is this part?　Older people, that's right! This is 60% the most in East Akutami. Children are very small on this chart. After 10 years the number of children will be the same. The number of older people will increase. But I think this is a good thing! Because older people have warm hearts, active and many experiences. They are very kind to children.

My school has a heart room. We can meet people in our area. We can talk, play, pick grasses, talk with pepper. I can feel a happy and warm. Everyone smiles. My school is a community school.

In the future, my hometown will be more happy, friendly and have energy. My generation will make this dream come true! My hometown is number 1!

Thank you for listening.

図7　子どもの英語スピーチコンテスト発表文
岐阜市教育委員会提供

そして，子どもからこのように意味づけられた高齢者たちは，そこに子どもたちの「まなざし」を新たに見出してうれしくなるのではないだろうか。筆者ですら，幾人かの高齢者が顔をほころばせている姿を想像することができる。こういう関係こそが，地域コミュニティを駆動することになるのである。

ここでは，相互に受け入れあうことで生まれる関係が，その都度相手に対する思いとそこから自らへ還ってくる意識との相互作用の中で，変容しつつ，常に当事者性を新たにしていく運動を見出すことができる。

このプロセスが展開していく過程で，人々はそれぞれの立場から当事者となり，その当事者性が，地域コミュニティへの新たな気づきや発見，そして意味づけや価値づけをもたらすとともに，それがその場その場で生まれては，次の動きにつながっていくという意味で，継起し続けることとなる。既述のワークショップという「形式」がもたらす住民の変化は，このような運動の初歩的な姿だといえる。

5　新型コロナウイルス後の社会を見通す

(1)　承認への渇望

新型コロナウイルスの感染拡大とそれにともなう緊急事態宣言の全国での発出は，社会を大きな混乱に陥れた。それは，経済的な影響のみならず，これまでの人々の生活全般のあり方，とくに人と人とのつながりのあり方に対して再考を求めることとなった。とりわけ，外出自粛と社会的距離の確保（ソーシャル・ディスタンシング）は，身体接触をともなう交流を忌避することになるだけでなく，学校や公民館など，子どもや住民が集まって学ぶ場所そのものの構造をも否定しかねないものであるといえる。人々が直接触れあうことができなくなり，社会的な距離を取ることが求められる中，これまで人々の結びつきを重視してきた地域コミュニティにおける人々の関係のあり方とその重要性も再考する必要があり，またさらには否定されかねないものとしてあるように見える。

しかし，再考は必要であるにしても，否定という議論には与することはできない。新型コロナウイルス禍の渦中にあって，私たちは地域コミュニティの人々の結びつきを否定するのではなく，むしろその関係のあり方，つまり関係性への視点を変える，または深めることが求められているのではないか。それはまた，いまこの新型コロナウイルス感染拡大の状況下で，何が起こっているのかを見極めることが必要とされているということである。

たとえばStay Homeが標語のように語られ，人々はSNSを駆使して，お互いにつながろうとしている。「うちで踊ろう」（星野源）が次々とコラボレーションを引き起こし，一大ブームとなり，またオンラインでの仕事や会議，授業，さらには飲み会までもがおこなわれ，人々は物理的に直接触れあうことなく，結びつこうとしている。

反面で，自宅にいることによるDV被害の増加，寂しさや居場所のなさに耐えかねて溢れ出しているSNS上のつぶやき，さらにはそれらを悪用した子どもや女性の被害の急増など，様々な問題が噴出している。そしてその背後には，新型コロナウイルスの感染が広がる前からこの社会に進行していた貧困や社会的な人々の分断と孤立があることは否定できない。

これらのことは，新型コロナウイルスの感染拡大とそれにともなう緊急事態宣言，そして人々のつながり方の変容があぶりだしたのは，それ以前からこの社会が抱えていたその構造的な変化がもたらした人々の孤立の深刻化とそれでも人は誰かとの結びつきを求めているという承認への渇望であることを示してはいないだろうか。しかし，この承認への渇望には，何かが欠けている。そう感じはしないだろうか。ヒリヒリするような焦燥感は伝わってきても，そこには自分への承認を求めるばかりの，いわば自分が当事者だといい募る人々が唱える「自分を認めろ」コールが虚しく響くばかりで，他者を慮る愉しさに満ちた感情の交流を見出すことは，一部のつながろうとする動きを除いては，困難なのではないだろうか。

⑵　当事者になることの「何か」

皆が否応なく当事者にさせられてしまうこの新型コロナウイルス禍にあって，私たちがとらえなければならないのは，たとえばよそ者が当事者になることにおいて起こっている「何か」であり，地域コミュニティにおける集落の活性化のプロセスで起きている「何か」であり，しなければならないのは，その「何か」を，直接触れあうことができなくても，インターネットなど様々な手段でつながることができるという環境下で，より普遍的なものへと高めていくことなのではないだろうか。

このように課題をおいたとき見えてくるのは，自分と他者とが否応なく新型コロナウイルス感染症対策の対象とされてしまい，外出自粛をせざるを得なくされてしまうという状況下における，他者の身になって自分を振り返ることのできる力の重要性なのではないだろうか。つまり，他者への想像力と配慮，それが改めて自分の身を振り返ることにつながることで，自ら判断して，他者のために何ができるのかを考え，行動できる力を人々にもたらすことができる。このことが試されているのではないだろうか。まさに民主主義と自治の人間的基盤が問い返されているのだといえる。

たとえば，既述の共同研究が進められた岐阜市のA小学校の卒業生で，いまはA中学校の生徒である子どもたちが，新型コロナウイルス感染拡大のさなか，マスクをつくり，地元の自治会連合会長に届けている。この生徒は，小学生の頃に本共同研究にかかわりを持ち，地元の高齢者との交流経験がある子どもたちである。

またA小学校区では，マスク不足が報道される中，4月早々に，ハートルームサポータの高齢者の呼びかけで，地域の住民が布マスクをつくり，子どもたちに配布する準備を進めている。全校児童一人あたり，低学年は3枚，高学年は2枚のマスクを配布したという。図8はマスク作成の様子である。

ここに私たちが見出さなければならないのは，咄嗟に他者の身になって，感じとり，考え，行動できる力であり，自分で判断して，他者のために，そして社会のために何ができるのかを考え，行動できる力が子どもたちの中に確実に育っており，また地域住民の中にあるということである。それはまた，一人，マスクをつくって贈ることだけではなくて，むしろ自分が感染者なのかも知れないと受け止め，他人にうつさないために，外出を避けようとする行動，そしてそれを支えあうように情報を交換し，勇気づけあおうとする行動，こうした人々の動きともつながっている。これこそが，社会をつくる大切なつながりであり，それをつくろうとする自分と他者とのかかわりの運動なのだといえる。

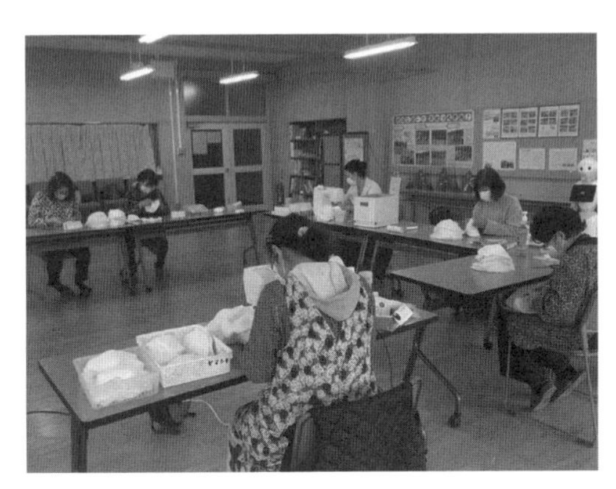

図8　地域住民によるマスク作成

(3)　よきことに「気づく」

よそ者が当事者となることにおいて，想像力と配慮が求められるように，そこには，相手のことを自分に照らして受け止め，かつ相手の中に自分を感じとること，つまり相手を好意的に受け止めることが組み込まれていく。地元の高齢者のことを思い，マスクをつくって，贈るとき，そこには高齢者の健康を心配し，慮り，感染しないようにと願う自分があり，しかもうれしそうにマスクを受け取って使ってくれる高齢者の姿が，想像されて，子どもたちは愉しかったのではないか。子どものためを思って，一緒にマスクをつくる高齢者や地元住民たちも，子どもを心配し，その子たちのためになれる自分をうれしく思い，またそのマスクを子どもたちが喜んで受け取り，使ってくれることを想像して，愉しかったのではないか。

既述のように，Anticipationとは，単に予想するということだけではなく，むしろよきこと，愉しいことを予想して，それを計画する，という意味が含まれている。そこには，Anticipateする自分，つまり自分を他者との間でつくりだし，想像力をふくらませ，それを相互の配慮へと高めて，新しい自分と相手をつくり続け，思わずニコニコしてしまう，そしてウキウキしてしまう自分が，それこそ予期せぬ形で，現れるのではないか。そして，人はそれを愉しいこととして受け止めることで，事後的に自分をさらにその関係を強化するように駆動してしまう，つまり他者とともにある自分が自分を不断によき関係をつくるようにと駆り立ててしまうのではないだろうか。これこそが，ハートルームにおける実践で高齢者と子どもたちが，そしてワークショップの場における対話で住民が見せてくれた「気づく」姿である。

事後的な過剰性の継起，これこそが想像力と配慮にもとづく自治，つまり他者のことを我が身にひきつけて受け止めつつ，その他者から改めて自分を振り返り，状況を判断して，自分にできることを人のためにおこなうこと，それが自分自身をも人々との関係のなかでつくり続けることにつながる実践を進める人間的な基礎なのだといえる。

結び　AAR循環運動の継起としての「学び」

私たちは「地域」という場合，一般には，地縁団体や地縁組織のようなものとして，それを具体的にイメージしてはいないだろうか。そしてそれは，日本が明治以降，産業国家をつくる過程で，全国に小学校を設置し，学区を画定して，それを行政の基本単位としたことと深くかかわっている。今日のいわゆる自治会が小学校区を基本に組織されているのはそのためである。そして，地域が地縁団体や組織だというのは，それが学区という区画に居住する住民によって組織されたものだということ以上に，それが「家」を基盤とする一戸一票制を基本とした組織体系を持っていること，日本が「家」を基本とする戸籍や世帯（住民票）によって国民を国へと紐付ける制度を採用していること，そしてそれらとのかかわりで，人々が「家」つまり世帯を基本に地域を意識しつつ，それが国と結びついていることを反映している。

それゆえに，私たちは地域と問われれば，それは「家」とくに世帯と深くかかわり，世帯に帰属する自分が「家」を通して他の「家」と結びついている地縁的な空間というイメージを抱くこととなっている。しかもその「家」は，これまでは会社と深く結びつきつつ，社会の基盤としても意識されてきた。この意識の中では，社会は「家」が帰属する会社などの組織という具体的なイメージを結び，その会社に帰属する人々が構成する空間としてイメージされるが，それが「家」を基盤としていることによって，その外延は国によって画定されているものとなる。

そして，この会社が「家」を基本とする共同体の擬制をとることで，会社が「家」を介して個人の帰属先となり，個人は会社を介して社会と結びつくかのような感覚を抱くことが可能となっていた。しかもその社会は国を範囲とするものであることで，人々は国民という帰属意識を抱くことにもなっていた。

しかも，「家」をさらに会社を介して社会つまり国へと結びつけていたのが，学校という国家の制度つまり国民教育制度であった。学校における教育と選抜が，より具体的で功利的な社会，すなわち地域よりも上位の概念である，自己の利益と結びついた社会，しかも地域から出ていく先の帰属をもたらしてくれる社会につなげていたのだといえる。これがいわゆる学歴社会の姿であり，「家」は学校信仰とでも呼ぶべき価値観によって支配されることとなる。

しかし，このような「家」という帰属を基盤とする地域と社会の学校を介した結合の構造は，極めて脆弱なものでもあったといわざるを得ない。社会における人々の格差が利潤を生む市場社会においては，資本は常に格差をつくりだしつつ，その格差から利潤を導き出して，自己増殖しようとするが，その増殖過程で，既存の格差は縮小・消滅するために，市場社会は常に新たな格差をつくりだし続けなければならないという宿命を負っている。そこでは，たとえばいわゆる農村と都市の格差による過剰労働人口の担保が，労働力価格に格差を生み，それが都市への人々の流動の圧力として機能するとともに，都市部の核家族化を推し進めることとなる。その結果，農村共同体規制から切れた人々が新たな帰属先として都市における「家」を構成しつつ，それが地域と会社の双方に帰属することで，社会が「家」を基盤としてイメージされることにつながり，それがさらに学校を介して，新たな格差つまり学歴を生み出すことで会社へと結びつけられることになる。ここにおいて，「家」は子どもの教育と労働力の再生産に特化した教育家庭と勤労家庭へと変容し，地域から人を会社とそれが構成するより大きな社会，すなわち中央・都市いいかえれば国へと送り出す場となる。

人々の意識において，社会から地域が脱落し，「家」は地域から乖離して閉じられ，地域の担い手が不足することとなる。その上，いわゆる農村の過疎化と都市の人口流動の激化は，地域の高齢化と「家」の単身世帯化を促し，「家」の解体を推し進めるとともに，雇用慣行の転換により企業が家計維持機能を削ぎ落とし，人々が労働市場で孤立するようになると，学歴を通した垂直の格差とそれを回収する帰属という統合が解体するようになる。

人々は会社という帰属先をも失って，社会的に孤立することとなるのである。社会には，経済的な貧困だけでなく，それと深くかかわる関係の貧困ややる気の格差などが生み出され，人々の自己決定権が否定され，人々相互の間に深い分断線が引かれることとなる。

このような社会では，人々は，時間はおろか，空間を共有することすらせず，自らが社会を担っているという感覚をも失って，相互にピリピリと気を張り詰めあう，緊張感の高い，不安定な，さらにはいがみあう関係がつくられることとなる。そこでは，利己的な権利の主張による要求とクレームの応酬が常態となる。社会の信頼感が低下し，人々個人の存在を担保する居場所はつくられることはなくなってしまう。

こうした事態に直面して，私たちが改めて考え，かつつくりださなければならないのは，人々がこれまでの「家」という帰属に依存しない，しかも人々を孤立させることのない，新たな結びつきのあり方であり，そこで実践されなければならないのは，人々を孤立から自らの力で抜け出すことができるような尊厳をもった存在，すなわち生活の当事者へと新たに生み出すことである。

これからはむしろ，社会は人々の自発性と自治を基本とした，信頼感を基盤とする開かれた関係として組織されることが必要なのではないだろうか。そこで求められるのは，人々が，お互いに顔の見える関係において，自分の社会的な存在を，他者を通して自ら認めることができるような〈ちいさな社会〉をたくさんつくることを通して，住民が自ら他者との関係をつくり，社会を担い，経営することへと結びついていく筋道をつくりだすことである。そのとき，人々を結びつけて，社会をつくる紐帯となるものは，それぞれの人々がそれぞれの役割を果たし，希望を実現することの楽しさを我が事とすること，つまり社会の主役となることである。

このような課題に対して，本稿で記したような草の根の地域コミュニティにおけるコトバによるよそ者を介した小さな話しあいの重ねあいが，この社会の基盤を，人々の他者に対する想像力と配慮に満ちたもの，そして相手を好意的に受け止め，支えあおうとする，人々の思いによって生み出される当事者性に満ちたものへと組み換えていくのだといえないだろうか。それはまた，自立した個人を前提とするアソシエーションではなく，また「家」に帰属することで統合へと向かう団体ではなく，むしろ住民の他者への想像力と配慮に満ちた，相互性にもとづく，意識せざる思いが交錯する「場」としての地域コミュニティであり，その鍵は，お互いに意識せざる形でその「場」を担いあう当事者としての住民の生成なのではないだろうか。この生成の終わりのない過程こそが「学び」なのではないだろうか。

「学び」とは，知識や文化を伝達・受容することだけではなく，むしろこのような自分を他者との間で生成し，当事者として，意識せざる形で他者とともに思いを重ねつつ，地域コミュニティを担う関係をつくりだし，その関係がさらに自分を駆動して，地域コミュニティを人々の新たな交わりの場へとつくりだしていくAARの継起的な循環運動だと再定義できそうである。

私たちには改めて，自分を認めろという承認欲求の訴えあいのような社会のあり方から，人々がともに想像し，慮ることで，互いを認めあうことができるような，配慮しあうことで，愉しくなる社会のあり方を，住民が生活する地域コミュニティのレベルから構想し，実践することが求められている。それが「学び」の地域コミュニティへの実装であり，その一端を，地元住民とくに高齢者や子どもたちが見せてくれているのである。地域コミュニティは，従来のような地縁団体や組織ではなく，むしろ住民自身の互いの承認や思いの実現によってもたらされる楽しさに駆動される，信頼と自治のプロセスとして生み出され，「学び」はその基盤をつくりだすものとなる。そして，このような想像力と配慮にもとづく「学び」のあり方が，ポスト・コロナまたWithコロナと呼ばれる時代のNew Normal（新たな日常）となり，それがさらにNew Norm（新たな生活規範）をつくることにつながるのではないだろうか。

1　人生100年時代構想会議『人づくり革命 基本構想』2018年６月
2　同上
3　中央教育審議会『新しい時代の教育や地方創生の実現に向けた学校と地域の連携・協働の在り方と今後の推進方策について（答申）』2015年12月21日
4　東京大学大学院教育学研究科社会教育学・生涯学習論研究室「ぎふスーパーシニア」共同研究チーム『ともに当事者になるということ－「ぎふスーパーシニア」共同研究第３年目の報告－／学習基盤社会研究・調査モノグラフ19』，2020年５月のうちとくに第５章「３年目の成果と課題」および終章「想像力と配慮：よそ者が当事者になること」を参考にまとめる
5　東京大学大学院教育学研究科社会教育学・生涯学習論研究室「住民自治を基盤とした社会システム構築事業」共同研究チーム『自治に気づくワークショップ－住民自治を基盤とした社会システム構築事業松本市調査報告書・２－／学習基盤社会研究・調査モノグラフ20』2020年６月の各章および終章「住民変容の筋道－ワークショップの特徴」を参考にまとめる
6　小田切徳美『農山村は消滅しない』岩波新書，2014年，26-29頁

7 同上書，28頁
8 同上書，29頁
9 小田切徳美，東京大学社会教育学生涯学習論研究室主催公開講座「社会教育の再設計」第3回「農山村と社会教育」（2019年12月14日）における講義より
10 小田切，前掲書，29頁
11 牧野篤『農的生活がおもしろい―年収200万円で豊かに暮らす！』さくら舎，2014年，159頁
12 小田切，前掲公開講座講義にて
13 小田切，前掲書，27頁
14 同上書，29頁
15 同上書，31頁
16 牧野，前掲書
17 小田切，前掲書，161頁
18 同上書，161-162頁
19 同上書，162頁
20 同上書，164頁
21 牧野篤『生きることとしての学び―2010年代・自生する地域コミュニティと共変化する人々』東京大学出版会，2014年
22 小田切，前掲書，164頁
23 牧野『生きることとしての学び』
24 小田切，前掲公開講座講義における資料より

逆臨界点の存在

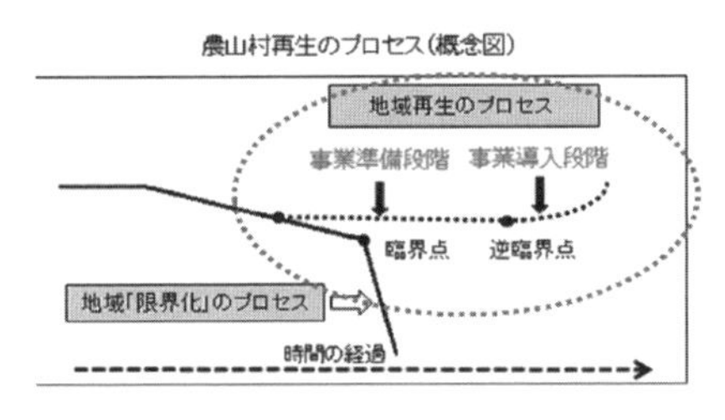

小田切徳美（明治大学教授）

32

25　小田切，前掲書，165頁

26　同上書，166-167頁

27　同上書，75-76頁

28　OECD "*THE FUTURE OF EDUCATION AND SKILLS*", Education 2030 Position Paper 2018（http://www.oecd.org/education/2030/E2030%20Position%20Paper%20(05.04.2018).pdf－2020年５月４日閲覧）の議論を参照

29　小田切，前掲書，162頁

牧野　篤（東京大学大学院教育学研究科教授）

3-3　地域づくりの拠点としての公民館

はじめに

本稿では，生涯学習・社会教育の観点から地域づくりについて検討する。地域政策として地域づくりがどのように論じられてきたのかを概観するとともに，近年の生涯学習・社会教育における地域づくり施策について検討して，地域づくりに果たす公民館の役割を明らかにする。

1　地域づくり政策の動向

⑴　コミュニティ政策

1960年代以降の地域開発政策の進展による高度経済成長にともない，農村型社会から都市型社会へと急激に変容した。都市化の進行は地域の人間関係の希薄化をもたらし，地域の共同体的連帯意識が衰退し，地域青年団や婦人会などの地縁集団の解体，地域の祭りや年中行事の消滅など様々な問題が生じた。こうした状況に対して，1969（昭和44）年に国民生活審議会調査部会は「コミュニティ―生活の場における人間性の回復―」という報告書を提出した。この報告書のなかで，コミュニティとは「生活の場において、市民としての自主性と責任を自覚した個人および家庭を構成主体として、地域性と各種の共通目標をもった，開放的でしかも構成員相互に信頼感のある集団」と表現されている。当時，自治省でモデル・コミュニティ推進の担当者であった木村仁は，コミュニティは，住民の地域的な連帯感によって形成される人間集団であり，人間関係の基礎には住民のフェース・ツー・フェースの関係があると指摘している[1]。

自治省が進めたコミュニティ対策は，近隣の物的生活環境の整備を重視するフィジカル・アプローチの手法であった。このコミュニティ形成の方法は，①行政はコミュニティの住民組織にはできるだけ関与しない，②環境整備については市町村の責任性と主導性にまかせる，という２つの特徴が指摘できる。つまり，この方法を通してコミュニティ施設を媒介として地域住民の参加による自治的管理運営によって住民主体のコミュニティ形成を展望するものであった。こうした方法を確実なものにしていくには，自然発生的な住民の参加に期待するのではなく，住民自治に主体的に参加する意識を形成したり，そのような意識転換を図る教育・学習活動と結びつく必要があった。公民館関係者が公民館こそコミュニティセンターであると主張したのは，コミュニティ形成における住民の教育・学習活動の重要性を認識していたからである。

⑵　地方創生政策と地域づくり

近年になると，急速に進む少子高齢化に伴う人口減少傾向に対処するため，2014（平成26）年11月に成立した地方創生関連２法案（「まち・ひと・しごと創生法」，「地域再生法の一部を改正する法律案」）のもとで地方創生が政策課題として推進されている。「まち・ひと・しごと総合戦略の基本目標」には時代に合った地域をつくり，安心な暮らしを守るために「小さな拠点」の整備が提示されている[2]。「小さな拠点」とは，内閣府地方創生推進事務局の「令和３年度小さな拠点の形成に関する実態調査」（令和３年12月）によれば，「市街化区域を除く，中山間地域等において，地域住民の生活に必要な生活サービス機能（医療・介護・福祉，買い物，公共交通，物流，燃料供給，教育等）やコミュニティ機能を維持・確保するため，旧町村の区域や小学校区等の集落生活圏（単一又は複数の集落及び周辺農用地等で構成された自然的社会的諸条件からみて一体的な日常生活圏を構成している圏域）において，生活サービス機能や地域活動の拠点施設が一定程度集積・確保している施設や場所・地区・エリア」であり，人々が集い，交流する機会を広げて集落地域の再生を目指す取り組みである。この調査の結果によれば，「小さな拠点」が設置されているのは574市町村である。そのなかで公民館（分館を含む）は1,246設置されており，教育関連施設のなかでは小学校1,395，保育園（認定こども園を含む）1,345に次いで「小さな拠点」に多く設置されている。なお，公民館的施設である地域交流センター等地区住民の活動拠点施設も1,390含まれている。こうした国の施策を受けて各地の自治体において地域づくりへの取り組みが展開されている。

以下では，生涯学習・社会教育の観点から地域づくりについて概観し，地域づくりに果たす公民館の役割を明らかにするため，地域住民が「希望をもてる地域」という観点から検討することにしたい。

2　生涯学習・社会教育の取り組み

臨時教育審議会第３次答申（1987（昭和62）年４月）は，生涯学習社会にふさわしい本格的な学習基盤を形成し，地域特性を生かした魅力的で活力ある地域づくりを進める必要があると指摘し，「地方が主体性を発揮しながら，まち全体で生涯学習に取り組む体制を全国的に整備していく」ことを提言した。地域の人々の自発的・主体的な参加によるボランティア，学習サークル，住民運動などが活発におこなわれることが，生涯学習のまちづくり・地域づくりに結びつくのである。

1990（平成２）年６月に制定されたいわゆる生涯学習振興法を受けて，1992（平成４）年７月に提出された生涯学習審議会（以下，生涯審）答申「今後の社会の動向に対応した生涯学習の振興方策について」は，目指すべき生涯学習社会の方向として，学習成果を職場，地域や社会で生かすことを提言している。さらに，1999（平成11）年６月に提出された生涯審答申「学習の成果を幅広く生かす」においても次のように指摘している。

「地域社会での様々な課題を解決するためには，国や地方の行政に依存するばかりでは効果的できめ細かな対応は難しい。住民の一人一人が，それぞれのニーズに応じて，問題解決を目指して学習し，積極的に地域社会に関わっていく姿勢を持つことが必要になっている。」（第１章　新しい社会の創造と生涯学習・その成果の活用）

個人の自己実現とともに，学んだ成果を地域の人々の支援に生かしていくことが生涯学習の課題としてくり返し提起されているのである。

2015（平成27）年12月の中央教育審議会（以下，中教審）答申「新しい時代の教育や地方創生の実現に向けた学校と地域の連携・協働の在り方と今後の推進方策について」では，「公民館等の社会教育施設により，長年にわたり社会教育活動を通じた地域の活性化のための諸活動が進められてきており，このような活動が，地域における学校支援活動等の円滑なスタートや，その後の速やかな定着につながっている。」（第３章　第２節　地域における学校との連携の現状等）と指摘し，学校との連携体制の構築という観点から公民館の果たしている役割を評価している。そして，地域住民の身近な学習・交流の場である公民館等の社会教育施設は「多様な人々が集い，地域活動の歴史やノウハウが集積されており，世代間の絆をつなぐ協働の場」（第３章　第３節　地域における学校との協働体制の今後の方向性）としての役割が期待されているのである。

2018（平成30）年12月の中教審答申「人口減少時代の新しい地域づくりに向けた社会教育の振興方策について」では，公民館に求められる役割について，次のように指摘している。（第２部第１章　今後の社会教育施設に求められる役割）

「地域コミュニティの衰退が社会全体の課題となる中，今後は，特に，住民が主体的に地域課題を解決するために必要な学習を推進する役割や，学習の成果を地域課題の解決のための実際の活動につなげていくための役割，地域コミュニティの維持と持続的な発展を推進するセンター的役割，地域の防災拠点としての役割，『社会に開かれた教育課程』の実現に向けた学校との連携を強化するとともに，地域学校協働活動の拠点としての役割などを強化することが求められる。また，中山間地域における『小さな拠点』の中核となる施設としての役割や『地域運営組織』の活動基盤となる役割も期待される。さらに，外国人に対する日本語学習を公民館で提供するなど，外国人が地域に参画していくための学びの場としての活用も考えられる。」

この答申では，1946（昭和21）年の「公民館の設置運営について（文部次官通牒）」に言及し，設置当時の公民館の機能としては，社会教育機関であるとともに，社交娯楽機関，町村自治振興の機関，産業振興の機関，青年教育の機関としても期待されていたと，地域の総合的な社会教育施設としての公民館の機能に着目している。今日において，「公民館が培ってきた地域との関係を生かしながら，地域の実態に応じた学習と活動を結びつけ，地域づくりにつなげる新しい地域の拠点施設を目指していくこと」が期待されているのである。

これまでみてきたように生涯学習・社会教育行政が取り組んできた地域づくりは，地域の学習環境の整備充実を通して，地域住民のくらしの向上であり，地域の課題を地域住民の協働によって対処していくことを目ざしていた。このような地域づくりにかかわって公民館の役割については，これまでもさまざまな議論がおこなわれてきたが，ここでは地域住民が「希望をもてる地域」という観点から検討することにしたい。

3　「希望のもてる地域」づくりと公民館の役割

(1)　「希望のもてる地域」とは

地域住民の間に「協働」性が形成されるということはどういうことであろうか。「協働」の基盤には信頼にもとづく関係性が構築される必要があるのではないだろうか。地域住民間に信頼にもとづく多様な関係性がはりめぐらされているような地域づくりができたとしたら，そのような地域は住民にとって「希望のもてる地域」となるのではないだろうか。

「希望学」を提唱した玄田有史は，希望と安心の違いについて，「希望を持つとは，先がどうなるかわからないときでさえ，何かの実現を追い求める行為です。安心が確実な結果を求めるものだとすれば，希望は模索の過程（プロセス）そのものなのです。[3]」と述べている。そして，希望に影響を与える重要な要因の一つとして関係性があるという。玄田は，他者とのかかわりを多くもつ人ほど実現できると思える希望を持ちやすいと指摘している。現代社会において，多くの人が日本に希望がなくなってきたと感じているのは，不況で収入や仕事がなくなってきたことの他に「日本に急速に広まってきた社会の孤独化現象[4]」があると玄田は指摘している。同じことを湯浅誠は社会のなかに“溜め”がなくなっている，と捉えている。“溜め”とは，例えば，頼れる家族・

親族・友人がいるというのは人間関係の“溜め”である，と湯浅は指摘している[5]。

関係性を構築するにあたっては様々な取り組み方がある。湯浅のいう「溜め」には家族・親族などの血縁関係という私的レベルの関係と公共レベル関係という2つの側面がある。ここでは，地域社会という公共レベルでの関係性構築について考えてみたい。地域社会の人々が学習活動やボランティア活動など協働活動をおこなうことを通じて相互の信頼感にもとづいて関係性が構築されるのではないだろうか。地域の公民館はこうした協働活動の拠点の一つであり，住民間の関係の構築にかかわって学習活動を通じて支援する役割を担うことができる社会教育施設なのである。なぜなら，公民館は学習活動を保障する施設設備を有し，かつ地域住民の学習活動支援を職務とする社会教育職員が配置されているからである。

日本各地の中山間地域の農山村の実体を克明に調査し，農山村再生の展望を実証的に明らかにする調査研究に取り組んでいる小田切徳美は，暮らしをめぐる独自の価値観の再構築が地域づくりの取り組みのなかでは特に必要とされていると述べ，「例えば，地域の歴史・文化，自然をはじめとして，より具体的には郷土料理，景観，住民の人情や絆に対する価値観である。これが「暮らしのものさし」であり，その小さなものさしが，一つひとつ積み上げられる必要がある[6]」と論じている。小田切は，こうした取り組みは公民館活動の1つの目的とされたものであり，公民館活動が地域づくりの母体となるケースが少なくないと指摘している。

(2)　公民館に求められること

地域住民が「希望のもてる地域」づくりに公民館はどのような役割を果たすことができるのかを検討するに当たり，われわれは社会教育法に立ち返って考えてみる必要がある。周知のごとく，社会教育法第20条は「公民館の設置目的」として，「実際生活に即する」各種の事業をおこない，「生活文化の振興」，「社会福祉の増進に寄与」することと規定している。公民館は地域の人々のニーズに応えた事業をおこなうことにより人々の暮らしの中で生じる問題の解決に向けての取り組みや健康の増進，生活文化の振興を支援する地域の社会教育機関なのである。この公民館の設置目的を活かした事業ができているのか，あらためて検討する必要があるのではないか。多くの公民館が取り組んできている趣味・教養活動を通じた地域住民の自己実現を支援する事業とともに，公民館の存在意義を発揮するためには，これまで以上に地域の生活に関わる多様な課題に公民館が積極的かつ創造的に取り組むことが求められている。以下ではそうした取り組みをしている公民館の実践事例を紹介することにしたい。

長野県茅野市では2005（平成17）年度には，パートナーシップのまちづくりを市政の方針とすることになり，まちづくの課題が「自助」，「共助」，「公助」のシステムづくりとして設定された。茅野市地区コミュニティセンター条例(平成17年３月30日）によれば，「茅野市パートナーシップまちづくり基本条例(平成15年茅野市条例第27号）に規定する分野別の市民ネットワークと地域コミュニティが連携，協力する公民協働のまちづくりを進めるため，地区コミュニティセンター（以下「センター」という）を設置する」(第２条）と規定されている。それに伴い，地区公民館を地区コミュニティセンターとして位置づけ，公民館職員（パートナーシップのまちづくり課職員の兼務）を地区に配置し，本館―地区公民館（コミュニティセンター）―分館のシステムが形成された。例えば，ちの地区では，７つの行政区（分館の設置単位）をコミュニティづくりの基本単位として，福祉部会，環境部会，子育て部会，分館長主事連絡会，保健補導委員会，茅野市消防団ちの分団の６つ部会を設置して，各行政区で取り組んでいる[7]。茅野市の公民館システムに組み込まれている分館は，自治会，町内会等の「地縁団体」が地域住民の集会や活動の拠点として設置した自治公民館とよばれる公民館類似施設である。分館と地区公民館が連携して地域の課題や住民のニーズに応える公民館活動が展開されているのである。

次に，大都市東京において地域に暮らす人々が障害の有無にかかわらず交流できる場を設置し，共生社会の実現を目指す取り組みを続けている国立市公民館の取り組みを見てみよう。

1979（昭和54）年に，障害者青年学級（2005（平成17）年から，「しょうがいしゃ青年教室」に改称）の開設とともに，公民館の１階市民交流ロビーの片隅に「喫茶コーナー」が設置された。「喫茶コーナー」は「喫茶わいがや」と名付けられ，障害者青年学級の喫茶実習がはじめられた。当時の障害者青年学級の理念のひとつとして，「『障害者』をとじこめる場ではなく，市民に開放された場であること。実習の場として，市民交流ロビーに，喫茶コーナーをおき，品物の仕入，接客等によって地域社会に積極的にかかわりをもつ[8]」ことが明記されている。「喫茶わいがや」は多様な背景のある青年にとっての「居場所」であり，また一方で市民に開かれた「店」でもある。「喫茶わいがや」を含む国立市公民館の「コーヒーハウス」の活動は，「インクルーシブな街づくりを目指す国立市政にも少なからず影響を与えてきた[9]」と評価されている。

おわりに

ここで取り上げた事例は，公民館が教育委員会社会教育部局以外の首長部局，町内会，住民団体等と連携して住民の多様なニーズに応えるとともに地域に開かれた交流の場となっている。社会教育法第20条が規定する公民館の設置目的を創造的に解釈し，これまで以上に地域の問題に積極的にコミットしていくことが求められている。近年の新型コロナウイルス感染症の拡がりの中で公民館事業が制限されているが，リモート形式による講座や遠隔地の人々との交流など新しい事業の可能性も拡がってきている。公民館が，地域の多様なニーズに応え，住民の学習活動を支援して地域住民の間に信頼にもとづく関係性を構築する役割を果たすことができれば，公民館は「希望のもてる地域」づくりの拠点として地域住民から認知されていくであろう。公民館の事業を「狭く」限定して公民館の活力を削いでしまうことにないようにしたいものである。

1　木村　仁「コミュニティの建設」『現代のエスプリ』No.68，1973年，p.109。

2　中西渉「地方創生をめぐる経緯と取組の概要－『将来も活力ある日本社会』に向かって－」『立法と調査』（参議院事務局企画調整室編集・発行）

No.371，2015 年 12 月，p.14。（https://www.sangiin.go.jp/japanese/annai/chousa/rippou_chosa/backnumber/20151201.html）

3　玄田有史『希望のつくり方』（岩波新書）2010年，p.34。

4　同上，p.81。

5　湯浅誠『反貧困―「すべり台社会」からの脱出』（岩波新書）2008年，p.79。

6　小田切徳美『農山村は消滅しない』（岩波新書）2014年，p.73。

7　拙稿「地域活動の拠点としての自治公民館」『茗渓社会教育研究』第 6 号，2015年 6 月，p.20。

8　井口啓太郎・橋田慈子「障害者の社会教育実践の展開」東京社会教育史編集委員会編・小林文人編集代表『大都市・東京の社会教育―歴史と現代』（エイデル研究所）2016年，p.396。

9　井口啓太郎「〈実践報告〉若者は公民館でなにを学ぶのか―国立市公民館『コーヒーハウス』の実践から―」『日本公民館学会年報』第14号，2017年11月，p.85。

手打　明敏（東京福祉大学教育学部教授）

3-4 社会教育は社会教育でなければならない
―住民自治の再発明の場としての公民館―

はじめに

近年，地域社会が政策的に焦点化され，社会教育ではない社会教育が社会教育の実態をつくるような状況が現れている。そしてその状況はまた，人々がこの社会に対して抱くイメージや感覚によっても，そうなるべく支持されているように見える。このような事態を生み出しているのは，この社会が，自分が他者とともに生きているという感覚を持てるものではなくなってしまっていると，私たちが感じているからではないだろうか。

それはどういうことなのか。そして，私たちがこの社会を皆で共に生きる社会にするためにも，社会教育は社会教育でなければならないことを，述べてみたい。そのときのキーワードは「住民自治の再発明」である。

1　団体・組織としての地域や社会

筆者も含めて，私たちは軽々に地域または地域社会という言葉を使い，中央教育審議会の答申や文部科学省の政策にも，地域や地域社会という言葉が頻出する。とくに，コミュニティスクールが政策化され，地域学校協働活動が推奨される近年では，その傾向は強くなっている。また，地域の後継者難だという。とくに少子高齢化・定年延長などで，地域の担い手が高齢化し，また減っていて，地域の存続が危うくなっているという。

ところで，「地域」とはどういうものなのだろうか。それは，町内会であったり，老人クラブであったり，子供会であったり，と地縁団体や組織のことだと，私たちは意識しているのではないだろうか。

詳述はできないが，日本は明治維新以降，中央集権国家をつくる過程で，全国に小学校を設置し，学区を画定して，それを行政の基本単位とした。それが，戦前の町内会の基盤となった。町内会は，論理的には，その総和が日本の国土に等しくなる，重なりのない区画である。そこに，相互扶助の隣組を重ね，青年団，消防団，婦人会，処女会を重ね，また当然ながら学校父兄会もそこに置かれ，さらに自然村にあった神社を統廃合して氏子区として重ね，今日の地域の基礎がつくられた。戦後には，ここに子供会や老人クラブが重ねられた。

敗戦後，連合国の占領下にあって，GHQは隣組や町内会を権力的な動員組織とみなして解散命令を出したが，その一方で，公民館の設置を奨励し，住民が自らの生活の基盤の上に，地域経営を進める拠点として活用することを促した。社会教育法は，その方針を受けてつくられたという性格を持っている。

しかし，たとえばPTAの導入を担当したアメリカの専門家が，途中からアソシエーションとしてのPTAの導入を諦め，日本型のいわゆる学校父兄会を基盤とした組織を認めたように，日本の地域とは団体または組織として構成され続け，今日に至っている。

隣組や町内会は，占領の終了とともに，自治会として復活したが，それは草の根からのアソシエーションではなく，むしろ上からの団体・組織として再生されたといっても過言ではない。日本の地域とは，ある空間に住んでいる人々が，住民の一員として自発的に責任を担うアソシエーション，つまり対等な関係を基盤として，それぞれが自分が所属している生活集団のために力を尽くし，自治的にその集団を経営し，治めようとするメンバーシップを持った集まりではなく，むしろ地縁の団体として，それぞれの役割をあてがわれる，非自発的で受動的な組織であったといってよいのではないだろうか。それゆえに，その組織は一戸一票制であり，基本的には戸主が家を代表して議決権を持ち，議論よりは慣例を重んじるものとなっていた。それはまた家制度を基本とした組織でもあったといってよいだろう。

2　団体自治と住民自治

この問いを深めていけば，基礎自治体つまり市町村の団体自治と住民自治のあり方を再考するという議論に結びつく。それはまた，従来の社会資源の分配論にもとづく学習権保障としての社会教育でよいのかという問いを発することに等しい。

市町村という基礎自治体はまた地方公共団体と呼ばれるように，住民の生活を，住民みんなで守るための，つまり住民による経営体であり，その機能は基本的に，二つの「自治」から構成されている。一つは団体自治，もう一つは住民自治である。

団体自治とは，国家に対してその自治体の独立した法人格を認め，その法人格を持つ団体がその治める地域の行政を，自らの権能と判断によっておこなうことを基本としている。つまり，地方主権の基本をなす自治だといえる。

しかしそれを，もう少しその自治体の住民の立場からとらえると，次のようにいうことができる。地域の行政を，その自治体の住民たちが担うために，自分の持つ財貨・富を提供しあい，市場を通さずに分配して，住民の生活基盤を平等に整え，住民の物質的な生活の最低限の安定を保障しようとするものだ，と。税を徴収して，それを使ってさまざまな行政サービスをおこなうことで，住民の生活の基盤を整えるとともに，その利便性を高めること，これがその自治体の法人格の独立性を高めることにつながり，団体自治の基本となる。自治体の行政は，富の平等な再分配をおこなうことが基本的な役割となっているのだといってよいであろう。

しかし，これだけでは住民の生活を安定させることはできない。本来の団体自治を実現するためには，根源的に自立した人格を持つ個人としての住民が，自治体行政に参画して，そのあり方を自らの意志にもとづいて決定し，その責任おいて担うことが求められる。この個人としての人格の本源的独立性が，自治体という法人格の国家からの独立の根拠となる。団体自治を確かなものにするのが住民自治なのであり，住民自治つまり住民生活の物質的な基盤を保障するのが団体自治なのである。

3　住民による「自治」とは

これをもう少し住民生活にひきつけて考えると，次のようにいうことができる。住民自身による相互扶助，最近の言葉でいえば「共助」の関係がなければ，行政による富の再分配も，行政サービスの提供による物質生活の基盤を整える事業も，うまく機能しないということである。つまり，団体自治による富の再分配は，限られたパイを分け合うことで，不平等の幅をできるだけ小さくしよう，持てる人から持てない人へと財貨・富を再分配することで，最低限の生活を保障しようとするものだが，これに対して，住民自治とは，人々が顔の見える関係を基本として，助け合うことで日常生活上のさまざまな困難を解決して，生活を安定させようとする互助を基本とした自治のあり方である。それは，富の再分配のあり方を住民相互の信頼関係にもとづいて決めていく根拠となるものなのだといえる。

そして，話をもう少し広げれば，この住民自治とは，私たちが生きる市場社会と基本的な価値を共有したものだということである。つまり，市場社会は，人々が相互に認めあい，他者に対する想像力を働かせて，相手を慮り，信頼関係をつくることで，はじめてモノの交換や売り買いが成立する社会であり，それが拡大することによって，見知らぬ人々の間で貨幣を媒介させて，交易が可能となる仕組みだからである。人々が相互に承認しあい，信頼しあうことが，市場社会の仕組みの最も根源的な価値となる。

4　行政に依存しやすい住民自治

団体自治は基本的には「分配論」にもとづいて，そして住民自治は「互助論」にもとづいてつくられてきた仕組みだといってもよい。しかし，私たちは，過去の経済発展の時代に，この二つをすべて分配論にもとづいて受けとめ，分配を要求することが自治なのだと勘違いしてきてしまったのではないだろうか。

経済発展し，人口も増えて社会の規模が拡大し続け，人々の生活が豊かになり続ける，こういう社会では，税収も伸び続けるため，行政が富の再分配をおこなうのも，拡大し続けるパイを分配することになり，住民の要求にどんどん応えることができる。住民が税金を納めることにも，その見返りを受けることにもさしたる抵抗もないままに，行政サービスが拡大していく。いま考えれば，住民相互の話し合いで解決できるのに，こんなことまで，と思えるようなことにまで，行政が関与して，行政サービスを提供することを求め，またそれを提供することが可能となっていたのであった。

これが住民の行政依存を生むことになり，それを裏返せば，自治体の国への依存を生み出し，団体自治を名目上のものとしてしまう。地方自治体の実質的な団体自治が骨抜きになってしまうのである。

経済が発展し，富のパイが大きくなり続けているときには，それでもよかったのかも知れない。しかし，昨今のような社会構造の変容に見舞われ，社会の規模が経済を含めて縮小している時代には，人々に分配するパイも小さくなっていく。従来のまま分配論にもとづいて，行政依存を続けていては，早晩行き詰まってしまい，人々は縮小するパイをめぐって，お互いにいがみあうことになってしまう。そしてその矛先は，行政職員に対しても向けられることになる。昨今の公務員たたきは，その典型ではないだろうか。

5　富の分配論からの転換へ

これは，私たちが住民自治として自分の権利を行使することを，分配論を基礎として理解してきたから起きてしまったことなのではないだろうか。そしてその結果，招かれてしまったのが，自治体間の競争であり，「選択と集中」による自治体の選別なのではないだろうか。その論理では，力のない自治体は，なくなってしまっても仕方がない，自分の住んでいる自治体が行政サービスを十分におこなえないのなら，それは棄てて，他の自治体に移ればよい，そういう「合理的」な判断がなされてしまうことになる。

このような論理は，富の分配という物質的なものを基本に考えれば，確かに合理的なのかも知れない。しかし，「消滅可能性」があるとされた自治体に住む人たちが，そのまま，はいそうですか，と「合理的」な判断をして，他の自治体に移動するだろうか。あなたのまちは，「消滅可能性自治体」ですよ，といわれてうれしい人はいるのだろうか。地元では，さまざまな感情が渦巻いていて，経済合理性だけで，人々の生活のあり方が決まっていたわけではないのが現実ではないだろうか。むしろ，人々の生活において合理的なものが，経済合理性とは相容れない形であったからこそ，その地域が「地元」として維持されてきた一面があるといえはしないだろうか。制度とは極めて社会心理的な面を持っているものだということを，つまりそれを使う人の感情や生活文化など，一見不合理なものの論理にもとづいているがゆえに，生命力を持ったものでもあったという点を忘れてはならない。

いま，私たちは，社会の構造的な変容に直面して，改めて，自分が生活する「地元」で，「自治」を再考する必要に迫られているのだといえる。それはまた，市町村行政によるサービスの分配を有効に機能させるためにも，必要なことなのである。

6　底が抜け始めた社会

他方，私たちはいわゆる「社会」についても，それを会社や組織・機関やその連合体のようなものとして，受け止めてきたのではないだろうか。そして，家庭を会社つまり社会につなげていたものが，学校であった。

ところが，経済発展にともなう生活様式の変容や雇用のあり方の変化，さらに価値観の転換によって，まず家庭が親子を基本とした核家族，つまり子育てと教育さらに労働力の再生産を家庭内の空間に閉じ込める教育家庭と勤労家庭へと変化し，いわゆる地域社会との関係が希薄になり，地域社会の基盤が動揺した。また，家庭そのものが解体の度合いを深めることで，地縁団体である地域社会は担い手が不足し，さらに役員のなり手がなくなって，持続可能性を失い，人々が誇りを失うことで，自治機能を停止させてしまう事態になっている。子どもという紐帯を持つPTAですら，最近では加入をめぐるトラブルを抱えるようになっている。

さらに，雇用慣行の切り替えによって，会社が家庭維持の機能を削ぎ落とし，人々を労働市場で孤立させるように変容し，人々は社会的な帰属を失い，会社を基盤とした社会が崩れ落ちてきている。それだからこそ，人々は過去の経験にすがり，その結果，学校が迫り出し，子どもたちを締め付けることとなっているのではないだろうか。

こうして，団体や組織であった地域社会の基本単位である家庭が解体し，地域社会が崩れ落ち，また人々が会社から放擲され，より大きな社会が壊れることで，人々は孤立の度合いを深めることとなる。さらに社会的な価値評価のあり方が消費社会のそれ，つまり育成による労働力の評価ではなく，即自的かつ多元的な価値の評価へと切り替わることで，人々は常に全人格的に他者の評価に晒され，かつ他者を評価し，他者に対して攻撃的になり，また行政や権威に対して依存の度合いを深める，孤独な孤立した存在となる。

このような社会では，人々は，時間はおろか，空間を共有することすらせず，自らがそれを担っているという感覚をも失って，相互にピリピリと気を張り詰めあう，緊張感の高い，不安定な，さらにはいがみあう関係のみがつくられることとなる。自治は形成されることなく，利己的な権利の主張による要求とクレームの応酬となる。社会の信頼感が低下し，そこに人々個人の存在を担保する居場所はつくられることはなくなってしまう。

7　「学び」を組織し，「自治」を再発明する

すでに地域や社会は，これまでのような家制度を基盤とした，帰属を基本とする地縁団体的な構成ではなくなり，従来の地域社会は解体の速度を速めていて，人々の孤立は深刻化している。

これからはむしろ，地域社会は人々の自発性と自治を基本としたアソシエーションとして組み換えられ，信頼感を基盤とする人々の開かれた関係として組織されることが求められているのではないだろうか。いま求められるのは，お互いに顔の見える関係において，人々が自分の社会的な存在を，他者を通して認めることができるような〈ちいさな社会〉をたくさんつくることを通して，

住民が自ら関係をつくり，社会を担い，経営することへと結びつける筋道をつくりだすことであり，またそのことは可能なのではないだろうか。そのとき，人々を結びつけて，社会をつくる紐帯となるものは，それぞれの人々がそれぞれの役割を果たし，希望を実現することの楽しさを我が事とすること，つまり社会の主役となることである。

その基盤となるのは，住民としての人々相互の「学び」である。このとき，「学び」とは，いわゆる知識を得ることに留まらず，人々が互いを認めあい，関係をつくることを通して，社会をつくり，担い，経営する，そうすることで改めて自分の存在を社会の中に認め，自分が他者とともに生きていることを実感し，うれしさを感じる，こういう一連のプロセスをいう。それは，「自治」ということである。それを，より具体的な行政的課題へととらえ返せば，教育行政の施策を通して，「学び」を基盤とする住民自治を改めて発明することが求められているのであり，社会教育は，住民自治を鍛え，地域社会を住民による楽しさを媒介としたアソシエーションとして再構成するためにこそ，機能すべきものとなる。

こうして，社会教育が社会基盤であるべき住民自治を鍛え続けるプロセスとして重視されることで，「学び」を媒介として，子どもとおとなが交わって相互に承認関係をつくり，社会的な居場所を自ら得るとともに，子ども自身が将来にわたって学び続ける力をつけながら，人生を切り拓き，おとな自身も子どもとの交流によって，自らを常に新たにし続け，社会的な役割を担い続ける駆動力を得ることとなる。このような関係がつくられることで，それを基盤として，住民一人ひとりが地域社会に積極的にかかわりつつ，社会をつくり，担い，住民自治に定礎された堅固な団体自治を実現することとなる。その結果，住民自治がより豊かに育まれ，当事者意識に支えられた自治体が実現することとなる。こういう自治の循環の基盤としての「学び」が，人々が社会の主役となるプロセスとして形成されることで，教育行政が一般行政に優越することの意味が改めてとらえ返されることとなる。

地域社会は，従来のような地縁団体や組織ではなく，むしろ住民自身の互いの承認や思いの実現によってもたらされる楽しさに駆動される，信頼と自治のプロセスとして再構成され，「学び」はその基盤をつくりだすものとなる。そのためにこそ，教育行政が機能することが求められる。

8　富の分配論から価値の生成論へ

これは先の団体自治と住民自治の関係に似ている。基本的な生活保障は団体自治の分配論でおこないながらも，その自治を新たな生活コミュニティの創造へと結びつけるためにも，住民自治の基盤である，相互に結びつき，尊重しあい，自尊心を高めて，尊厳をともに守ることのできる関係をつくりだしていくこと，こういうことが求められているのである。それはまた，住民が自ら相互の承認関係のなかで自治をおこない，生活コミュニティを経営していくことと同じである。

そして，各地の実践から導かれる知見は，そのためにこそ，住民の「学び」が必要であること，しかもその「学び」はこれまでのような文化教養の知識を分配されることではなくて，むしろ自分がコミュニティの主人公として，そのコミュニティで他の住民とともに暮らし，コミュニティを自治的に治めようとし，自分の生活を日々新たな生活へと組み換え続けるという「生活のあり方」そのものであり，そこから新たな「生活」の価値を生み出すことでもあるということである。その「学び」の場であり，触媒であるのが公民館なのである。

たとえば飯田市では，住民たちは「公民館に行く」とか「公民館活動をする」とはいわず，「公民館をやる」という。「生活」することそのものが「公民館をやる」こと，つまり公民館とは施設や講座なのではなくて，自らがそのコミュニティで，他の住民とともに，コミュニティの生活課題を発見し，それを解決して，新たなコミュニティを日々つくりだしていく，そしてそれが自分の生活を日々豊かにし，人生を楽しいものにしていく，そういうことそのものが公民館なのだといっているかのようである。それはまた，人々が生活の価値を新たに生み出し続けることだといってもよい。

9　社会教育を問い返す：学校制度とは何か

本来，社会教育とは何なのであろうか。これまで，社会教育は，とくに教育の原形態としてのそれ，つまり近代以前のそれではなく，近代国家つまりいわゆる産業社会を基盤につくられた中央集権国家の制度としてのそれは，学校教育との対比で語られてきた。

学校教育はそれが国民教育制度と呼ばれるように，近代国家の国民を育成するための制度と機関であり，それは民衆を国民へと育成することによって国家への求心力を強める仕組みでもあった。そこで育成される国民はまた，産業社会とくに大量生産と大量消費の拡大再生産を基調とする工業社会の労働力であり購買力，つまり市場経済の駆動力でもあった。

その社会では，人の成長も，経済発展のアナロジーで語られることとなる。人が発達するという観念は，経済が拡大再生産することが発達であるという観念と重ねて語られ，子どもの成長発達は親の世代を乗り越えて，より大きな価値を実現するものとして，意識され，身体だけではなく，精神の発達そのものが，経済の発達と同じイメージでとらえられる。そこでは，育成が重視され，未熟であることは，異質であるのではなく，成長発達の可能性を持ったものと解釈され，育成と教育によって，現世代を乗り越えて，次の担い手となるものと観念される。

しかも，育成され，教育される子どもたちの成長のその先には，より大きな経済の発展が予定されている。それゆえに，育成される国民はいわゆる産業的身体として，つまり，経済発展を担う，工場労働に適した身体を持った者として，しかも外部から規律・訓練を通してつくられることとなる。形成と陶冶，つまり外部から力を加えて，特定の才能や性質を練り上げることで，社会の担い手として育成される者として，子どもたちは位置づけられることとなる。

それだからこそ，日本のような後発国の学校は，功利主義と結びつけられて，立身出世の道具となり，それが社会的な地位と直結することで，学歴主義と学校信仰が強まり，社会そのものが学校化する事態が招かれることとなる。

学校こそが，個人の社会的階層上昇を達成する唯一の筋道となり，家庭と社会とを結びつける媒体となって，人々の日常生活に迫り出してくることとなる。つまり，人々の日常生活そのものが，学校的な価値によって規定されるようになるのである。

その上，社会は既述のように会社や機関・組織によって構成されるものであり，家計と結びつけられた学校が，教育家庭と勤労家庭を会社へと媒介して，家計の向上を果たすものとして機能することとなる。進学競争が激化し，受験地獄と呼ばれる事態が生まれることとなる。

そして，このような選抜を基調とした社会はまた，淘汰される人々をも回収し直して，社会の生産と消費に参加させるためにこそ，拡大再生産つまり富のパイの拡大と分配の増大を宿命づけられたものとなる。

好況と不況の波の中で身もだえしながら太っていくことを宿命づけられた怪物は，その過程で細胞である人々をふるい落とし，また消費して，自らの栄養をつくりだすが，それはまた社会統合への亀裂を深めることでもある。社会が発展すればするほど，学校における選抜は激しくなり，人々の間の分断は深まっていく。しかも，経済の発達そのものが人々の階層を分断し，社会的な統合を動揺させる方向に動かざるを得ない。それを予防するためにこそ，パイの永続的な拡大と分配の増加が求められるのだが，そのためにもさらに人々を回収して，競争へと送り返し，市場を拡大する装置が必要となる。

かなり単純化したが，これが工業社会を基盤とする近代国家と学校との基本的な関係である。それに対して，社会教育は，学校教育によって淘汰された人々を回収し，社会の亀裂を弥縫し，分断を修復して，社会的統合を回復する役割を担うものとして，社会システムに位置づけられることとなる。図式化すれば，学校教育が競争を通してパイの拡大と分配の増大をもたらしつつ，結果的に分断を生む制度であるとすれば，社会教育は適応と統合を通して社会基盤を安定させ，かつ競争へと人々を送り返して，市場を拡大する社会のスタビライザーとしての制度であったといえる。それゆえに，社会教育は常に学校教育との対比の中で，学校教育の補足・拡張・代位形態であり，またその他の社会的な教育であるとされ[1]，また学校教育以外の，職場や家庭その他社会における組織的な，または組織化の道程にある教育という規定[2]を受けてきた。そして，その社会教育の実態を構成していた基盤が，家庭であり地域社会であり，会社を基盤とする社会であった。

しかし，いまや既述のように，この社会教育の基盤そのものが崩落している。つまり，経済発展の宿命を，この社会が担えなくなり，その宿命によって維持され，またその基盤であった「家」が崩壊し，地域社会が解体の度を深めているのである。それはまた，学校教育を制度化する社会そのものが解体を始めているということでもある。私たちは改めて，社会を問い返し，また社会教育とは何なのかを問い直す必要に迫られているといえる。

10　社会教育を組み換える

制度としての社会教育が上記のような性格を持つものであり，また歴史的な産物であることを考えれば，私たちは，それを今日的に組み換えることも可能なはずである。そのとき注意しなければならないのは，私たちは後ろを向いて，前に歩くことしかできないということ，つまり歴史を振り返りながら，あった過去を見つめ，あり得た過去に学び，そこから未来を構想することしかできないということである。このような観点から，社会教育の歴史を振り返ったとき，それは適応と統合の機能を持ったものであったとしても，社会そのものが拡大再生産の工業社会であることをやめ，現実的に，すでに少子高齢人口減少の中で，経済の拡大基調を維持することが困難となり，人々の価値観が多元化し，社会の多様性が宣揚されるような状況下で，それが有効に働く条件は失われてきているといわざるを得ない。しかも，適応と統合を促す論理は，経済の拡大再生産と表裏一体となった中央集権国家の構築の論理であり，また価値の画一化と均質化の論理であって，中心を持った上意下達の社会構造でなければ有効に作用し得ないものでもある。それはまた，帰属を基本とする社会でより有効に機能するものだともいえる。

しかしすでに社会は従来の工業社会のそれではなくなり，人々の帰属を基本とした社会構造そのものが，その基盤である家庭の動揺・変容によって解体の度を深めている。しかも，社会そのものが経済のパイを拡大し，分配を増加し続けるという宿命を果たすことができなくなってしまっている。競争と分断の機能を持つ学校教育が不全化し，分断のベースとなる価値の画一性と均質性が溶解して，人々は分断ではなく，個別化し，より深刻な孤立が招来されている。このような事態に直面して，改めて社会の再統合が模索されているが，それはすでに上からの統合ではあり得ない。社会は，分断どころか砂粒化して，流動性を高めているからである。

そして，だからこそ，人々は孤立した当事者として，自己を他者に対して主張しながらも，その主張の相手先を失っているがために（なぜなら，すべての人々が自分を当事者だ，認めろ，と訴えているだけであり，その結果，孤立は自己責任となるからだ），ピリピリと緊張した関係の中で，マジョリティの傍観者とならざるを得ない。孤立と同調は背中合わせなのだといえる。

このような社会であるからこそ，社会教育が持っていた適応と統合の論理を，一人ひとりの人々が，それを我が事としてとらえ返し，自治へとつなげることで，参加と自治の論理へと組み換えることができるのではないか。なぜなら，従来，社会教育とは，学校教育の競争がもたらす分断を弥縫し，人々を回収し直して，新たな競争へと送り返しつつ，市場を拡大し，経済発展を促す仕組みであったが，その基盤であり，対象であったのは，家を基本とする地域社会の団体や組織に帰属する住民としての人々であった。しかしいまや，その基盤が崩れ，人々が孤立しているのであれば，社会教育自体を草の根の人々が担うことで，その適応と統合は，基層の人々の生活の現場において，参加と自治へととらえ返され，分断の弥縫は孤立の解消へ，そして競争は創造と共存へと組み換えられることを見通すことが可能となると考えられるからである。

11　社会教育に「目的」はない

このように考えれば，社会教育には「目的」はないといってもよいのではないだろうか。社会教育は，私たちが社会として生き延びていくためになければならない基盤を自治的につくる営みなのであって，それがきちんとなされることで，一般行政そのものが自治体として目的を持ち，また人々が自らの生活の目的を持って，それを実現する営みを開始し，目的を実現することができる，そのための基盤整備のプロセスそのものなのではないか。

それはまた，住民自治という完成することのない民主主義のプロセスとしての営みという運動の基盤となる活動なのだといえる。そうであることで，自治体の団体自治も，完成することのないプロセスとしての住民自治に支えられつつ，運動としての性格を獲得して，変化し続け，持続的な共生社会を創造する行政として自らを構成することとなる。しかもそこでは，住民自治そのものが，その団体自治に支えられて，自らが地域社会をつくりだし，経営する，動的なものとしての性格を強めることとなる。

そして，このような動的な社会教育の草の根住民による実践こそは，戦後の公民館が構想していたものでもあったと思われる。当時の文部省とGHQが社会教育法によって守ろうとした社会教育の「自由」とは，こういうものであり，公民館の施設中心主義とはこの意味におけるものであった。施設とは，それ自体が動的な，その機能を変化させ続けることで自らを保とうとする，社会的存在である人々の生活の場であり，彼らがつくる「関係」のことだといえる。

戦後の公民館構想を提起し，主導した寺中作雄は，次のように考えていた。公民館は，平和国家，民主国家日本の建設のための担い手である国民の育成のために構想され，そのためにこそ社会教育機関でなければならず，かつ社会教育は，国民生活の基盤である家庭と社会において，人々を個人の尊厳と社会への責任を持った個人，つまり「社会に於ける自覚的個性の存在であり，社会我[3]」である「公民」へと育成する営みでなければならない。この社会教育の核心である公民教育は，「個性の中に埋もれた政治的良識と社会道義に眼醒めしめ，以て良き公民としての資格に光あらしめる為の教育である。[4]」そして，「社会の中に自己を見出すと共に，自己の中に社会を見出すことが近代の特徴であり，現代人の任務であ」って，「これこそが「人の人たる所以」である[5]」

ことを，公民教育によって理解し，それを民主主義と平和主義として習性とするにまで自ら訓練した公民個人が，「身についた教養と民主主義的な方法によつて，郷土に産業を興し，郷土の政治を立て直し，郷土の生活を豊かに[6]」する営みが，公民館における実践である。寺中はこういうのである。

つまり，従来の隣組や町内会のような帰属に囚われる住民ではなく，またそれらから切断されて孤立する利己的な個人でもなく，つまりアイデンティティに囚われるのでも，同調の論理に絡め取られる孤立した個人ではなく，自らを社会の中に見出し，かつ社会を自らのなかに見出す，いわば社会のなかで他者とともに，当事者として社会をつくりながら，それを担って生きる社会的存在としての個人が，自ら当事者である他者ともに郷土をつくり，担う，その実践そのものが社会教育であり，その拠点が公民館だというのである。これが公民館の施設中心主義の核をなすものだといえる。

しかも，このとき「社会」とは，地縁的な団体や組織として意識されているというよりも，人々一人ひとりの「自己」が「社会に於ける自覚的個性の存在であり，社会我[7]」だといわれるように，上記のような他者の存在を我が身に引き受けようとする当事者としての個人が構成する「関係」としてとらえられている。そして，それがために，GHQ の成人教育担当官であったネルソンは，公民館の構想を高く評価し，次のように応じているのである。「公民館が行おうとしている「顔と顔を突き合わせる地域の人間関係」をつくることの重要性……。」「問題は……集権化の傾向を補正する，あるいは打ち破る新しい顔と顔を突き合わせる地域の人間関係を発見し，確立することである。そのような人間関係を通して，一般市民は，より広い地域の重要な諸問題に精通することができる……。[8]」

12　二つの「自由」を支える「自治」

ここで，当時の公民館構想と GHQ の受け止めが，社会を，いわゆる地縁団体や組織ではなく，むしろ他者とともに生き，他者とともに自らの生活を立てようとする住民一人ひとりが構成する「関係」，つまり社会的存在である個人を基本としてつくられる個人と他者との関係のあり方としてとらえているということにおいて，通底していることを見出すことができる。ここでは，住民は，「社会我」と呼ばれる自己ととらえられているように，他者のなかに存在し，他者を自己のなかに宿した関係のあり方を担う個人，つまり社会と入れ子になった存在でありながら，しかも「自覚的個性」として固有な存在でもある。ネルソンは，このような住民の存在を日本的だととらえ，公民館における住民の姿こそが日本文化にある集団主義の精神とつながるものだと受け止めたがために，次のように述べていたのではないか。「公民館は，また，日本の文化様式に調和するかのように思われた。[9]」

そして，デューイの言葉を引いて，ネルソンは次のように指摘している。「ジョン・デューイは……公民館の必要を支持するように思われる次のような言葉を述べている。『地域共同体的な生活が復興され得ない限り，自己を発見し，確立するという最も緊急な課題を適切に処理することはできない。』[10]」社会とは地域共同体的な関係なのだといえる。

だからこそ，寺中は公民館について，次のように述べている。「公民館は単なる施設，単なる建物ではない。公民館は町村と言ふ自治体と一体に結びついて居り，此の施設の背後には全町村民が控えて居る。又公民館には町村民の魂，町村公民としての自治精神が宿り，郷土の振興，民主主義の実践の理想に燃えて溌剌としてゐる。つまり公民館は施設と人と精神が結合して出来た機関であつて，日本を民主化し，文化国家，平和国家として更正しようとする原動力となるものなのである。[11]」

その上で，寺中は，公民館の性格を次のように挙げている。

第一に公民館は一の社会教育機関である。

第二に公民館は一の社交娯楽機関である。

第三に公民館は町村自治振興の機関である。

第四に公民館は産業振興の機関でもある。

第五に公民館は新しい時代に処すべき青年の養成に最も関心を持つ機関である。[12]

公民館とは社会的存在である個人が，他者とともに社会をつくり，経営していくための拠点機関なのであり，施設と人と精神が合一した，単なる建物ではない，むしろ運動としての機関なのだというのである。しかも，この運動には，社会の未来が懸けられていた。つまり「新しい時代に処すべき青年の養成」すなわち社会を永続的につなげていくものとしての運動がとらえられているのである。

この運動を，「自由」と呼んだ。つまり，社会的存在である個人が社会をつくり，担い，経営し，次の世代につなげていく，永続的な，常にプロセスである運動を「自由」と呼んだのだといえる。そして，この運動を支える社会教育は「随所随所の自由な学習を建て前と」しなければならず，しかもそれは「自由な発展を期せられ」るべきものとしてとらえられていた[13]。この二つの「自由」，つまり未来へと永続する「自由」と，そのためにこそ求められる現実の「自由」の二つを「法律の背景を持ったものに構成」するものとして制定されたのが社会教育法であった[14]。

しかも，既述のように「公民館は町村と言ふ自治体と一体に結びついて居り，此の施設の背後には全町村民が控えて居る。又公民館には町村民の魂，町村公民としての自治精神が宿り，郷土の振興，民主主義の実践の理想に燃えて溌剌としてゐる[15]」のであって，この「自由」を運動として駆動し続けるものこそが，町村公民つまり住民という社会的存在である個人の「自治」なのであり，それは団体自治と住民自治から構成される自治体の自治なのであった。

つまり，「自治」に支えられた社会教育こそが，この社会をつくるのであり，それだからこそ社会教育は一般行政に優越していなければならないものであり，それだからこそ，住民自治が団体自治を支え，団体自治が住民自治を鍛える関係のなかで，社会が永続的な民主主義の運動として展開していくことを保障することにつながるのではないか。そして，社会教育こそが「自治」を生み出す「自由」の営みなのであり，だからこそ「自由」な発展が保障されるべきであり，その「自由」を二つながらに保障しようとするものが社会教育法なのではなかっただろうか。

13　社会教育ではない社会教育

今日，既述のように社会が崩落する事態に直面して，総務省の地域運営組織，厚生労働省の地域共生社会づくり，国土交通省の地域防災システム，まち・ひと・しごと創生会議の小さな拠点づくり，そして経済産業省の未来の教室などの施策によって，いわゆる地域コミュニティが焦点化され，住民による社会教育の実践が注目を集め，公民館の活用が重視されている。

「『社会教育』を基盤とした人づくり・つながりづくり・地域づくり」を中央教育審議会が提唱し，社会教育施設の一般行政への特例的移管を提起した[16]とき，「社会教育」を地域運営組織，地域共生社会づくり，地域防災システム，小さな拠点と置き換えても違和感がないことに対して，それでも「社会教育」でなければならないという論理を私たちは持ち得ていたのだろうか。

たとえば，厚生労働省は，増え続ける認知症高齢者の存在を前提にして，地域包括ケアから地域共生社会づくりへと政策を展開させ，その政策の基本的な枠組みを地域コミュニティへの「福祉からのアプローチ」と「まちづくりからのアプローチ」とし，この両者を媒介するものとして「出会いと，学びのプラットフォーム」を形成するとしている。この施策は，「出会いと学び」を住民の中に組織し，住民自らが地域社会をつくり，担うことで，共生社会を福祉とまちづくりの双方から構成しようとするものであり，その実践的基盤は社会教育と重なり，かつ公民館を拠点とした住民によるまちづくりの実践をとおした，福祉機能の形成と向上だといえる。

この事例に見られるように，すでに社会教育は，教育委員会の所管だという原則論だけでは，対応できないほどにまで，私たちの手の届かないところに持って行かれてしまっているのではないのか。しかし，このような社会教育で，本当に住民自治が育ち，団体自治が支えられ，それが改めて住民自治を鍛えつつ，社会の永続性を運動として生み出すことができるのだろうか。

ところが，社会教育ではない社会教育として，それはすでに社会教育の実態を構成している。それに対して，それでも教育行政でなければならないことを，どう論理的に主張し，この未曾有の社会状況に対処していくのだろうか。公民館の設置を奨励した文部次官通牒には，次のように記されている。「国民の教養を高めて，道徳的知識的並に政治的の水準を引上げ，または町村自治体に民主主義の実際的訓練を与へると共に科学思想を普及し平和産業を振興する基を築くことは，新日本建設の為に最も重要な課題と考へられる……。」この課題に応えるために「町村公民館の設置を奨励することゝなった……。」「尚本件については内務省，大蔵省，商工省，農林省及厚生省に於て了解済である……。[17]」

公民館設置の奨励については，文部省（当時）が主導するが，町村の民衆生活のあらゆる側面に対応する中央官庁，つまり当時の官制で内務省（今日の総務省に相当，以下同じ），大蔵省（財務省），商工省（経産省），農林省（農水省），厚生省（厚労省）が既に了解しており，その了解のもとで文部次官通牒として通達することとなったというのである。

住民生活のさまざまな側面に対応した行政領域が地域社会で総合化された，中核的な機関として公民館が構想されていたことがわかる。

14　新しい専門職の要請

このように，公民館はその構想の初期から，地域住民によって発明し直され続けるものと位置づけられていた施設だととらえるならば，その職員のあり方も，新たな専門職としての形が要請されることになる。専門職というと，一般には，たとえば社会教育主事のような規定を思い浮かべる。つまり，行政部門に配置されて，専門的・技術的な指導・助言をおこなう役割という規定である。

しかし，公民館を上記のように考えるのであれば，しかも人権や権利，そして諸制度も上記のように人々が他者との関係のなかで発明し直し続けるものであるととらえるならば，それらを人々の日常生活で実体化し，それを活かしていく，つまり人々が日常生活において，他者とともに幸せな，生きるに値する社会をつくりだすためにも，その権利を行使し，自治を鍛えていくことが，終わることのない運動として継続していくように寄り添うものとして，専門職が組み換えられる必要がある。主役は飽くまで，住民である人々であり，その人々が自らの意志で，幸せな生活を送ることを支えるのが，専門職の役割となる。そこでは間違っても，指導・助言が合成の誤謬を起こして，好意でやっているのに，人々の生活を毀損することになってはならない。

たとえば，オランダの福祉コミュニティの実践にビュートゾルフがある。その実践の知見として，障害を持った人々を支援する専門職のあり方が再検討されている。彼らは次のようにいう。これまでの専門職は，専門的な知見や経験を持ち，ケアを必要とする人々に対して，専門的な観点からケアを提供して，クライアントの生活をより快適なものとすることが求められてきた。しかし，それは善意であればあるほど，好意であればあるほど，クライアントの尊厳を毀損してきてしまったのではないかという疑問が生まれることとなった。つまり，善意から出た悪意，とでもいうような問題が起こっていたのだという。専門職である職員は，往々にして，ケアを必要とする人々の状態を見て，過剰なケアを提供してしまいがちである。クライアントの家族も，社会の人々も，皆そういう傾向を持っている。皆，ケアを必要とする人々は社会的な弱者なのだから，彼らには最大限の支援が必要だと信じて疑わない。皆，善意なのだ。その結果，過剰な医療，過剰な福祉，過剰な看護，過剰な介護がおこなわれることとなった。

たとえば，脳の血管障害で半身不随になった人がいるとする。その人には車椅子があてがわれる。歩行に不自由を覚えるのだから，当然の措置だと思われていた。しかし，その結果，その人の使えるはずの身体機能が後退してしまって，本来であれば，片足が動かなくても歩けるはずなのに，また歩こうとする意志によって，いまは動かないかもしれないその足も動くようになるかもしれないのに，そういう機能を損なってしまうことになりかねない。そうなることで，クライアントは懸命に生きようとする意欲を失い，本当の意味での障害者になってしまう。それはその人の生きる意欲と尊厳を毀損しているのと同じことだ。しかもここにおカネが絡んでいる。手厚い福祉を提供すればおカネがかかる。それが経済活動を促していると受けとめられるのである。

それゆえ，いまビュートゾルフでは，ケアの専門家は，クライアントと一緒に生活をして，クライアントの意志を最大限尊重して，その人の生きようとする意欲と尊厳を守りながら，寄り添うこと，それこそが最大の支援なのだという観点に切り換えて，実践が進められている。過ぎたるは及ばざるがごとし，なのであろう。

この実践は私たちにとっても示唆的なのではないだろうか。人々が他者とともに人権や制度を発明し直し続け，日常生活を主人公として送るためにこそ，専門職は存在すべきだということである。そのためには，専門職は，この発明し続けるという運動を駆動する役割を，しかも人々自身がそれを駆動していくように支える役割を担うことが求められる。つまり，上から目線で指導・助言し，支援するのではなく，人々とともに生活し，人々と同じ目線に立って，人々の言葉にならない声を聞き取り，思いを汲み取って，あなたがいいたいのはこういうことですか，と言語化して，返し，そこに対話をつくりだし，対話の中で人々が自らの生活を振り返り，気づき，より楽しい，より価値豊かな，豊穣な生活を送るために，他者との間で新しい関係をつくりだして，新しい社会を構成し続けること，こういうことに寄り添う役割が求められるのである。

しかも，人々が対話し，異なる価値の間を架橋して，新たな価値をつくりだして，生活を価値豊かにしていくとともに，人々だけではどうしても解決できない諸課題を行政課題に練り上げて，行政的な措置として人々の生活課題を解決する手立てを講じることも必要となる。単に，人々に寄り添うだけではなく，さらに一歩先んじて，人々の生活課題を行政課題へと練り上げて，人々の生活の基盤を確かなものとする営みも必要なのである。

新しい専門職とは，人々とともに生活を送り，人々とつながり，対話し，人々の言葉にならない思いや声を聞き取って，それを人々自身が言語化し，イメージし，さらに実体化することに寄り添うとともに，人々の営みでは解決できない生活課題を行政課題へと練り上げて，行政施策として実施する人，つまり人々の生活に寄り添いつつ，行政的には相対的に独立した立ち位置にある，生活の当事者となる人だといえる。人々が他者とともに自分の社会をつくりだし続け，人権と制度を発明し直し続け，それを実体化して，地域社会を経営していくことに寄り添いつつ，自身がその社会の当事者でもある，こういう役割を担う人が新たな専門職として要請されているのである。

そして，この考えを従来の社会教育主事に反映させ，改革されて，設けられたのが，新たな社会教育主事制度であり，その称号としての「社会教育士」である。社会教育の指導助言者から学びのオーガナイザーへ，これが社会教育主事の性格の転換である。

15　行政の「学び」化へ

このように見てくると，人々が自分の尊厳にもとづいて，他者とともに人権と制度を発明し続ける運動，それそのものが「学び」なのだといえそうである。そして，その「学び」を人々自身が駆動して，新たな社会をつくり続けるための触媒が公民館であり，その潤滑油が専門職である社会教育士だといってもよいのではないだろうか。

そうであれば，一般行政こそが教育的に再編される必要があるとはいえないだろうか。そしてそのことが，結果的には自治体の財政負担を軽減し，かつ住民の生活を価値的に豊かで，満足度の高いものへと練り上げることにつながっていく。そのとき，住民自身が他者とともに，自分の尊厳を核にして，人権と制度を発明し続け，地域社会をつくり，経営し，自分の生活を営むこと，そのことを「学び」ととらえ，その「学び」を保障するものとして教育行政がとらえ返される必要がある。

たとえば飯田市は，一般行政職員を，教育委員会出向の発令をした上で，専任公民館主事として派遣し，5，6年間現場で，住民とともに実践に従事させ，住民によって鍛えられた職員を一般行政部局に戻して，住民目線の行政を実現する方途を講じている。公民館主事は住民生活の黒衣だ，と主事たちはいうが，筆者らが調査に入ると必ず住民からは，「公民館の主事さんって，地域のヒーローですよね」という声を聞く。

飯田市の場合は，教育委員会が社会教育を担い，地区公民館も社会教育施設として設置されている。さらに人々の生活の地場である「区」には自治公民館が分館として置かれ，住民によって館長や主事が選任され，それがまた地域の人材育成とつながっている。しかし，主事が公民館活動をとおして住民によって鍛えられ，一般行政へと配置されて，行政が住民目線でおこなわれるようになるという点をとらえれば，一般行政がすでに「学び」化しているのだといってもよいだろう。

一般行政の教育的な再編，つまり行政の「学び」化を考える必要はないのだろうか。自治体の改革において，生涯学習が首長部局にとられてしまう，公民館が教育施設ではなくなってしまうと諦めるのではなく，そして一旦首長部局に移管されたら，教育委員会としては関与できないと考えるのではなく，むしろ，一般行政を教育的に組み換えながら，住民による地域社会の創造と経営を保障するためにこそ，公民館が一般行政のなかにあって再発明されるようにかかわりを持ち続けること，公民館を一般行政へと移管することはそのためのきっかけになり得，そこに教育委員会が深く関与している。こういう行政のつくりかたはできないのだろうか。

ましてや，少子高齢・人口減少社会のなかにあって，各自治体は将来の担い手である子どもを大切に育てることを，首長の政策としても高く掲げざるを得なくなっている。市区町村の事務である義務教育とおとなの地域活動とが途切れてしまっては，次世代の育成などできはしない。しかも，いまや高校生たちがまちづくりの主役へと躍り出てきているとの実践報告が各地から届けられ，またコミュニティスクールの設置が努力義務化され，子どもの成長を軸に，学校と地域が車の両輪のようにして子どもを育て，それを通して，地域住民が新しい地域社会を構成し，経営することが求められている。その上，筆者らと飯田市との調査でも明らかなように，15歳までに豊かな社会体験を積んだ子どもたちは，おとなになってからその地域の確かな担い手になるという相関が見えてきている[18]。

首長が生涯学習を教育委員会から一般行政に移管した結果，その地域の子どもを健全な担い手に育てられなくなるというようなことは，首長にとっても避けられるべきことなのではないだろうか。

16　社会教育は社会教育でなければならない

戦後の社会教育とは本来，一般行政の基盤をつくるものとして，改めて構想され，それは完成することのないプロセスとしての民主主義の運動としての「自由」を保障する「自治」を生み出し，かつそれを基礎とするものとして営まれるべき運動だったのではないだろうか。だからこそ，一般行政に優越し，かつ一般行政に浸透していなければならない，「目的」のない，それそのものが住民自身による未完の民主主義の運動だということなのではないか。

この運動に子どもを含めた人々を巻き込むこと。そうすることで，この社会はすべての人々がそれぞれに居場所を持つ，互いに評価せずに，しかも認めあえる場所へと生まれ変わり，未来への駆動力を得るのではないか。そこでは，人々は互いに言葉をかけつつ，「そうだね」と受け止め，「でもね」と反論し，指導し，助言して，対立や分断の関係に入るのではなく，「そうだね」と受け止めたら，「だったら」とともに次の一歩を歩み出すことができるのではないか。そうすることで，すべての人々が主役になれる社会をつくりだし，常に「そうだね」「だったら」と次の動きへと自らを駆動していくこととなる。

それはまた，自治体行政においても同様なのではないか。サービスの提供とクレームの応酬の関係になるのか，人々が自ら考え，おこない，思いを実現していくことを互いに支えあう関係を駆動し続けるのか。私たちには，この社会をつくる「自由」を共に保障しあう「自治」を改めて発明し，社会に実装することが，この社会の次の担い手たちから求められているのではないか。

いま改めて，社会教育を基盤とした社会のあり方を構想し，実践することが求められている。社会教育は社会教育でなければならない。そして，その場が公民館なのである。

1　宮原誠一「社会教育の本質」『宮原誠一教育論集』第2巻，国土社，1970

年。小川利夫・倉内史郎編『社会教育講義』，明治図書，1964年など

2　春山作樹「社会教育学概論」『岩波講座教育科学　第15冊』，岩波書店，1933年

3　寺中作雄「公民教育の振興と公民館の構想」，『大日本教育』，1946年１月号，３頁

4　同上

5　同上

6　寺中作雄『公民館の建設－新しい町村の文化施設－』公民館協会，1946年，13頁

7　寺中作雄，前掲論文，前掲雑誌，３頁

8　J. M. Nelson, The Adult-Education Program in Occupied Japan, 1946-1950, *Ph.D. Dissertation submitted to the Department of Education and the Faculty of the Graduate School of the University of Kansas, 1954*, p.224

9　*Ibid.*, p.223

10　*Ibid.*, p.224

11　寺中作雄，前掲書，17頁

12　同上書，18-27頁

13　「法の三十五年に思う－Ｉ－三先達にきく－」『月刊公民館』1984年６月号，10-11頁，寺中作雄発言部分

14　同上

15　寺中作雄，前掲書，17頁

16　中央教育審議会『人口減少時代の新しい地域づくりに向けた社会教育の振興方策について（答申）』2018年12月21日

17　「昭和21年７月５日発社第122号　各地方長官あて　文部次官『公民館の設置運営について』」

18　東京大学大学院教育学研究科社会教育学・生涯学習論研究室飯田市社会教育調査チーム『地域社会への参加と公民館活動－飯田市の千代・東野地区に

おける アンケート調査の分析から―』（学習基盤社会研究・調査モノグラフ12），2016年

牧野　篤（東京大学大学院教育学研究科教授）

3-5 「アフターコロナ」「ウィズコロナ」時代の社会教育とは

2020年初め以来のコロナ禍への対応の中で，学校や公民館等の教育施設については休校・休館措置等を迫られる展開が見られました。それだけ関係者の皆さんのご苦労が続き，ニュースでも注目を集めたということだと思います。ただ，自治体の首長やマスコミが使う「不要不急」という言い方には，正直言って若干抵抗を感じていました。何が必要なのかという価値判断に関して，「生命・健康＞経済・仕事＞教育・学習」という優先順位が暗黙の（そして当然の）前提となっていたように感じられたからです。もちろん，緊急事態への対処は当然重要です。大切なのは，こうした優先順位は，人類が世界的な疫病の大流行をともかくしのいで何とか生き延びるという，緊急かつ限定的な目的に照らしてのものであることを忘れないことだと思います。その前提でならば，当面の生命・安全・経済等優先はやむを得ない動きだったと思います。ですから，生涯学習・社会教育関係者は，教育や学習の優先順位が低いとガッカリする「必要」は毛頭ありません。むしろ，こうした時こそ，社会や人間にとって「学び」が不可欠であることを再確認しておきましょう。なぜなら，学習とは，人格の成長・変容そのものだからです。その営みを停止することは，人間や社会の本質からしてあり得ません。更に言えば，公民館及び関係者が戦後一貫してその基礎を支えてきた民主主義は，いったん損なわれてしまうとその回復は容易ではありません。既存の社会に同化し参画する「社会化」だけではなく，新しい社会を不断に作り続ける「主体化」のための学びこそが，その最も有力な防波堤となるはずなのです。本稿では，「アフターコロナ」「ウィズコロナ」時代の社会教育，そして新しい時代の公民館像について考えてみたいと思います。

新型コロナウイルスによる感染症（COVID-19）の世界的な蔓延・流行は日本にも大きな影響を与えました。政府や各都道府県は，「不要不急」の外出を控え，いわゆる「３密」（密閉，密集，密接）を避けるよう国民・住民に呼びかけました。2020年２月末の小・中・高一斉の休校要請は文字通り全国に大きな波紋を投げかけましたが，同時に，各種イベント開催等の自粛の流れの中で，社会教育・文化・スポーツといった生涯学習の中核を担う活動やその拠点施設も次々に休止・休館を余儀なくされました。ウイルスの性質やその対処法すら十分見えない中での緊急措置としてはやむを得なかったでしょう。

しかし，果たしてそれだけで良かったのか？　他にもっとやりようはなかったのか？　2021年秋までにはワクチンの２回接種が相当程度進みましたが，ワクチンの効果をくぐり抜けて感染する可能性のある変異株も登場してきています。2021年冬以降にも懸念・想定されるCOVID-19の第６波や今後の新種のパンデミックの発生に備えて，閉館・活動自粛中の情報発信や事業代替措置等の機能をいかに充実させておくか，新しい日常や生活様式（ニューノーマル）の形成と定着に向けた反省・工夫が一層必要だと思います。関係者の知恵のしぼりどころです。

まず，オンラインを活用した現場ごとの創意工夫によって事業が多彩に展開されて行くことが，見えないウイルスによる感染症リスクへの当面の対策として有効であることは，改めていうまでもありません。休業・休館となった期間中にも学習機会を提供する手段を確保することにつながるからです。しかし，オンラインの活用によって目指すべき効果はそれだけではありません。リアルとバーチャルを組み合わせることで，当該施設の平素の活動としても来場者・学習者との接点を複線化し豊かにすることが可能となる面もあります。そのことがひいては，緊急時に責任を持つ行政（首長）当局に「社会教育は不要不急だ」などと簡単に評価されないような，また，もしそんな評価が下されたら直ちに国民・住民から批判やクレームが噴出するような，社会教育への期待と信頼を顕在化させることへとつながってほしいと願っています。

コロナ禍という今回の異例の経験を通じて痛切に感じたのは次のようなことです。人々の学ぶことへの根源的欲求（それは人格の成長・変容の原動力そのもの）を無意識の中に眠らせてはならない。つまり，「ああ，自分は学びたいんだ」「学ぶって，楽しいことなんだ」と人々に明示的に気づいてもらわなければならないのです。そう自覚して初めて，人は客観的のみならず主観的にも真の「学習者」となります。学習の深化・高度化・多様化の「主体」はそこからこそ生まれるのです。したがって，オンラインの活用や情報化の推進によって関係者が目指すべきなのは，「休業になっても何とかやりようはある」という受動的・消極的効果だけではなく，「休業なんてそもそもとんでもない，困る」という意識を人々の心の中に明確化するという能動的・積極的効果であるはずです。社会教育の本当のしなやかさ，強靭さとは，学習者の心に寄り添い，依拠してこそ芽生え，根づくものに他なりません。人々の多様な学習欲求に応えつつ，これを不断に喚起・促進して意識化を図っていくことは，生涯学習の理念に基づく社会教育の崇高なる使命だといえるのではないでしょうか。

では，その社会教育の拠点的施設としての公民館について，具体的にどう考えるべきなのでしょうか？

公民館の役割・機能は「つどう」「まなぶ」「むすぶ」という３点でしばしば説明されます。学習を軸にして多くの人々が参加することで，住民相互の仲間づくりや住民と専門的施設・機関等との連携・協働につながるということです。

ところが，これら重要な役割・機能はいずれも，人と人との接触・交流を前提とする限り，ウイルス感染症とすこぶる相性が悪いことは明白です。だからこそ，他の施設・機関と同様に，あるいはそれ以上に，ガイドライン等を参照したリスク対策の徹底が重要になってきます。と同時に，オンラインの活用によって具体的な接触・交流をどこまで補うことができるのかが，実践的にも差し迫った課題となります。

従来，社会教育の情報化に関する関係者の議論は多岐にわたっておこなわれてきましたが，ともすれば「やっぱりフェイス・トゥー・フェイス（face to face）じゃないとね」「リアルの空気感やワクワク感こそが大切だ」ということで議論がストップしてしまいがちだったのではないでしょうか。もちろんこれらは正しいですし，公民館を中心とする社会教育活動の本質的部分を的確に言い当ててもいます。人と人との関係性はオンラインで手軽に代替できるようなものではありません。しかし，「アフターコロナ」「ウィズコロナ」時代の社会教育として考えたいのはその先です。では，社会教育活動のどの部分ならば（たとえ不十分にせよ）代替が可能なのでしょうか？

意識的にそのように考えてみると，オンラインは便利で，思っていた以上に使える場面が多いのではないかと思います。社会教育の本質論からオンライン化を直ちに全否定して遠ざけるのではなく，あるいは逆に何でもオンラインでやってみようと慌てて無理をするのでもなく，普段から場面を細かく仕分けして考えていく必要があるということです。

例えば，情報提供・伝達型の講義や講習はほとんど問題がないはずです。音声や画像のタイムラグはもはや技術的に気にならないレベルですし，会話しながらの資料やデータの共有も自在です。受講者側からの質問やコメントもチャット機能を使って打ち込めばリアルタイムで可能で，講師が話をしながらそれを横目でチェックすれば，受講者との間の立派なフィードバックになります。

また，講義・講習にWEB会議システムを活用する上では，メインの講師の他にもう一人，助手兼ディレクター（あるいはファシリテーター）のような人がいると，効果が一層高まると思います。受講者たちの質問やコメントに目を通す，場合によってはチャット機能を通じて水向けをする，次に画面に映し出す資料のファイルを開いておく，時には講師から発言を求められて，受講者の反応について概括的に報告する……。やるべき作業はけっこうあるのです。また，講師と助手の発言のやり取りを，進行管理の打ち合わせ的な内容を含めて受講者皆が聴くことで，一方向的な講義・講習がより立体的になるし，他の受講者が発言しやすい雰囲気もつくれます。それに，講師が（筆者のような生粋の？）「情報弱者」だった場合でも，「あれ……⁉　ええっと，皆さん，ちょっとお待ちください……」とパソコンをあれこれ操作してみる間の細かな中断（と気まずい沈黙）を避けることができます。ぜひ実地に試してみていただきたいやり方です。

さらに，分科会形式の討論も全く問題ありません。ホスト（講師あるいは助手）が参加者をいくつかのグループに分けて（小部屋に移動してもらうような感覚で）議論してもらうことはワンタッチで切り替え可能です。その後また全員参加の全体会に戻って総括討論を行うことも同様に簡単にできます。

従来，社会教育関係者の代表的な悩み・課題として「イベントを企画してもなかなか集まりが……」「大いに盛り上がって有意義だったのだが，メンバーがどうも固定化傾向にある」「どうやって参加者の輪を広げていくか」といったことをしばしば耳にしてきました。しかし，すでに，技術的には誰もが気軽に遠隔地での会合やイベントにリモート参加できる時代になっているのです。参加しやすい，移動に要する物理的・時間的制約も少ない，といった利点は，事前の打ち合わせ等においても滅法威力を発揮することでしょう。ということは，事業の企画・主催側の観点に立てば，オンラインは「２段階作戦」の道具として使えるということです。

どういうことかと言うと，まず事業を準備する第１段階では，オンラインは簡便で強力な武器として，打ち合わせ等で人の「輪」（そして「和」）を広げることに役立ちます。主催者が決定した内容を周知するだけでなく，企画立案の段階から，遠隔地からの参加者を含めた多くの人々を主催者「側」に巻き込む工夫が可能となるでしょう。そして，事業実施の本番である第２段階では，実際に（リアルに）参加できなくとも，オンラインで参加・視聴することにより，事業の雰囲気を少しでも共有することは十分可能だし，討論等に加わることは（前述のように）ほとんど問題無く可能となります。ただし，イベント型の事業では，やはりオフラインでのリアルな（つまり対面の）「ふれ合い」や「関係性」による「臨場感」ないし「ワクワク感」がメインの要素となるのでしょう。その際には，地元の人々がリアルなふれ合いや関係性を心底楽しんで生き生きと事業に参加すること自体が，当該イベントのみならずその地域社会全体の魅力の最大の源となるに違いありません。オンライン参加をきっかけにそこへ引きつけられた地域外の人々は，今度は，地方創生論議でも話題の「関係人口」の一員となって，次のサイクルでは第１段階から輪の中に加わっていきたくなるはずです。オンラインは，地理的・距離的なハンディキャップを克服して正（プラス）のスパイラルを狙うための道具立てとして，これからの時代には不可欠なものとなっているのです。

そうは言っても，いわゆる「情報弱者」の問題はどうすべきでしょうか？「情報化への包摂」（デジタル・インクルージョン）は確かに重要な課題です。

しかし，これは実際にはさほど大きな支障にはならないのかも知れません。お年寄りでスマホを使いこなしている人はすでに多いでしょうし，タブレットの操作方法やアプリの細かな使い方は（近所の）子どもたち（生まれた時から情報環境に慣れ親しんでいる「デジタル・ネイティブ」世代！）にどんどん教われば良いのです。多言語対応の自動翻訳機やアプリが一層普及すれば，観光客やALT（外国語指導助手）等の身近な外国人とのコミュニケーションのハードルもどんどん下がっていくものと考えられます。地域ごとの実情に即したやり方で「輪」を広げていってもらいたいところです。

リアルとバーチャル，オフラインとオンライン。両者は必ずしも相互に対立する無関係な別世界ではありません。要は組み合わせ，適時適切な「チャンネル」の切り替えが大事だということです。それが社会全体の柔軟性（フレキシビリティ）と強靭性（レジリエンス）につながるのだと思います。

最後に，社会教育分野では特に「仕掛け人」「伴走者」として期待の高い行政関係者（公務員）の職場の情報環境について言及しておきたいと思います。

筆者も経験がありますが，公務員の情報環境は一般にとても貧しいものです。そもそもインターネットを利用しづらい雰囲気があるし（「遊んでいるのではないか」と思われる!?），メールに添付する文書の容量制限が厳しい上に，USB等でのデータ持ち出し・持ち込みは大幅に制限されています。これでは外部の方々との意見交換もままなりません。行政機関に対するサイバー攻撃の脅威は常にあり，情報セキュリティはいうまでもなく大事です。が，特に人脈とノウハウが勝負の社会教育を担当する地方公務員の皆さんの意識はどうか，気になるところです。ネットワークの脆弱性（部外者の乱入，ハッキング等）が問題となるなど，情報化の進展に試行錯誤の面があることは否定できません。しかし，どんな場面でも万全の保秘をまず心配して，新しいことに挑戦せずに旧来の手法を守る（その方が確かに「無難」ですが）だけでは，時代を拓く役割など果たせません。日常の行政活動の中でも，公開情報（オープン・ソース）の枠内でやれる仕事は圧倒的に多いはずです。行政職員が関与する社会教育の内容が何でも「職務上の秘密」に属してしまうのならば，それはもはや社会との双方向的な接点を失った社会教育の遺物に過ぎないとすら言えると思います。長らく批判されてきた社会教育における「官府的教化性」とは，こうしたところから頭をもたげてくるものなのではないでしょうか。保秘が本当に不可欠な場面や「情報」の範囲を鋭敏に仕分け（明確化）して考えていく感覚と姿勢が，今後はより大切になってくるのではないかと思います。

文字通りこの「禍」を転じて，オンラインとオフラインを「二刀流」で活用した新時代の社会教育の姿を明確にすることができるかどうかは，関係者の皆さんの日常的な創意工夫とチャレンジにこそかかっているのです。

小山　竜司（神奈川大学法学部特任教授）

資料編

資1 公民館の職場でよく使われるキーワード集

※公民館の職場でよく使われるキーワードを集めてみました。ご活用ください。

※定義については議論のある言葉もありますが，もっと深く知りたいかたは専門書をご確認ください。

あ行

青空公民館【あおぞらこうみんかん】

公民館という名前はあっても，施設のない公民館のこと。例えば1947年に第1回の準優良公民館表彰を受けた福井県殿下村公民館は青空公民館で，「村全体が公民館」といわれていました。戦後間もない，公民館の施設が普及していなかったころは多くありましたが，現在でも自治公民館のなかには名称はあっても建物のない公民館があります。なお，野外での公民館活動を，建物のなかだけで収まりがちな現在の公民館活動のアンチテーゼとして「青空公民館」を使うことがあります。

字公民館【あざこうみんかん】

沖縄の自治公民館を「字公民館」と呼んでいます。→自治公民館

ESD【いー・えす・でぃー】

Education for Sustainable Development（持続可能な開発のための教育）の頭文字を取ったもの。地球規模の環境破壊や，エネルギー，水などの資源保全が問題化されている現代において，人類が現在の生活レベルを維持しつつ，次世代も含むすべての人々により質の高い生活をもたらすことができる状態での

開発を目指すことが重要となっています。このため，個人個人のレベルで地球上の資源の有限性を認識するとともに，自らの考えをもって新しい社会秩序をつくり上げていく，地球的な視野を持つ市民を育成するための教育のこと。

移動公民館【いどうこうみんかん】

公民館に何らかの理由で来られない人たちに，公民館に来てもらうのではなくて，公民館側から出向いて活動をおこなったりすること。「出前講座」「出張公民館」などと表現することもあります。昔は，館内にとらわれない館外活動が盛んでしたが，施設が充実すると，あまり館外で活動しなくなり，時代とともに減少傾向にあります。最近では沖縄県那覇市のパーラー公民館という，野外での公民館活動実践が有名です。

居場所【いばしょ】

最近では特に，青少年や若者の居場所が地域になくなってしまったため，意識して地域に居場所をつくる必要が出てきました。

この「居場所」という言葉は，はじめは不登校や引きこもりの子供たちのための居場所づくりをきっかけにして使われていました。その後，居場所が必要なのは不登校の子供たちばかりではないという認識が広まり，1990年代以降「居場所」という言葉が多く登場するようになってきました。

インフォーマル・エデュケーション【informal education】

学校教育が正規の教育（フォーマル・エデュケーション）といわれるのに対して，社会教育はインフォーマルの教育，すなわち正規ではない，不定型の教育といわれています。

SDGs【Sustainable Development Goals（持続可能な開発目標）の略】

「誰一人取り残さない（leave no one behind）」，持続可能でよりよい社会の実現を目指す世界共通の目標で，この目標は2015年の国連サミットにおいてすべての加盟国が合意した「持続可能な開発のための2030アジェンダ」のなかで掲げられました。2030年を達成年限とし，17のゴールと169のターゲットから構成されています。

NGO【Non-Government Organization（非政府組織）の略】

非政府機関や民間団体のこと。国家・地域・民族・イデオロギー・宗教観などを越えた活動をする民間非営利組織として，1970年代ごろから注目されるようになりました。

NPOと比べると，NGOは国際的な活動をしている団体に対していわれることが多いようです。

NPO【Non-Profit Organization（非営利組織）の略】

民間非営利組織のことで，利潤追求とは異なる公共の福祉向上を使命とします。1998年に特定非営利活動促進法（NPO法）が制定され，17の分野で特定非営利活動をおこなう団体に法人格を付与できるようになりました。17の分野とは，①保健・医療・福祉，②社会教育，③まちづくり，④学術・文化・芸術・スポーツ，⑤環境，⑥災害救援，⑦地域安全，⑧人権・平和，⑨国際協力，⑩男女共同参画，⑪子供，⑫情報社会，⑬科学技術，⑭経済，⑮職業能力・雇用，⑯消費者，⑰NPO援助，の活動領域をいいます。

NGOが「政府でない」という点に着目した呼び名であるのに対し，NPOは「お金儲けをしない」点に着目した呼び名であって，まったく別々のものを指しているわけではありません。NGOもNPOもあくまでもどういう団体なのかを説明する単語にすぎないのです。また，特定非営利活動促進法に基づいて法人格を取得した団体は特定非営利活動法人（NPO法人）といいますが，法人格を取得した団体だけがNPOではありません。

法人格のあるなしにかかわらず，NPOやNGOには特定の分野やテーマにおける専門的な知識や豊富な実践力，大きなマンパワーを有する団体も多くあります。多様化・複雑化する地域課題を解決するために，NPOと連携していくことが求められていますが，NGO・NPO を勝手に名乗っている団体もあり，その団体がどんな団体なのか見極めることも必要となります。

オープンカレッジ【open college】

大学・短大など高等教育機関の持つ資源や教育機能を，地域社会の人々など正規の学生以外にも開放すること。

オンライン講座【おんらいんこうざ】

Zoom などのツールを使って，インターネットを通じておこなわれる講座のこと。フェイストゥフェイスではありませんが，場所を越えて，時間や視覚を共有する新たな学習方法として，定着しつつあります。「つどう」ことが公民館の基本的な機能の一つでしたが，コロナ禍により，公民館に集っての活動が制限されたため，オンラインによるネット上でつながる講座が広がっています。

か行

学社融合【がくしゃゆうごう】

学校教育と社会教育がそれぞれ独自の教育機能を発揮しながら連携し，相乗効果をねらって，相互に補完的な役割を果たしうるよう総合的な視点から教育をおこなうこと。学社連携をさらに推し進めたかたちが学社融合です。

学習【がくしゅう】

「学習」が自ら進んでおこなう学びであるのに対して，「教育」は他から教え育てられるというニュアンスがあるため，公民館でおこなわれるような「学び」には，「学習」のほうが好んで使われる傾向にあります。

学習課題【がくしゅうかだい】

学習すべき課題のこと。学習課題は，要求課題と必要課題からなります。→要求課題，必要課題

学習形態【がくしゅうけいたい】

学習の進め方。大きくは個人学習とグループ学習に分けられます。→個人学習，グループ学習

学習情報提供【がくしゅうじょうほうていきょう】

学習者が，さらに内容を深めたり，新しい知識を求めたりする際に，情報を提供すること。または学習機会の提供も含まれます。学習者のニーズの多様化，ネットなどの発達化に伴って，情報提供のあり方も変化しています。

貸館【かしかん】

法律などには，貸館という言葉はありませんが，公民館の各部屋の貸し出し業務のことを「貸館」ということがあります。公民館の大切な機能の一つで，部屋の貸し方をどうするかは公民館活動の活発化につながってきます。

学校支援地域本部【がっこうしえんちいきほんぶ】

文部科学省が2008年度につくった，地域住民がボランティアとして学校のさまざまな教育活動を支援する仕組み。

子供を取り巻く環境は，情報化や価値の多様化によりめまぐるしく変化しており，学校は今まで以上にさまざまな課題を抱えていることから，地域の力を借りて学校を支援することが求められるようになっています。一方，公民館等での学習の成果を地域で活かしていくことの重要性が高まっており，その機会の一つとして，学校支援が注目されつつありました。

こうした経緯をふまえ，2008年に改正された社会教育法第５条第15号では教育委員会の業務として「社会教育における学習の機会を利用して行つた学習の

成果を活用して学校，社会教育施設その他地域において行う教育活動その他の活動の機会を提供する事業の実施及びその奨励に関すること。」という規定が新設され，それを受けてつくられたものが「学校支援地域本部」です。

教育基本法【きょういくきほんほう】

教育基本法は，すべての教育法令の根本ともいうべき法律で，全体で18条からなっています。2006年には旧法施行以来初めて，全部改正されました。

第３条（生涯学習の理念）が新たに設けられ，「国民一人一人が，自己の人格を磨き，豊かな人生を送ることができるよう，その生涯にわたって，あらゆる機会に，あらゆる場所において学習することができ，その成果を適切に生かすことのできる社会の実現が図られなければならない。」と規定されました。

また第12条（社会教育）第１項では，「個人の要望や社会の要請にこたえ，社会において行われる教育は，国及び地方公共団体によって奨励されなければならない。」とされ，第２項で「国及び地方公共団体は，図書館，博物館，公民館その他の社会教育施設の設置，学校の施設の利用，学習の機会及び情報の提供その他の適当な方法によって社会教育の振興に努めなければならない。」と公民館と自治体の役割について言及しています。

さらに第13条（学校，家庭及び地域住民等の相互の連携協力）が新設され，「学校，家庭及び地域住民その他の関係者は，教育におけるそれぞれの役割と責任を自覚するとともに，相互の連携及び協力に努めるものとする。」と“地域との連携”にも着目しています。

協同【きょうどう】

心を合わせ，助け合っていくこと。力を合わせている人同士が，互いに対等の関係あるいは資格を持っている場合に使います。

協働【きょうどう】

同じ目的のために，力を合わせて働くこと。

共同【きょうどう】

心を合わせ，助け合っていくこと。〈協同〉とほぼ同義ですが，〈共同〉は，二人以上の人が同じ条件，あるいは資格で一つのことに関係する意味も表します。

KJ 法【けーじーほう】

創造力開発・問題解決の手法。文化人類学者の川喜多二郎氏によって提案され，名前の頭文字をとって，KJ 法と名付けられました。

やり方は，さまざまな知識や経験のもとで発想したアイデアや意見・情報等をカード化し，そのカードを整理したり，組み合わせるなかで，テーマの解決などに役立つヒントやひらめきを生み出していこうとするものです。参加者すべてのどのような意見も大切に扱われて，参加者のすべての意見を集約でき，集団で創造的に問題解決が図られる点に特徴があります。カードの匿名性から自由な発想や，本音の意見を引き出すこともできます。

ケース・スタディ【case study】

さまざまな現場で，どこでも起こりそうな具体的なケース（事例，事件，出来事）を素材として，個人またはグループで討議し，本質を究明し，問題点を分析したり，解決策を立案したりすることによって，問題解決能力や意思決定能力などを開発することを目的として活用される学習法。

ものの本質の見方や考え方を訓練することをねらいとした研修技法の一つで，「事例研究法」ともいいます。参加者は提示された事例について考察することによって，類似の問題や状況における問題の解決に対する応用力を養成することができます。

月刊公民館【げっかんこうみんかん】

全国公民館連合会が責任編集している公民館職員や行政職員の必読月刊誌。1956年創刊以来，半世紀以上の歴史を持っています。タイムリーな特集テーマ，具体的事例のレポートや実践に役立つ情報が満載です。

県公連【けんこうれん】

都道府県単位で域内にある公民館の取りまとめや連絡調整をおこなう組織。

略称は「県公連」と呼ぶところが多いですが，都道府県によっては，都公連【とこうれん】（東京都），府公連【ふこうれん】（京都府）と呼んだり，公運協【こううんきょう】（長野県公民館運営協議会）などというところもあります。

また，県単位ばかりでなく，郡単位，ブロック単位，市町村単位等の公民館の連絡組織（郡公連，ブロック公連，市公連など）もあります。

研修【けんしゅう】

一般に地方公務員の研修といえば地方公務員法第39条（研修）第1項で，「職員には，その勤務能率の発揮及び増進のために，研修を受ける機会が与えられなければならない。」，第2項で「前項の研修は，任命権者が行うものとする。」と規定されていて，職階・等級そして接遇や最近ではハラスメント対策など，さまざまな研修がおこなわれています。

一方，公民館職員は社会教育法第28条の2（公民館の職員の研修）「第9条の6の規定は，公民館の職員の研修について準用する。」と規定されています。

研修には，市町村内で実施するか，予算減等で市町村が単独で実施できないときは近隣の市町村で負担し合ったり，都道府県公連や地域公連，さらには国や県，全国公民館連合会の研修機会があります。

新しい「公民館の運営及び設置に関する基準」第8条第3項に，「公民館の設置者は，館長，主事その他職員の資質及び能力の向上を図るため，研修の機会の充実に努めるものとする。」とあるように，公民館が地域住民の要望に応え，その機能を十分に発揮するために，職員の資質の向上や能力の開発が大切です。

現代的課題【げんだいてきかだい】

社会の急激な変化に対応し，人間性豊かな生活を営むために，人々が学習する必要のある課題のこと。

公運審【こううんしん】

公民館運営審議会の略。→公民館運営審議会

公民館【こうみんかん】

公民館は，社会教育法第20条で，「公民館は，市町村その他一定区域内の住民のために，実際生活に即する教育，学術及び文化に関する各種の事業を行い，もつて住民の教養の向上，健康の増進，情操の純化を図り，生活文化の振興，社会福祉の増進に寄与することを目的とする。」と書かれています。

このことは，公民館は単に部屋だけを貸し出す「貸館」業務だけではなく，地域住民の実生活に密着して，さまざまな課題解決を図るための総合的な社会教育施設であることを示しています。

公民館運営審議会【こうみんかんうんえいしんぎかい】

公民館は，住民の意見を大切にしながら運営すべきですが，その住民の意向を反映させる機関として，公民館運営審議会が設置されています。

1999年の社会教育法改正により，公民館運営審議会は必置制から緩和されて，任意設置となりました。

略して，「公運審（こううんしん）」と呼ばれることも多いようです。

公民館主事【こうみんかんしゅじ】

公民館で主に事業の実施にあたる職員の呼称。単に「主事」といわれることもあります。主事は，館長の命を受けて，公民館の事業の実施にあたることが社会教育法に明記されています。また，新しい「公民館の設置及び運営に関する基準」第８条２項では，「公民館の館長及び主事には，社会教育に関する識

見と経験を有し，かつ公民館の事業に関する専門的な知識及び技術を有する者をもって充てるよう努めるものとする。」と書かれています。

文部科学省が３年に一度実施している指定統計では，公民館職員の区分として，「館長」「公民館主事」「その他の職員」と明記されています。そこでは，「公民館主事」の定義を「公民館の事業の実施にあたる者」と定義しています。

公民館のあるべき姿と今日的指標【こうみんかんのあるべきすがたとこんにちてきしひょう】

公民館創設当時の社会的条件が一変した時点において，改めて公民館の存在理由と，その機能・活動領域に再検討を加え，公民館の「あるべき姿」と当面する課題解決への指標を確立するため，全国公民館連合会が1965年から1967年にかけて専門委員会を設置して答申したもの。

多くの研究者や現場職員から意見を吸い上げ，内容を検討し，３年の歳月をかけてまとめられました。

今読んでも十分役立つ内容が多く，普遍的な公民館のあり方を追求しています。

公民館の歌【こうみんかんのうた】

「公民館の歌」として，全国の公民館職員の間で，70年以上歌い継がれている歌です。

毎年開催される全国公民館研究集会や，各ブロック公民館大会，各都道府県公民館大会などで，「公民館の歌」が現在歌われいます。

1946年７月，文部次官通牒により「公民館の設置」が奨励され，これを受けて９月に公民館設置を応援する民間団体である「公民館設置促進中央連盟」が結成されました。その翌年に同連盟が毎日新聞社とタイアップし，文部省後援により公民館活動の理念を示す「公民館の歌」の歌詞を全国公募しました。その結果，全国から1,017件の応募がありました。審査には，作家の川端康成氏をはじめ，文部科学省，東京音楽学校，毎日新聞社，日本放送協会，日本レコード協会などの面々からなる，そうそうたる審査団が組織され，厳正な審査の結果，見事特賞に選ばれたのは，千葉県館山市在住の山口晋一さんの作品でした。その作詞したものに，東京音楽学校教授の下総皖一氏が作曲をしました。

「公民館の歌」は，1964年にレコード化され，そのB面には北島三郎氏が歌う「公民館音頭・みんな輪になろう」が収められていました（現在廃盤）。

公民館の設置及び運営に関する基準【こうみんかんのせっちおよびうんえいにかんするきじゅん】

1959年に社会教育法が改正されたときに，策定された基準。社会教育法第23条の2には，「文部科学大臣は，公民館の健全な発達を図るために，公民館の設置及び運営上必要な基準を定めるものとする。」とあります。ここには社会教育法のなかには明記されていない，公民館のいわば最低限の基準に向けて，具体的な目標が掲げられていました。たとえば公民館の建物の面積は330㎡以上必要であるとか，どのような設備が必要か，職員の配置など，具体的に書かれていました。

その後，2003年6月に全面的に改正され，具体的な数値などがなくなり，時代にあった基準に刷新しました。

公民館類似施設【こうみんかんるいじしせつ】

市町村教育委員会が所管（民法第34条の法人又はその他の非営利法人に管理運営を委託しているものを含む）する公民館と同様の事業をおこなうことを目的に掲げる社会教育会館，社会教育センターなど。

個人学習【こじんがくしゅう】

人々が一定の場所に集合して学ぶ（集合学習）のではなく，個々人が別々に学習する形態のこと。集合学習の対概念。近年の生涯学習を中心とした学習形態は，マスメディアの発達やMD，ビデオなどの家電製品の普及により，個人学習がクローズアップされるようになってきていますが，公民館でおこなわれる学習はグループ学習が中心です。

コーディネーター【こーでぃねーたー】

まとめ役，調整する人のこと。公民館でおこなわれる学習活動のなかで，コーディネーターは，参加者のより深い気づきや活動の活性化，学習者同士の参加交流などを促進する役割を担います。

公民館では職員自らが，学習者の学習環境の調整，学習活動にかかわる調整，学習ニーズに応じた調整をすることも多いようです。

また，公民館の講座ばかりでなく，もっと大きく地域と公民館，地域と住民，住民と住民などの間を取り持ったり，調整したりすることもあることから，職員は「地域のコーディネーター」といわれることもあります。

コミュニティ学習センター【こみゅにてぃがくしゅうせんたー】（community learning center=CLC）

アジアや太平洋地域で，1990年代から普及が進んでいる，「公民館」的な施設。日本の公立の公民館は，常駐している職員がいて，職員が事業をおこなったりしているのがふつうですが，CLCでは建物しかなく，ボランティアが運営しているというところも多い。また，日本の公民館と比べて，多くのCLCは，識字（字の読み書き）や実生活ですぐ役立つキャリアアップのような活動のニーズが多く，日本の公民館で行われている活動とは傾向が異なっています。

コミュニティ・スクール【こみゅにてぃ・すくーる】

コミュニティ・スクールは，学校と保護者や地域の皆さんがともに知恵を出し合い，学校運営に意見を反映させることで，一緒に協働しながら子供たちの豊かな成長を支え「地域とともにある学校づくり」を進める法律（地教行法第47条の5）に基づいた仕組みです。

コミュニティ・スクールでは，学校運営に地域の声を積極的に活かし，地域と一体となって特色ある学校づくりを進めていくことができます。

学校運営協議会の主な役割として，

○校長が作成する学校運営の基本方針を承認する

○学校運営に関する意見を教育委員会又は校長に述べることができる

○教職員の任用に関して，教育委員会規則に定める事項について，教育委員会に意見を述べることができる

の3つがあります。

コミュニティーセンター【こみゅにてぃーせんたー】

公民館的なコミュニティ施設。公民館と同じような活動をしている施設もあれば，違う活動をしている施設もあります。もともとは，過疎地域におけるコミュニティの再生，発展に寄与することを目的に，1971年度に当時の自治省（現在の総務省）が国庫補助事業としてその整備をはじめました。公民館の普及設置とは違った流れから生まれたため，「教育」という視点があまりなく，「貸館」が中心となる傾向が強くあります。

省略して，「コミセン」と呼ばれることもあります。

コミュニティ・ビジネス【こみゅにてぃ・びじねす】

地域コミュニティを基点にして，住民が主体となって，地域の宝を活かしながら地域コミュニティを活性化したり，その課題の解決策を見いだそうとするもので，地位住民等の参画や費用負担のもとで，より質の高いサービスや行政だけでは対応できないようなサービスを提供するもの。公立の公民館ではあまり聞きませんが，自治公民館等でコミュニティ・ビジネスを進めているという事例があります。

さ行

参加型学習【さんかがたがくしゅう】

さまざまな学習効果をねらって，学習者が主体的に参加することを促す学習方法のこと。「体験学習」や「ワークショップ」などが参加型学習として有名です。

自治公民館【じちこうみんかん】

市区町村が設置している公民館に対して，**自治会・町村会等の地域の住民により設置され，管理・運営されている**公民館を指します。自治公民館は，地域の住民がお金を出し合い，あるいは積み立てて（一部には市町村から建設補助費をもらって）建設し，自主的に維持管理しています。**市町村立で，主として社会教育に活用されている町内・民間の集会施設であることもあります。**「条例公民館」が公設公営なのに対して，「自治公民館」は主として民設民営です。

「自治公民館」の名称は主に西日本に多く，その他**「公民館類似施設」「分館」「地区公民館」「集落公民館」「町内公民館」「地域公民館」「区民館」「字公民館」「近隣センター」等で呼ばれる**地域もあります。

自治公民館の数を全国公民館連合会が調べたところ，７万6,883館ありました（2002年11月現在）。公立公民館のおよそ4.5倍の数で，いかに自治公民館が，住民の生活と密接につながっている施設かわかります。

指定管理者制度【していかんりしゃせいど】

地方自治法の第244条の「公の施設」についての管理の仕方についてを扱っている部分の通称です。従来の委託は民間には委託できませんでしたが，2003年７月の改正によって，公の施設に民間に業務代行をすることが可能となりました。

「直営の公民館を必ず民間に委託しなければならない」「指定管理者制度に必

ず移行しなければならない」というわけではなく，公の施設を地方自治体の直営にするか，指定する管理者に委託するかということになります。

社会教育【しゃかいきょういく】

学校以外の社会においておこなわれる教育を指すことが多いようです。教育基本法第７条では，社会教育を「家庭教育及び勤労の場所その他社会において行われる教育」と規定しており，家庭と職場を含む社会一般での教育と定義しています。

社会教育委員【しゃかいきょういくいいん】

社会教育委員は，社会教育法第15条から18条に規定される都道府県及び市区町村から委嘱を受けた特別職で，社会教育の諸計画の立案や教育委員会に答申・建議等をおこないます。

社会教育関係団体【しゃかいきょういくかんけいだんたい】

社会教育法第10条では，「法人であると否とを問わず，公の支配に属しない団体で社会教育に関する事業を行うことを主たる目的とするもの」と定義されています。

社会教育士【しゃかいきょういくし】

学びを通じて，人づくり・つながりづくり・地域づくりに中核的な役割を果たす専門人材の称号。

もともとは「社会教育主事」という，社会教育を行う者に対する専門的技術的な助言・指導にあたる専門的教育職員の制度があり，社会教育法に基づいて教育委員会に置くこととされています。2020年度から始まった社会教育士制度は，この社会教育主事になるために修得すべき科目等を定めた社会教育主事講習等規程の一部改正によってできた制度です。

社会教育指導員【しゃかいきょういくしどういん】

市区町村教育委員会の委嘱を受け，主として社会教育の特定分野についての直接指導・学習相談，または社会教育関係団体の育成等にあたる非常勤職員のこと。なお，名称は市区町村によって，生涯学習推進員や生涯学習アドバイザーなどにしていることもあります。

社会教育主事【しゃかいきょういくしゅじ】

社会教育法第９条の２で，「都道府県及び市町村の教育委員会の事務局に，社会教育主事を置く。」と書かれています。仕事としては，社会教育法第９条の３で「社会教育を行う者に専門的技術的な助言と指導を与える。ただし，命令及び監督をしてはならない。」と書かれています。

社会教育主事講習【しゃかいきょういくしゅじこうしゅう】

社会教育法第９条の５の規定に基づき，社会教育主事となるための資格を付与するため，文部科学大臣が大学その他の教育機関に委嘱して実施している講習のこと。

生涯学習概論，社会教育計画，社会教育演習，社会教育特講の４科目９単位を，おおむね30〜40日間，計150時間程度かけて履修します。

社会教育調査【しゃかいきょういくちょうさ】

国による社会教育に関する統計調査。公民館，図書館，博物館など，社会教育にかかわるさまざまな施設に関する統計的なデータを，３年ごとに調査しています。このデータは文部科学省のホームページでも公開されいます。

社会教育法【しゃかいきょういくほう】

1949年６月制定。社会教育法は，日本国憲法・教育基本法に基づいて定められ，公民館に法的根拠を与えました。

社会教育法は，⑴総則，⑵社会教育主事及び社会教育主事補，⑶社会教育関

係団体，⑷社会教育委員，⑸公民館，⑹学校施設の利用，⑺通信教育，の各章（全57条）からなります。このなかで特に⑸公民館の章は，第20条から第42条に及び，社会教育法の骨格部分をなしており，図書館は図書館法，博物館は博物館法と個別法があることから，社会教育法は“公民館法”としての性格が強くあります。

社教【しゃきょう】

社会教育の略。社会福祉協議会も略して「社協（しゃきょう）」というので，混同することがあります。（応用：「社教法」「社教課」）

集団学習【しゅうだんがくしゅう】

人々が一定の場所に集合して学ぶ学習形態。個人学習の対概念。公民館でおこなわれる学習は，集団学習が中心といえます。

公民館の学習では，人間形成が，社会のなかで，一定の人間関係のもとでおこなわれるものだという認識に立ち，他者とのかかわりや，他者との交流によって学ぶことを大切にしています。

生涯学習【しょうがいがくしゅう】

生涯学習という言葉は，1965年にユネスコの成人教育推進委員会の事務局長・ポール・ラングランが提唱したのが始まりです。その後，文部省の各答申等で使われるようになり，今では一般的に使われるようになりました。

生涯学習とは，国民一人ひとりが充実した人生を送ることを目指して生涯にわたっておこなう学習です。

生涯学習は「個」を基準に考えられることが多いのに対して，社会教育は「集団」を基準に考えることが多いようです。

生涯学習振興整備法【しょうがいがくしゅうしんこうほう】

正しくは，「生涯学習の振興のための施策の推進体制等の整備に関する法

律」。1990年６月29日制定法律第71号。

生涯学習センター【しょうがいがくしゅうせんたー】

各種の社会教育施設とは違って，広域的な視点で，学習活動の情報提供や，事業の企画・開発をおこなっている施設。

生活課題【せいかつかだい】

学習課題の一つ。社会教育法の第20条には，「住民のために，実際生活に即する教育，学術及び文化に関する各種の事業を行い…」とあるように，生活に根づいた学習が公民館でおこなわれることが求められています。

生活に密着した【せいかつにみっちゃくした】

公民館の学習でよく出てくるフレーズの一つです。

公民館の学習は，実際生活からかけ離れた教養主義的な内容ではなく，実際生活に密着した内在的な学習要求・学習課題によっておこなわれることが大切であるといわれています。

社会教育法第３条には，「国及び地方公共団体の任務」として，「社会教育の奨励に必要な施設の設置及び運営，集会の開催，資料の作製，頒布その他の方法により，すべての国民があらゆる機会，あらゆる場所を利用して，自ら実際生活に即する文化的教養を高め得るような環境を醸成するように努めなければならない。(下線部筆者)」とあります。

全国公民館記章【ぜんこくこうみんかんきしょう】

この記章は全国公民館共通のシンボルマークです。「公」の文字を図案化したもので，同時に「館（やかた)」を日本建築の基型に合わせて考案されました。1960年９月に，公民館のシンボル・マークに制定され，全国の公民館関係者共通の記章として，公民館

活動のさまざまな分野でこれを用いて，広く公民館関係者に親しまれています。

全国公民館研究集会【ぜんこくこうみんかんけんきゅうしゅうかい】

公民館の全国的な大会です。全国の公民館にかかわる人たちが，公民館が対応すべき多くの課題や情報を交換し，互いに高め合い，明日への公民館活動の糧を得るため，毎年開催されています。従来は全国1カ所で開催されていましたが，2016年度から全国7ブロックでそれぞれ開催するようになりました。通称，公研集会【こうけんしゅうかい】。

全国公民館振興市町村長連盟【ぜんこくこうみんかんしんこうしちょうそんちょうれんめい】

1969年創立。公民館に対する国及び地方自治体の行財政施策の不備な現状を打開するため，志を同じくする市町村長が一丸となって，公民館振興のために組織的運動を実施するために結成されました。

全国公民館連合会【ぜんこくこうみんかんれんごうかい】

全国公民館連合会は，全国に約14,000館ある公民館の連絡と協力のための組織であり，本年まで70年以上の歩みを続けています。

全国公民館連合会は，各都道府県別に連合組織をつくり，その都道府県連合会が全国的な連合組織をつくるという形で成立している公益社団法人です。

前身は，「全国公民館連絡協議会」という名称で1951年11月29日に結成されました。法人としては，1965年3月9日に社団法人として認可され，2012年4月1日には公益社団法人に移行しました。

『月刊公民館』の発刊やホームページの設置によって各公民館に情報を提供し，全国集会の開催，調査研究の実施により，内容の深化を図り，職員研修会開催や優良職員表彰によって職員資質の向上と職員への励みを進めています。略称，全公連【ぜんこうれん】。

相互学習【そうごがくしゅう】

複数の学習者が集まって共同で学習を進めるなかで，相互に教え合い，学び合うという関係を基本とする学習方法。講義形式のように「教える―教わる」役割を固定化することへの反省に立った学習方法。寺中作雄著『公民館の建設』には，「公民館での教育は教える者と教えられる者とが講壇の上と下に対立する様な形でなく，教える者も教えられる者も融合一体化して互に師となり弟となって導き合う相互教育の形が取られる」とあります。

た行

体験学習【たいけんがくしゅう】

日常生活のなかでの体験から，何かものごとに気づいたり学んだりする過程を一つの教育方法として構造化したもの。ただ単に何かを実際に体験してみることだけを指すのではなく，体験を通じて得られた気づきや学びを繰り返すことによって，態度や行動の変容や人間的な成長へつなげていこうとするもので，特に何らかの形で人の行動がからんだ領域での学習においては，その効果が高い手法です。

第23条【だいにじゅうさんじょう】

社会教育法のなかで，公民館で禁止する行為を定めている条項。「営利」「政治」「宗教」的な行為は禁止することを定めています。

ただし，文字通り，「営利」「政治」「宗教」的な行為をすべて禁止しているわけではないので注意が必要です。たとえば，法では「もっぱら営利を目的として」とあるように，営利だけを目的としていることが禁止されているのであり，それだけを目的としておらず，公共性が認められるのであれば，公民館でも営利的な行為は可能です。また，政治も「政治学習」のような，政治一般を学習することはむしろすすんでおこなうべきです。宗教に関しても，同様です。

この23条等にかかわる貸し出しできる範囲は，市町村ごとに「内規」が定められていることもあります。

この23条があることで，公民館が使いづらいと判断してしまう市町村もありますが，この禁止条項がきちんと法律で定められているために，偏った団体に貸し出しを禁止ができ，公共性・公平性が保てるという意見もあります。

地域学【ちいきがく】

地域を知り，もう一度見直し，住民が参加してまちづくりを進める学習。

地域課題【ちいきかだい】

その地域固有に抱えている学習課題。

地方教育行政の組織及び運営に関する法律【ちほうきょういくぎょうせいのそしきおよびうんえいにかんするほうりつ】

教育委員会の設置，学校その他の教育機関の職員の身分取扱その他地方公共団体における教育行政の組織及び運営の基本を定めています。通称，地教行法【ちきょうぎょうほう】。

地方創生【ちほうそうせい】

「地方創生」は当時の安倍内閣が，地方創生を最重要課題と位置づけており，2014年９月には第２次安倍改造内閣発足と同時に，地方創生担当大臣を設置し，政府内に新組織である「まち・ひと・しごと創生本部」を立ち上げ，政府は地方創生に向け取り組みました。政府は，「まち・ひと・しごと創生本部」の活動を法制化する動きもおこない，人口減少の抑制や東京一極集中の是正に向け，国が今後５年間の総合戦略を策定することなどを規定した「まち・ひと・しごと創生法（以下，地方創世法）」を2014年11月に制定しました。

地方創生法の目的として，「我が国における急速な少子高齢化の進展に的確に対応し，人口の減少に歯止めをかけるとともに，東京圏への人口の過度の集中を是正し，それぞれの地域で住みよい環境を確保して，将来にわたって活力ある日本社会を維持していくためには，国民一人一人が夢や希望を持ち，潤いのある豊かな生活を安心して営むことができる地域社会の形成，地域社会を担う個性豊かで多様な人材の確保及び地域における魅力ある多様な就業の機会の創出を一体的に推進することが重要となっている。」と書かれています。

通学合宿【つうがくがっしゅく】

子供たちが公民館などの施設に一定期間宿泊しながら学校に通う活動。

ディベート【debate】

あるテーマに対して，賛成と反対の2組に分かれて論戦をする討議形式。テーマを設定し，同じ持ち時間で，論理の展開，質問の仕方，反論の仕方などを競い合い，最後に審判が判定を下します。分析力，情報収集力，発表（プレゼンテーション）能力，傾聴能力などを開発することなどを目指します。→さまざまな学習方法

寺中構想【てらなかこうそう】

寺中作雄氏が，1946年に起草した文部次官通牒「公民館の設置運営について」が，のちに「寺中構想」と呼ばれるようになりました。これは公民館の原点となる考え方として，今でも語りつがれています。→寺中作雄

寺中作雄【てらなかさくお】

公民館を初めに構想した人。当時，文部省公民教育課長の職にありました。

は行

派遣社会教育主事【はけんしゃかいきょういくしゅじ】

市町村における社会教育の指導体制の充実強化を図るための制度。1974年度

当時の文部省が国庫補助事業として実施してから全国的に普及。都道府県教育委員会が求めに応じて市町村に社会教育主事を派遣し，派遣された社会教育主事は，もっぱら当該市町村の社会教育行政の事務に従事します。派遣社会教育主事は，都道府県と市町村職員としての身分を併せ持ち，給与は都道府県が負担しています。現在，補助制度は廃止され一般財源化されています。

バズ・セッション【buzz session】

小さなグループでおこなう短いディスカッション。

発達課題【はったつかだい】

人間が生涯において学習すべき内容は，発達上の諸段階ごとに固有の，そして適時性を持った課題が存在するという。この課題群のことを，アメリカのハヴィガーストは発達課題と呼んでいます。

必要課題【ひつようかだい】

学習者の要求ではなく，学習者にとって必要と思われる公共的な視点や発達課題にあたる学習課題。具体的には，社会的には①社会構造の変化への対応，②地域づくり，③社会的問題，④人権などで，発達課題としては人生の各時期に達成されなければならないと考えられる発達上の課題です。

評価【ひょうか】

近年，行政評価や政策評価に取り組む市町村が増えてきました。その流れで，公民館にも評価が問われることが多くなりました。2003年に新しくなった「公民館の設置及び運営に関する基準」でも，第10条で「事業の自己評価等」と特記され，「公民館は，事業の水準の向上を図り，当該公民館の目的を達成するため，各年度の事業の状況について，公民館運営審議会等の協力を得つつ，自ら点検及び評価を行い，その結果を地域住民に対して公表するよう努めるものとする。」と取り上げられています。

公民館の評価という場合，従来，事業評価がよくおこなわれていました。職員自身による事業ばかりでなく，評価講座終了後にアンケートを配り，参加者に講座の満足度を聞いたり，講師に対する評価，感想を聞いたりすることもおこなっていました。

また，公民館運営審議会というシステムが公民館事業を評価する機関であり，公民館はもうすでに50年以上も前に，評価への関心は高かったのです。

現在話題になる「評価」は，行政評価の傾向が強く，公民館を正しく評価するものとなりえていないようです。

ファシリテーター【facilitator】

ワークショップなど，参加型学習会の進行役の呼び名です。直訳すれば，「活性化する人」「促進する人」です。公民館のような相互学習では，これまでの指導者という役割ではなく，学習を支援するという役割が重要となります。ファシリテーターは，学習活動の進行を促進，活性化するのであって，指導の名の下にコントロールするということではありません。学習者間の交流や，学習者や集団の変容や共同を促進することが役割です。

フィードバック【feedback】

個人やグループが成長するために，それまで学習したことなどを話し合うこと。また，それによって，お互いの関係がより深められるという効果もあります。→ふりかえり

附帯決議【ふたいけつぎ】

附帯決議とは，国会の衆議院及び参議院の委員会が法律案を可決する際に，その法律の運用や，将来の立法によるその法律の改善についての希望などを表明するもので，法律的な拘束力を有するものではありませんが，政府はこれを尊重することが求められます。

2008年の社会教育法改正にあたっては，衆議院，参議院の両院の文部科学委

員会において，社会教育法上初めて「附帯決議（ふたいけつぎ）」がなされました。この両院の附帯決議には，文言に若干の違いがあります。

ふりかえり

体験学習などで，体験したあと，ふりかえる時間がもたれることが多いようです。

体験学習は“気づき”の学習ともいわれます。体験をとおして，自分や他者のこと，お互いの関わり方，グループのことなどに気づくことから自分のありようを検討し，必要があれば，意識的に自分を変えていこうとします。

そうやって，学習したことを意識してふりかえることを「ふりかえり」といいます。

ブレーンストーミング【brainstorming】

創造性を開発するための集団的思考の技法のこと。メンバーが，自由に意見や考えを出し合って，すぐれた発想を引き出す方法。

ブロック公民館大会【ぶろっくこうみんかんたいかい】

全国7ブロック（北海道，東北，関東，東海・北陸，近畿，中・四国，九州）別に，それぞれのブロック内における公民館活動のあり方や管理運営等について研究討議し，公民館の振興，発展のため，高め合う大会です。毎年1回開催されています。

分館【ぶんかん】

学校でいう「分校」にあたるもの。社会教育法の第21条には，公民館事業を運営するうえで必要があるときは「分館」を設けることができると規定しています。

本館【ほんかん】

分館などの公民館に対して，いわれます。

ま行

まちなかカレッジ【まちなかカレッジ】

まち全体を一つの学校ととらえて，「教える」「教わる」という従来の学びのかたちにとらわれず，自由で楽しい学びのまちづくりを目指す活動。まち全体が学校なので，施設１カ所だけで学習がおこなわれるのではなく，まち全体のさまざまな場所や地域で学習が自由におこなわれるのが特徴。「まちなかキャンパス」「コミュニティカレッジ」などと呼ばれることもあります。

文部科学省【もんぶかがくしょう】

教育の振興及び生涯学習の推進を図る国家行政組織の機関。2001年１月に，文部省と科学技術庁と統合し，文部科学省となりました。

中曽根内閣のときに設置された臨時教育審議会（1984～1987年）以降は，「生涯学習体系への移行」を旗印に，学習が若年期だけの営みではなく，生涯にわたって続けるものだという考えを強く打ち出すようになりました。

そして，1988年７月には，それまで省内の４番目の局だった公民館にかかわる社会教育局を，生涯学習局と改め，筆頭局に位置づけたのです。その後生涯学習局は，文部科学省発足を機に，生涯学習政策局と改めました。略して，文科省【もんかしょう】。

文部次官通牒【もんぶじかんつうちょう】

敗戦から約１年後の1946年７月５日に出された「公民館の設置運営について」という文書のこと。この文書がきっかけとなって，全国的に公民館をつくることになりました。

や行

要求課題【ようきゅうかだい】

学習者が学びたいと思っている学習要求のこと。その要求には，その人がすでに意識している関心と，まだ自覚していないで潜在的に思っている関心とがあります。学習活動は要求課題が出発点となります。

余裕教室【よゆうきょうしつ】

少子化現象のため，児童・生徒数が年々減っています。それにともなって，全国の学級数は減少していますが，校舎の教室数は減りませんので，使われない教室が増えています。これを余裕教室といいます。空き教室も同じような意味ですが，文部科学省は次のように使い分けています。余裕教室は，将来とも恒久的に余裕となると見込まれる普通教室であり，空き教室は，余裕教室のうち，将来計画がなく当該学校では不要になると見込まれている普通教室のことです。

この余裕教室を公民館にしようという動きもあります。

ら行

リカレント教育【りかれんときょういく】

リカレントとは，「回帰する」「還流する」「循環する」という意味で，学校教育を修了した社会人が，いつでも必要に応じて職場や家庭から学習の場に戻って，生涯にわたって繰り返し学習することです。

リカレント教育の実施機関としては，歴史的な経緯等から高等教育機関にその中心的な役割がありますが，企業，カルチャーセンター，生涯学習関係団体，行政などのさまざまな機関でも社会人の多様なニーズに対応したリカレント教育がおこなわれています。

リカレント教育は，より広い概念である生涯学習に包摂されます。両者の違いを明確に示すことは難しいですが，リカレント教育は職業能力の向上や人間性を豊かにするための高度で専門的な学習を対象としており，しかも学校教育を修了した主として成人期以降の社会人を対象とする傾向があります。一方で，生涯学習は，幅広い学習活動やあらゆる世代を対象としています。

リーダーシップ【leadership】

集団で学習する場合，個々人の学習を世話をしたり，まとめたりする役割を持った指導者が必要となります。そういう指導者としての資質・能力・力量のことをリーダーシップといいます。リーダーシップは，メンバーのことを面倒をみる「対人能力」，魅力ある活動，無理・無駄のない計画を立てる「企画能力」，そして集団をまとめたり引っ張る指導性を持つ「統率能力」などが必要です。

ロールプレイング【Role playing】

体験学習の一つ。役割演技法と訳します。元来は心理学で，現実場面を想定し，期待される役割を自由に演じた心理療法でした。現在では研修などで一種のシミュレーションとして，新入社員の電話の受け方の練習など，研修技法として広く応用されています。

わ行

ワークショップ【workshop】

参加者が受け身でなく，積極的にかかわる学習方法のこと。中野民夫氏は「講義など一方的な知識伝達のスタイルではなく，参加者が自ら参加・体験して共同で何かを学びあったり作り出したりする学びと創造のスタイル」と定義しています。

資-2 公民館の建設（抄）

寺中作雄

一　何故公民館を作る必要があるか

この有様を荒涼と言うのであろうか。

この心持を索漠と言うのであろうか。

目に映る状景は赤黒く焼けただれた一面の焦土，胸を吹き過ぎる思いは風の如くはかない一聯の回想。

焼トタン小屋の向うに白雲の峰が湧き，崩れ壁のくぼみに夏草の花が戦いでいる。

これが三千年の伝統に輝く日本の国土の姿であろうか。

あくせくと一身の利に趨り，狂うが如く一椀の食を求めてうごめく人々の群。

これが天孫の末裔を誇った曾ての日本人の姿であろうか。

武力を奪われ，国富を削られた日本の前途は暗く，家を焼かれ，食に餓える人々の気力は萎え疲れている。

これでよいのであろうか。

日本は果たしてどうなるのだろうか。

抛棄した武力に代えて平和と文化を以て立ち，削られた国土に刻苦経営の鍬を振えば，再建の前途必ずしも遠しとせぬであろう。**最も悲しい事は魂を毀り，精神を損ずる者の辿らんとする運命である。**

現実の今日の世相を見ると，自由を履き違えた放従が横行し，民主主義を間違えた利己主義が充満している。新しい日本を背負わねばならない青少年達は精神の拠り所を失って日々不良化の一途を辿り，封建根性をたたき直さねばならない中年層の人々は毎日を保身と利殖に専念して国家の再建を考えていない様に見える。

併し無理はないのだ。だまされて恨んでいる者，奪われて泣いている者，投げ出されて呆然としている者，腹が空いて無気力となっている者，疲れて絶望している者，何が何だか分からず，何を如何してよいか見当がつかぬ者——一体，それは誰の責任であろうか。誰の責任とも云えない。皆が悪かったのだ。強いて云えば誰の責任か分らぬ様なやり方を今まで平気でやって来て意にも介しなかった日本人の根性，日本人の考え方，日本の習慣，日本の制度が悪かったのだ。

互に責任をなすり合い，相互に相手を批難し合って，恨み，泣き，呆然として手を拱いていても，それだけ日本の再建が遅れるだけの話ではないか。

かつて十九世紀の始プロシヤはナポレオン一世のフランスに征服せられ国家廃滅の運命にあったとき，ベルリン大学の教授ヨハン・ゴットリープ・フィヒテは仏軍の鐘鼓の音に囲まれながら敢然として「ドイツ国民に告ぐ」の大講演を以て国民の士気を鼓舞した。

国民よ，利己を追うことを止め，祖国愛に帰れ，感覚の世界を棄てて，理念の世界を求めよ，武器の戦は終ったが，徳の戦がはじまるのだ。優秀なドイツ魂に立かえって，精神の国，理念の国としてドイツ国家を復興せよと。

かつて北欧に雄飛したデンマークは英国に撃破され，墺普聯合軍に大敗し，敗惨絶望のどん底に陥ったとき，偉人ダルガスは起って荒蕪地を開いて農業立国の基礎を築き，大聖グルンドイッヒは青少年に民族精神と協同心の尊貴を説いて，国民高等学校教育による精神立国の根底を培った。

歴史は幾度か敗惨の国を滅亡の炉底に置き去りにしたが，同時に歴史は屡々敗滅の国に精神の火を点ずることによって輝かしい復興の楽土を建設した事例を提供しているのである。

世界は決して敗戦の日本を永久の死滅に追い込むことを望んでいるものではない。

神は必ずや敗亡の日本が犯した過誤を懺悔して，平和と正義の国に立直ることを待望しているに違いない。

われわれも亦之を信じ，世界も亦之を熱願している。

起ち上らなければならない。猛然と，毅然と，すべての過去を清算して，奮然として蹶起しなければならない。

二度と間違いを仕出かさない様な健実な足場の上に，われわれは断乎として奮起しなければならぬ。

再建の方針は既に定まっている。

ポツダム宣言「日本国政府は日本国国民の間に於ける民主主義的傾向の復活強化に対する一切の障礙を除去すべし」

新年の詔書「官民挙ゲテ平和主義ニ徹シ，教養豊カニ文化ヲ築キ，以テ民生ノ向上ヲ図リ，新日本ヲ建設スベシ」

まさに民主主義の基盤の上に，平和国家，文化国家として立つこと，それを除いては日本の起ち上がるべき方途はない筈だ。

だがわれわれは聯合国から迫られて已むを得ず文化国家として立つのだと考えてはならない。戦いに敗れた結果，仕方なく民主主義になるのだと思ってはならない。

文化をもって立つことが国家として最高の理想であり，民主主義によって国を治めることが国民として最も幸福な，国家としても最も進歩した道であるからである。真理と平和が国中にみなぎり，自由と平等が国民のものとなるとき，真の人類の幸福がもたらされ世界永遠の平和が実現出来ると信ぜられるからである。

誰に勧められなくてとも，何国に強制されなくても，われわれは当然に，自ら進んで平和と文化の道を取るべきであったのである。武力で解決し，威嚇で押し通そうとする様な方法はもともと間違っていたのだ。われわれは真に反省し，心の底から懺悔して，今こそわれわれの正しい方向に立かえり，平和と文化と民生の道に進もうではないか。

方向は決まった，目標はついた。

それでは先ず何から手をつければよいか。

最も手近なところから，先ず身近な生活の建て直しから始めて，再出発の第一歩を踏み出そう。

第一に民主主義を我がものとし，平和主義を見についた習性とする迄にわれわれ自身を訓練しよう。

民主主義は形だけ，口先だけではいけない。

平和主義は名目上，空想上のものであってはならない。

自由とか，平等とか，友愛とか，理屈めいたことは抜きにして，先ずみんなで相談しよう。再建の方向と進発の目標を定めて，其の方法を研究しよう。

他人に頼らずに自分で考えよう。

自分一人抜け駆けせず，皆と協調して進もう。

実行する以上は必ず自分で責任を取ろう。

この三つが本当の身についた習性となる迄，われわれはわれわれ自身を訓練しよう。

自分で考える以上，自発自主，自分の能力，自分の個性を信じて，それを十二分に活用し国家社会の為に役立たせることとなる。皆と協調する以上，他人を尊重し，他人の能力個性をも発揮させることとなる。自分で責任を取る以上，放埓は出来ない。馬鹿げた行為は出来ない。限度を守って，やり遂げ，万一間違ったらどんな制裁でも受ける気なのだ。

自発的にして自制的，自説を持しつつ，他説に傾聴し，自由を求めつつ，責任を重んずる。日本人がみんなそれだけの習性を身につければ，日本の民主化，平和日本の建設は必ず出来る。

第二に，豊かに教養を身につけ，文化の香高い人格を作る様に努力しよう。

自発的に考え，自分で物事を判断するには先ず自らを教養し，広い常識と深い見識を養って，如何なる事にもはっきりとした見通しと不動の信念が出来ねばならない。他人と協調し，他説を尊重するには，相手を理解するだけの雅量と，活発に討議する為の文化的素養がなければならない。自分で責任を取る為に物の限度を知り，行為の秩序を守らねばならない。

書物を親しみ，討論を楽しみ，進んで師の教えを乞う謙虚さによって，あふれる様に豊かな教養の香を身に染めよう。

第三に身についた教養と民主主義的な方法によって，郷土に産業を興し，郷

土の政治を立て直し，郷土の生活を豊かにしよう。郷土の産業が興らないのはわれわれに科学的育識が乏しく協力の実が上らないからだ。郷土の政治が沈滞しているのはわれわれに愛郷の念と協同心が乏しいからだ。郷土の生活が充実しないのは，お互が真の友愛と誠実とを以て交わらないからだ。

広く深い文化的教養を身につけ，平和的に考え，民主的に行動し，睦じい友愛に結ばれて，みんなが気合を合わせ，魂を融け合せて，大いに働き，大いに楽しみ，お互の郷土固めにいそしむならば，そこに意義あり希望に富んだ人生の道が開け，これが文化日本，平和日本建設の礎となるであろう。われわれが今，やるべき仕事はそれなのである。

われわれは熱望する。

お互の教養に励み，文化を進め，心のオアシスとなってわれわれを育くむ適当な場所と施設が欲しい。郷土の交友和楽を培う文化センターとしての施設を心から求めている。みんなが気を合せて働いたり楽しんだりする為の溜り場の施設が必要だ。そんな施設が各自の生活の本拠である郷土，われわれの愛する町村に一つ宛出来たら何と素晴らしい事であろう。

併し乍ら，われわれはうっかり依頼心を起してはならない。誰かの力で，何処からか都合して施設を作って貰おうとする軽薄な依頼心を警戒しよう。依頼心を起した為に飛んだひどい目を見たではないか。今日のこんな惨めな環境になったのも畢竟，われわれが何事でも偉い人に委せ切りお上に依頼し切って，うかうかと戦争に巻き込まれて了った結果である。二度とあの苦々しい経験をなめる様な事はすまい，われわれはもう凝り凝りしている。

われわれが是非やらねばならぬ仕事，われわれがわれわれのためにどうしても必要な施設ならばわれわれ自身の力で，それを作り上げよう。民主主義とは国民が進んで自分の為すべき仕事をやり遂げることを言うのだ。

われわれの力でわれわれの教養施設を作ろうではないか。

（以下略）

出典一覧

〈第１章〉公民館入門

1．よくわかる公民館の初歩（2019年４月号～６月号，2020年４月号・５月号，2021年４月号）

2．講座づくりのノウハウ（2021年６月号）

3．イメージでつかむ！　公民館の仕事（2006年４月号）

4．オンライン講座のノウハウ（2021年７月号・８月号）

〈第２章〉困ったときの公民館Ｑ＆Ａ

1．公民館の事業と運営－社会教育法第23条をあらためて考える－　（2015年４月号）

2．困ったときの公民館Ｑ＆Ａ　（2011年４月号～2013年３月号）全18回

〈第３章〉公民館を考える

1．公民館はどう語られてきたのか－戦後70年の議論から考える公民館のこれから－（2018年１月号～10月号）

2．「学び」を地域コミュニティに実装する－想像力と配慮による当事者形成のプロセスを考える－（2020年９月号～2021年１月号）

3．地域づくりの拠点としての公民館（2014年10月号）

4．社会教育は社会教育でなければならない－住民自治の再発明の場としての公民館－（2020年４月号～６月号）

5．「アフターコロナ」「ウィズコロナ」時代の社会教育とは（2020年９月号～10月号）

以上，すべて『月刊公民館』（第一法規株式会社）

執筆・監修協力者（五十音順）

小山　竜司（第３章－５）
神奈川大学法学部特任教授

朱膳寺　宏一（第２章－１・２）
元千葉県公民館連絡協議会会長，元船橋市北部公民館長

手打　明敏（第３章－３）
東京福祉大学教育学部教授

牧野　篤（第３章－１・２・４）
東京大学大学院教育学研究科教授

吉田　博彦（第３章－１）
特定非営利活動法人教育支援協会代表理事

所属は，執筆・監修当時のものである。

サービス・インフォメーション

通話無料

①商品に関するご照会・お申込みのご依頼
TEL 0120(203)694/FAX 0120(302)640

②ご住所・ご名義等各種変更のご連絡
TEL 0120(203)696/FAX 0120(202)974

③請求・お支払いに関するご照会・ご要望
TEL 0120(203)695/FAX 0120(202)973

●フリーダイヤル(TEL)の受付時間は、土・日・祝日を除く9:00〜17:30です。

●FAXは24時間受け付けておりますので、あわせてご利用ください。

よくわかる公民館のしごと　第3版

2017年4月30日　新訂版初版発行
2022年3月25日　第3版初版発行

編　著　公益社団法人全国公民館連合会
発行者　田　中　英　弥
発行所　第一法規株式会社
〒107-8560　東京都港区南青山2-11-17
ホームページ　https://www.daiichihoki.co.jp/
装　丁　篠　　隆　二

公民館のしごと3　ISBN978-4-474-07747-8　C3037　(9)